무익無翼한 원

무익無翼한 원

발 행 | 2024년 2월 7일
저 자 | 른맴
펴낸이 | 한건희
펴낸곳 | 주식회사 부크크
출판사등록 | 2014.07.15.(제2014-16호)
주 소 | 서울특별시 금천구 가산디지털1로 119 SK트윈타워 A동 305호
전 화 | 1670-8316
이메일 | info@bookk.co.kr

ISBN | 979-11-410-7100-4

www.bookk.co.kr

무익無翼한 원

른맴 지음

목 차

머리말

처음 글을 쓴 것은 1998년 정도로 기억합니다. 삼국지 커뮤니티에서 대본체 소설을 두세 편 정도 연재했던 것 같네요. 이후로 글을 진득하게 잡지도, 그렇다고 완전히 놓지도 못하면서 어영부영 지내오다가, 2016년 12월 '부산역'을 시작으로 본격적인 단편 집필에 들어갔습니다.

이 단편집에는 총 22편의 단편 소설이 수록되어 있습니다. 7년 동안 쓴 38편의 작품 중 남에게 보여줄 만한 것을 고르다 보니, 개인적으로 의미가 있는 작품, 예컨대 첫 단편인 '부산역'이라던가, '부인지인(婦人之仁)', '섬마을'과 같은 초기작은 퀄리티 미달로 제외하게 되었습니다.

목차는 집필 시점 순으로 배열했습니다. 유일한 예외인 '[esperanza: 단말마로 완성되는 삶]'의 경우는 '청연(青煙)'보다 한 달 정도 먼저 집필이 이루어졌지만, 타 작가분의 작품 '[codicia: 멈추지 않는 시계]'의 프리퀄로 쓰인 작품이기 때문에 다른 독립적인 작품과 구분이 필요하다고 판단하여 번외로 빼게 되었습니다.

단편집을 관통하는 주제 같은 것은 없다고 생각합니다. 읽어보면 아시겠지만, 장르나 문체도 제각각이고요. 특정한 방향성을 가지고 달렸다기보다는 그때그때 쓰고 싶은 것을, 보여주고 싶었던 것을 다루었습니다. 그렇기에 뒤로 갈수록 완성도는 높아질지언정, 모든 작품이 제각각 노는 느낌일 것입니다. 순서대로 읽기보다는 제목이나 첫 문장이 마음에 드는 글을 하나씩 읽어보길 권합니다.

머리말을 가볍게 쓰려고 했는데, 한 번 말문이 터지니 그것도 쉽지 않네요. 아쉬운 부분은 맺음말에서 부연하겠습니다. 단편집과 함께하는 동안 모쪼록 의미 있는 시간이 되길 바랍니다.

소나기

하늘. 햇살과 휘파람으로 가득 찬 하늘은 각진 창틀에 잘려 마치 조각 케이크처럼 다가온다. 맑게 웃는 너머로 느껴지는 장난기가 살풋. 그렇게 너를 닮은 날씨니, 오늘은 과연 너를 만나는 날답다.

그간 며칠, 조금 더 솔직해지자면 몇 주간은 잠을 이루지 못했다. 무슨 옷을 입을지, 무슨 말을 담을지. 마냥 설레는 이 내 마음을 어떻게 달래야 할지. 그러다 결국 다 놓아버렸다. 떨림을 그대로 두고 콩닥거리는 심장 소리를 즐겼다. 달뜬 뺨의 온도를, 예민해진 살에 닿는 까끌한 감촉을.

어쩐 일이었을까? 눈을 질끈 감고 열어젖힌 옷장에선 유독 파란 줄무늬의 원피스 하나가 쏙 하고 눈에 들어왔다. 봄맞이 대청소를 할 때 정리할까 말까, 제법 고민하게 했던 녀석이었다. 캐리어에 들어올 수 있었던 것도, 정말 마지막의 마지막에 이르러서였다. 그런데 그게 끌렸다. 옷뿐만이 아니었다. 립스틱도, 향수도, 샌들도 딱 이거다 싶은 녀석들이 있었다. 마치 네가 골라주기라도 한 것 같았다.

거리에 젖은 자국들로 봐서 간밤에 비가 내렸나 보다. 아직 촉촉함이 살아있는 바람결이 귓불을 간질이곤 저만치 도망친다. 비가 내린 다음은 좋다. 흙냄새가 새삼 올라오고, 닦아낸 세상은 한층 더 선명하다. 붓으로 그어도, 글로 써도 이렇게 분명할 수 없을 것 같다. 너와의 첫 만남도 그랬다.

너는 징검다리 가운데 서서 물수제비를 띄우고 있었다. 던진 돌은 미쳐 세 번을 뜨지 못했다. 그래도 나보다는 나았다. 내 마음은 너의 해맑은 경계에 대고, 단 한 번도 뜨질 못했으니. 원래 그렇다. 사랑이라는 건 아주 가운데서부터 부풀어 오른 거니까, 물수제비를 띄우기엔 좋지 않은 모양이다. 나는 그렇게 네게 빠져들었다.

다리를 건너다 문득 아래를 내려다보았다. 발돋움이라도 한 듯 가까워진 수면 위로 갈매기 몇 마리가 쉬고 있다. 그중 두 마리는 서로에게 다정하게 몸을 기댄 채다. 그런 모습에서 어떤 환영을 비추어 보는 내가 괜스레 부끄러웠다. 저도 모르게 흘러나온 웃음이 바보처럼 느껴졌다.

우리의 만남은 너희 집 앞에서 시작해서 우리 집 앞에서 끝났다.

너는 아침잠이 많았다. 내가 전철 1번 칸에 서서 조마조마한 마음으로 건 전화에야 기어코 잠이 깨곤 했다. 너는 곧잘 너스레를 떨었다. 진심으로 깨우고자 하는 마음이 전해져야만 일어날 수 있는 거라고. 나는 그런 말을 하는 네 입술에 다음번 진심까지 미리 쳐주곤 했는데, 너는 꼬박꼬박 그걸 받아먹고서는 장부에 기록하지 않았다는 핑계로 항상 떼먹었다.

돌아오는 전철에서는 나는 네 어깨에 기대서 한참을 재잘거리다 잠들곤 했다. 그러다 결국 네게 업혀서 침대까지 배달된 적도 한두 번이 아니었다. 말 그대로 업어가도 모르는 거다. 그런 꿈을 꾸기도 했다. 눈을 뜨면 너의 집도 나의 집도 아닌 곳에서, 서로의 품속에서 깨어나는 거 말이다.

공원에는 플리마켓이 열렸다. 그러고 보니 오늘은 토요일이다. 구경이나 할까? 답은 발에서 들려왔다. 사실 아무래도 상관없겠다. 옷장 문을 열었을 때의 기시감이 들기도 했다. 어차피 너는 언제나처럼 그곳에 있을 테니까. 어쩌면 이게 네가 목메는 것을 볼 기회가 될지도 모르겠다.

밀밭처럼 밝은색의 밀짚모자가 눈에 들어왔다. 짧은 챙이 앙증맞았고, 조약돌 장식도 마음에 들었다. 주인에게 조심스럽게 가격을 물었는데 이미 팔린 물건이란다. 아쉬운 마음에 같은 물건을 구할 수 없냐고 물었더니, 만들지 않을 거라고 했다. 주인의 눈빛은 아늑했다. 팔린 지 3주일 째란다. 사연은 묻지 않았다.

종종 그런 것이 있다. 이미 팔린 물건인데, 주인이 찾아가지 않아 방치된 것. 이미 다 쓰여진 이야기에서 뒤늦게 발견한 복선 같은 거다. 쓰일 수 없는 것이기에 더 괜히 눈길이 가는 걸지도 모른다.

나는 길을 나섰다.

의식하지 못한 새, 사위가 제법 어둑해져 있었다. 멀리서 우르렁

거리는 소리도 들렸다. 소나기였다. 멀리 지붕이 있는 벤치가 보였다. 서둘러 뛰어가는 걸음을 세찬 빗소리가 씻어낸다. 옷이 젖지는 않았지만, 마음에 물이 먹기 시작했다. 왜 우산을 챙길 생각을 못 했을까. 여기 날씨는 원래 이런 걸 알고 있었는데 말이다.

네가 그랬다. 너무 원망하지 말라고. 나도 억울하긴 한데, 지금 보니 다 정해져 있었던 건가보다 싶기도 하다고. 만약 그런 거라면, 신은 굉장히 자비로우신 분이다. 이렇게 사랑해 주는 네가 있을 때, 어떻게 해야 더 사랑할 수 있을지 잘 모를 정도로 푹 빠져있을 때, 행복의 한계선까지 밀고 올라갔을 때. 떨어지기 전에 이렇게 거두어 가시지 않느냐고. 그런 말도 안 되는 말을 지껄이면서 너는, 웃었다.

우리의 만남은 소설과 같았다. 지나치게 극적이었고, 지나치게 명료했다. 우리는 그 아름다운 곳에서 운명처럼 만나, 그 아름다운 것들을 보며 사랑 주고받았다. 너와 나는 좀처럼 싸우는 일이 없었다. 너는 게을렀고 나는 챙겨주는 것을 좋아했다. 내가 칭얼거리면 너는 나를 껴안아 주었다. 이상할 정도로 잘 짜여 있는 이야기였음에도 나는 단 한 번도 의심해 본 적이 없었다. 바보 같다. 사는 것은 그렇게 그럴듯한 것이 아니다. 사람은 별다른 한이 없다는 것을 한으로도 삼을 정도로 불안한 존재다. 우린 싸웠어야 했다. 우린 서로의 결점을 찾아냈어야 했다. 우린 조금 더 오래 만났어야 했다. 우린, 우리는 더 사랑했어야만 했다.

네 웃음은 이렇게 예쁘기만 한 운명에 대한 저항이었을지도 모른다. 미소가 빛나봐야 눈물 한 방울만 못 하니까. 너는 미소를 뽑아

들고 소설가의 펜 끝을 막아선 것일 게다. 네가 어떤 단어를, 문장을 저지하려 들었는지는 알 수 없다. 너는 폐병으로 죽었다. 많은 젊은이가 그래왔듯, 너는 환하게 웃는 얼굴 사진으로 한 죽음의 저울 금을 속이려 들었다. 네 웃음은 끝까지 얄미웠다.

우는 건 애들이나 하는 거라고 말하는 것 같아서 얄미웠다. 다리가 후들후들 떨리는 걸 숨기려고 웃는 주제에, 진심을 가리고 허세부리는 것 같아서 얄미웠다. 사실은 아무것도 알 수 없어서 얄미웠다. 솔직히 말해, 네 웃음이 기억나지 않는다.

너는 맑은 목소리로 웃었다. 웃었던 것 같다. 그런데 맑은 목소리가 무엇일까? 그 웃음이 떠오르지 않는다. 그 어떤 소리에서도 그 웃음을 떠올릴 수 없었다. 네가 마지막으로 남기고 간 건 웃음뿐이었는데, 네 입가가 어떤 방식으로 올라갔는지가 전혀 기억나지 않는다. 혀를 어떻게 굴렸는지, 얼마나 뜨거웠는지 모르겠다. 입술을 앞니부터 깨물었는지, 아랫니부터 깨물었는지도 기억나지 않는다.

꿈에서 너를 보았다. 기억 속 그대로 너무나도 예쁘게 웃던 너. 나를 꼭 안아주었는데, 마치 조립되듯이 몸이 맞아 떨어졌다. 깨어버렸다. 완벽하게 맞아떨어지는 운명을 인정한다는 것은, 그런 끝 역시 납득해 버리는 거니까. 나는 분명 너를 미화하고 있었다. 나는 내가 편한 대로, 내가 받아들일 수 있는 방식으로 이미 없는 너를 빚어내고 있었다. 정말 우리는 서로에게 화를 내지 않았을까. 백치처럼 웃고만 있었나? 나는 목 놓아 울었다. 네가 기억나지 않는데 네가 곁에 없다. 너는 죽었다. 우린 헤어졌다.

나는 운다. 주저앉았다. 가학적인 심정으로 성대를 긁었다. 비가 세차게 내린다. 나는 나름대로 현실을 살아오고 있었다. 열심히 공부해서 좋은 대학에 입학하고, 좋은 직장을 구했다. 문득 일을 그만두고 아일랜드로 워킹홀리데이를 떠날 때도, 내가 아주 근본적으로 바뀔 것으로는 생각하지는 않았다. 평범하게 성실하게, 자신을 사랑해 가며 살아갈 거라고 생각했다. 그럴 힘을 얻기 위해 나선 것이었다. 더블린 교외에서 그날 나는 네가 던진 물수제비를 타고 이 소설 속에 빠져들었다. 넌 그런 나를 내팽개쳐 놓고는 무엇이 그리 좋은지 미소만 남긴 채 사라졌다. 너무나도 옅어서 이렇게 비가 오지 않으면, 물에 적시지 않으면 그것이 원래 무슨 색이었는지 조차 떠올릴 수 없다. 고작 몇 달이었는데 이후의 내 삶은 너로 다 젖어 버렸다. 너는 소나기처럼 내게 몰아쳤고, 나는 빗속에서 벗어나질 못한다.

너는 변덕스럽다. 엉망진창이다. 야비하고 이기적이고 못돼처먹었다. 나는 그런 너를 감당할 수가 없다. 여길 오는 게 아니었다. 이렇게 젖어서는 돌아갈 수가 없다. 나는 너를 덜어내고 싶다. 나는 너를 있는 그대로.

비가 멎었다.

하늘로 순식간에 휘파람으로 차오른다. 세상의 윤곽이 가장 뚜렷한 시기다. 붓으로 그은 듯, 펜으로 꾹꾹 눌러 쓴 듯. 단편 소설의 끝맺음이 늘상 그러하듯. 그럼 남은 이정은 어떤 온점에 걸쳐 있을까? 사실 알고 있다. 이미 절정은 지났다.

장례식날 이후로 처음 보는 묘비다. 너였던 것이 묻혔었던 곳을 상징하는 돌. 나는 거기에 도라지꽃과 청첩장을 두었다.

돌아오는 길. 누군가가 부르는 소리에 고갤 돌리니, 예의 그 모자 주인이 모자를 내밀고 있었다. 이제 필요가 없다고 한다. 얼굴이 아주 푹 젖어있었기에, 그것을 받지 않을 수 없었다. 주인은 짧게 인사하고 멀어져갔다.

조약돌 장식에 따뜻한 빛이 어렸다. 정오의 햇빛이었다.

미운 오리 새끼

어머니는 손이 컸다.

두텁고 야무졌으며 매웠다. 손만 큰 것은 아니었다. 얼굴도 컸고, 덩치도 컸고, 목소리도 컸다. '어머니는 강하다'는 관용구를 처음 들었을 때, 당연히 나도 크면 어머니처럼 될 것이라는 뜻으로 받아들였었다. 하지만 그런 믿음은 그리 오래가지 않았다.

나는 작았으니까.

오빠들은 유독 빨리 자랐다. 국민학교를 졸업할 즈음의 그들의 키를 나는 영영 따라잡지 못한다. 크는 것만 빠른 것이 아니었다. 성격도 급했다. 쏘는 듯 말이 빨랐고, 그보다 손은 더 빨랐다. 동네 꼬맹이 중 오빠 손을 타지 않은 녀석이 없을 정도였다. 오빠들은 어머니처럼 컸다. 자신감이 넘치고 배포가 좋은 것은 아버지를 닮았다고 한다. 나는 아버지에 대한 기억이 없다.

나는 작았다. 몸도 약했다. 할머니는 내가 모유를 제대로 못 챙겨 먹어서라고 했다. 처음에는 왜 그랬을까 궁금하기도 했는데, 사시사철 바삐 다니는 어머니의 모습을 보면, 그럴 법도 하다는 생각이 들었다.

여하튼 중요한 것은 기억에도 없는 영유아기가 아니다. 나는 유독 작아서 집안일을 하기 힘들었다. 싱크대도, 바지랑대도 높았다. 빨랫비누도 양손으로 잡아야 했다. 나는 유독 약해서 어머니 치맛자락을 쫓아다니기에는 숨이 너무 모자랐다. 잔칫날 강아지같이 빨빨거리는 오빠들의 난폭한 놀이에도 어울릴 수 없었다. 학교에 들어가기 전까지 내 일과의 대부분은 툇마루에서 할머니의 무릎을 베고 손가락을 빠는 것이었다.

사실, 학교에서도 다를 건 없었다. 나는 아이들과 어울릴 수 없었다. 어쩌다 다툼이 생기면, 오빠들이 와서 분위기를 험악하게 만들었기 때문이다. 오빠들이 어디서 어떻게 이야기를 들었기에, 그리 재깍재깍 나타날 수 있었는지는 지금도 신기할 정도다. 아니, 지금에서야 신기하다는 말이 맞겠다. 당시는 솔직히 지옥이었으니까.

몇 번은 오빠들에게 울면서 대들기도 했다. 하지만 오빠들은 들은 체도 하지 않았다. 그들에게 내가 곤란을 겪는다는 것은 자신들의 명예가 실추되는 일이었다. 나는 딱히 집에서 이쁨을 받지 않았다. 작았고 약했으니까.

작은 마을이었다. 아이들은 모두 이웃이거나, 이웃의 이웃이었다. 간혹 이웃의 이웃의 이웃도 있었지만, 그들은 정말 소수였다. 다들 같은 국민학교를 나와서 같은 고등학교로 들어갔다. 다시 말해, 우리 오빠들의 명성은, 내 악명은 12년 동안이나 이어졌다. 오빠들이 졸업하면 끝날 줄 알았던 문제는, 그들이 줄줄이 마을 청년회에 들어가면서 원작 초월의 속편으로 이어졌다.

나는 외로움을 많이 탔다. 학교에선 친구가 없었고, 집에서는 여전히 겉돌았다. 사람이 얽히지 않는 일상에선 항상 남는 시간이 있다. 그러니까, 책을 좋아해서 친구가 없는 것이 아니라, 친구가 없어서 책을 좋아하는 것이라는 말이다. 공부를 잘하는 지적인 아이라서 책을 많이 읽는 것이 아니라, 책을 읽다 보니 앉아있는데 내성이 강해진 것뿐이라는 말이다.

내가 생각하기에도 난 참 별로였다. 작고 약했다. 친구가 없었다. 사회성이 떨어졌다. 딱히 착한 것도 아니었다. 정을 느끼는 대상이 없었다. 다소 예민했고, 마음의 벽이 높았다. 손재주도 없었고, 억척스럽지도 않았다. 오빠들보단 공부를 잘했지만, 딱히 특출난 것은 아니었다. 아니, 아니었었다.

고등학교 3학년으로 올라가던 해. 젊은 담임 선생님이 농어촌특별전형 제도를 소개해 주었다. 학교에서 공부를 좀 한다는 애들은 다 아는 거라고, 오히려 반에서 3, 4등은 꾸준히 하는 내가 그것을 몰랐던 것에 대해 놀란 얼굴을 해 보였다. 그야, 공유할 친구가 없으니까. 하지만 그런 부끄러운 말이 입 밖으로 나올 리 없다.

쉽게 말해 시골 사람들은 시골 사람들끼리 경쟁하는 제도라는 것이다. 그 정도라면 상대적으로 적게 노력해도 충분히 좋은 대학교에 들어갈 수 있다. 지금 성적에서 조금만 올리면 등록금이 적게

드는 지방국립대학교를 노릴 수도 있다는 말이었다.

가슴이 설렜다. 뭐랄까, 세상이 깨어지는 느낌이었다. 그전까지 내게 주어진 삶은 육지에서 전문대를 졸업해서 빨리 취직하고, 이십대 중반에는 결혼하는 것이었다. 그날 저녁, TV에서는 대학 생활의 로망을 그린 드라마가 나왔다.

혼자 몇 달을 끙끙 앓았다. 큰오빠는 결혼을 준비하고 있었고, 둘째 오빠와 셋째 오빠는 배를 사려 하고 있었다. 어머니가 악착같이 갚아 오던 빚은 이제야 끝을 보이고 있었다. 4년제 대학교에 들어간 친척도 없었고, 마을에서도 손에 꼽았다. 끽해야 동사무소장네나 선주 집안뿐이었다. 우리 집안은 내 진로에 관한 이야기를 나누지 않았다. 그런 와중에 성적은 꾸역꾸역 오르기만 했다.

담임 선생님과 이 문제를 상담했다. 선생님은 어머니와 함께 진로 상담을 하자고 했다. 낮에는 도저히 시간이 나지 않아서, 저녁에 집으로 찾아오셨다. 어머니는 잔뜩 긴장했다. 안 하던 화장도 진하게 했다. 그녀에게 선생님과의 면담은, 대부분 오빠가 급우에게 가한 폭력이나, 기물을 파손한 건에 대한 수습에 대한 것이었다.

이야기가 끝나고 선생님이 물러났다. 이제는 내가 긴장할 차례였다. 어머니와의 대화는 익숙하지 않았다. 만 열여덟 해 동안 우리의 관계는 소통의 양을 줄이는 방향으로 이어졌다. 반찬을 나르고 수저를 놓는 과정에 대한 지시가, 문장에서 단어로, 눈짓으로 줄어드는 추세. 그런 것이었다. 하지만 걱정은 괜한 것이었다. 어머니는 나와 별다른 이야기를 하지 않았다. 오빠들도 마찬가지였다.

수능 성적은 유달리 잘 나왔다. 성적표를 받아온 날, 우선 할머니에게 보여주었다. 할머니는 한숨을 내쉬었다. 계집애가 공부를 잘해서 어따 쓰냐. 반쯤은 농담인 걸 알았지만, 웃음이 나오진 않았다. 저녁을 준비하는데 큰오빠가 따라 나오라고 했다. 양념갈비 집에서 소주를 시켜주었다. 공부하느라 수고했다는 말을 들었다. 수능을 본 지 삼 주 만의 일이었다. 취했다.

그 후 몇 달 동안, 큰오빠는 아버지 구실을 했다. 선생님과 자주 통화를 했고, 아는 사람들을 동원해 타지 생활에 필요한 것을 알아봐 주었다. 등록금을 대신 내어주었고, 트럭을 직접 운전해서 학교 앞 자취방까지 짐을 날라주었다. 서울 소재 사립대학교였다. 내게 새언니가 생긴 것은, 그로부터 3년이 흐르고 나서였다.

캠퍼스 라이프는 TV에서 보던 것과 달랐다. 마냥 아름답지만은 않았지만, 보던 것 이상으로 재미있었다. 그리고 돈이 무척이나 많이 들었다. 매달 부쳐지는 생활비는 딱 쌀과 반찬을 살 정도였다. 계절이 바뀌면 끼니를 줄여서 옷을 샀다. 술을 마시고 친구와 어울릴 돈은 주말 아르바이트로 벌었다.

친구를 사귀는 것이 편했다. 도시 출신의 친구들은 신기할 정도로 코드가 잘 맞았다. 아니, 잘 맞았다는 표현은 적절하지 않다. 그러니까 내 개인의 고유한 특성이라 믿었던 것들이, 대학교에서는 모두가 가지고 있는, 개성이라 말하기에도 거창한 무언가가 되어있었다. 친구가 많이 생겼다. 동아리에선 부기장으로 선출되었고, 선배의 추천으로 2학년 때는 학생회 활동을 했다.

고백하건대, 나는 인기가 있었다. 일주일에 한 번씩은 밥을 얻어 먹었다. 기장과 CC가 되었을 때도, 술에 취한 채 고백하는 친구들이 적지 않았다. 딱히 사이가 나빴던 동성 그룹이 있었던 것은 아니었다. 조금 거창하게 말해서 꽃길이었다. 밝고 맑고 향기로 가득해서, 헤어 나오기가 쉽지 않았다.

그렇다고 마냥 즐기기만 한 것은 아니다. 나는 학점관리에 제법 신경을 썼다. 미래를 위한 투자라기보단 부채 의식 때문이었다. 나는 한 번도 먼저 집에 연락하지 않았다. 부담스러웠고, 낯설었다. 대학 생활이 꽃길이라면, 고향의 가족들은 거름이었다. 그들은 나와 달랐다. 그들 사이에 나는 작고 약했으니까.

나는 대학생이 되고 나서야 진면목을 드러낼 수 있었다. 사람들은 나와 어울렸고, 나를 원했다. 밤톨만 한 계집애는 예쁘고 똑똑한 여대생이 되었다. 하지만 아직 부족하다. 내 뿌리는, 내 기반은 아직 텃밭에 있다. 나는 내게 어울리는 예쁜 화분을 찾아내야 했다. 제대로 독립해서, 훌륭한 사회인이 되어서 그들과 마주해야 한다. 그래서 그들에게 내 가치를 제대로, 똑똑히 보여줄 것이다.

취업을 한 것은 4학년 2학기였다. 중간고사를 보러 집을 나서는데, 우편물이 도착해 있었다. 시험 삼아 이력서를 넣어본 기업으로, 연봉과 사내 복지 수준이 높아 그다지 기대하지 않은 곳이었다. 합격이었다. 중간고사를 보지 않았고, 따로 교수님과 면담하는 자리에서 취업계를 제출했다. 정신없이 바쁜 와중이었다. 무언가가 시작되고 있다는 것이 느껴졌다. 기대감으로 가득 찬 채 새해를 맞았다.

모호한 예감이 적중했다. 회사가 도산했다. 1998년 1월이었다.

고향으로 돌아왔다. 충분히 시든 채였지만, 그것을 인정하기는 쉽지 않았다. 매일 화장하고 밖으로 나돌았다. 섬마을에서 내가 할 수 있는 일은 없었다. 친구도 없었고, 즐길 거리도 없었다. 그나마 다행인 건, 그렇게 할 일이 없었던 탓에 통장 안에 있던 두 달 치 월급도 좀처럼 줄어들지 않았다는 것이다. 그저 그뿐이었다.

나라가 망한다는 이야기가 돌았다. 잘은 모르겠지만, 내 인생이 이미 망해있었다. 서울 아가씨의 정체가 조그맣고 까다로운 시골 계집애라는 사실이 탄로 나는 데는 채 몇 달이 걸리지도 않았다. 어머니는 선 자리를 알아봐 주었다. 옆 마을 선주의 막내아들이었다. 국민학교 때부터 날 유달리 괴롭히던 애였다.

거절하고 싶었지만, 이내 마음을 바꾸었다. 동창을 만난다는 심정으로 서기로 했다. 처음부터 거절해서 다른 명분을 주고 싶지도 않았고, 무엇보다 아직 어머니가 두려웠다. 이렇게 나이를 먹고, 이렇게 배웠는데도 여전히 어머니의 손은 컸다.

철이 들고 처음 만나는 자리. 녀석은 제법 번듯한 모습을 하고 있었다. 전역하고 군산에서 지게차를 몰고 있다고 했다. 녀석은 스스럼 없이 말했다. 아직 우린 결혼하기 이른 나이 아니냐고. 그냥 얼굴 본 김에 연락이나 하고 지내자고 했다. 우리는 술을 마셨다. 제법 즐거운 분위기였던 걸로 기억한다. 다음 날 아침, 처음 보는 여관방에서 일어나기 전까진 말이다. 다음 한 달 동안, 좋았던 날은 단 하루도 없었다. 나는 섬을 떠나기로 했다.

대전에서 보습 학원 강사로 일했다. 힘든 일이었지만 조금씩 돈이 모이기 시작했다. 조금 모은 돈으로 서울로 올라갔다. 대학동에서 고시원을 구했다. 여전히 학원에 나갔지만, 영어반만 운영하는 단과 학원이었다. 큰오빠와는 가끔 통화했다. 딱히 좋은 이야기를 주고받진 않았다. 할머니의 건강이 좋지 않다고 한다.

어느 날, 학생이 연락처를 물었다. 어머니가 물어보라고 했단다. 어렵게 시간을 내서 나간 자리에 나온 여자의 얼굴에는 제법 부티가 흘렀다. 최근 가게 사정이 나아진 덕분에 본래 살던 집으로 돌아가게 되었다고 한다. 아들이 선생님 덕분에 성적이 많이 올라서 공부는 계속 시키고 싶다고. 그러니 혹시 학원을 옮길 생각이 없냐고. 원장 선생님과 아는 사이라 확실히 좋은 대우를 약속할 수 있다고. 흔쾌히 수락했다. 이번에는 전처럼 어떤 기대감이 생기거나 하진 않았다. 급여는 두 배로 올랐다. 나리는 구제금융에서 졸업했다.

그녀의 아들은 학원을 자주 옮겼다. 그에 따라 나도 학원을 옮겼다. 아들이 서울대에 들어간 이후에는 딸을 쫓아다녔다. 휘둘린다는 생각은 별로 들지 않았다. 학원을 옮길 때마다 급여가 오르거나, 여가가 생겼다. 돈과 시간이 생기니 제법 여러 가지를 할 수 있었다.

뉴 밀레니엄을 맞았고, 내 나이도 서른을 바라보게 되었다. 그녀는 선 자리를 제안했고 난, 받아들였다.

MIT를 나온 재원이었다. 그렇게 훤칠한 외모는 아니었지만, 자신감이 넘치고 배려심도 있었다. 다소 허영심이 있었지만, 그것을 감안하고 봐서도 좋은 남자였다. 체구가 그리 크지 않다는 것이 안심되었다. 그리 극적이지 않은 만남을 1년 정도 가지다가 결혼을 결심했다.

결혼식은 서울에서 이루어졌다. 전세버스를 타고 가족들이 올라왔다. 어머니는 한복 차림이고 화장이 짙었다. 어머니는 화장하는 법을 잘 몰랐다. 지난 상견례 자리에서도 마찬가지였다. 되지도 않는 아양을 떠는 모습이, 누가 보면 시아버지와 어머니가 연애하는 모양새였다.

어머니는 자신의 사위와 유달리 자주 통화를 했다. 그이는 어머니를 깍듯하게 대했지만, 통화가 끝날 때마다 한숨을 내쉬었다. 부담스러울 만했다. 어머니는 그렇게 발음이 좋지 않았고, 사투리도 심했다. 내가 어렸을 때 이야기를 자주 나누었는데, 그 이야기는 내가 그이에게 말해주었던 내 어린 시절과 제법 차이가 있었다. 그녀는 나에 대해 잘 몰랐으니까. 우린 그리 친하지 않았으니까.

결혼식은 호텔에서 이루어졌다. 신랑 석은 조용했고, 신부 석은 시끌벅적했다. 큰오빠가 손을 잡아주었다. 생각보다 감정이 벅차오르진 않았다. 그 식장에서 운 사람은 그이뿐이었다. 3박 4일의 신혼여행 내내 나는 그의 소녀적인 감수성을 놀려댔다.

나는 한동안 일을 더 하기로 했다. 딱히 이 일이 좋아서 어쩔 수 없던 것은 아니었다. 그저 아이를 갖기 전에 해결해야 할 일이 남아있었다. 나는 틈틈이 군산으로 내려갔다. 제대로 마무리되는 데는 두 달 정도가 걸렸다. 그러고 나서야 나는 더 작고 약한 사람이 아니게 되었다. 어머니가 될 수 있다는 생각이 들었다. 서울로 올라오는 길, 막내 오빠에게서 전화가 왔다. 혀가 잔뜩 꼬부라져서 자세히 알아듣긴 힘들었지만 일단은, 어머니가 암에 걸렸다는 이야기였다.

고향 집에는 할머니가 홀로 소주를 들고 있었다. 안주는 오이와 된장이 다였다. 왜 병원에 안 가고 일루 왔누? 나는 대답할 말을 찾지 못했다. 밥그릇에 담긴 술을 뺏어 마셨다. 할머니는 날 물끄러미 바라보다 차게 식은 콩나물국과 소주잔 두 개를 가져왔다.

애미가 무뚝뚝해서 힘들었제? 고개를 저었다. 그래도 어쩌겄냐? 갸도 불쌍한 년이니까 니가 이해해야제. 고개를 저었다. 니 아냐? 고개를 저었다. 내가 시집와서 아들만 여덟을 나았으야. 그중 여섯째까정 관례도 못 올리고 보냈으니 박복하기도 이리 박복키 힘들제. 고개를 저었다. 그래도 일곱째는 아가 좀 야물었다. 달을 다 못 채워서 미숙아로 나서 다릴 절었는디, 어릴 때부터 머리가 비상하고, 뭐시기냐, 공부도 잘하고 그랬으야. 훌훌, 이 핏줄이라고 다 느그 오빠들 맨치로 깡통만 있는게 아니여. 나는.

사실상 장남이었고, 공부도 잘했으니 어쨌것어? 옛말에 마소는 시골로 보내고 사람은 경성으로 보내라켔자녀. 해서 중핵교는 육지에서 보내고, 고등핵교는 서울로 보냈지. 군대도 잘 갔다 오고 취직도 금방 해서 자랑도 그런 자랑이 없었다. 매달 돈도 꼬박꼬박 붙이고, 어서 결혼만 하면 더 바랄 게 없었지. 그러다 춘분이었나, 언제였나 잘 기억 안 나는데 기별도 없이 내려와서 말하데. 돈도 충분히 모았고 허락만 해준다면 부산에 있는 대핵교에 들어가고 싶다고. 그럼 한동안 생활비를 못 보내주는데 괜찮겠냐고 하더라고.

뭐 어쩌것어? 그땐 막내도 졸업해서 지 일하구 있었고. 나도 아직 젊었으니께. 집안에 교수님 나면 더 좋을 거 아니냐고 냉큼 허락했지. 그리고 이듬해에 사달이 났어. 가을에 박통이 유신인가 뭔지랄인가를 했자녀? 그 이후로 연락이 뚝 하고 끊긴 거여. 발만 동동 구르다가 막내를 거기 보냈지. 그러니 애도 한 달 동안 연락이 안 되다가 갑자기 편지를 보내선, 봄이 되서 들어오겠다고 하데. 봄이 돼서 돌아왔지. 즈그 형를 딱 빼다 박은 딸아를 품에 안고 말이다.

할머니는 거기까지 이야기하고 나서야 소주잔에 소주를 따랐다. 나는 소주잔을 잡았다. 소주잔은 바닥에 붙어 잘 떨어지지 않았다. 막내는 다시 부산으로 갔지. 서엔가 어딘가랑 이야기가 마무리되지 않았다고 했어. 그게 마지막이여. 애미도 널 어떻게 대해야 할지 몰랐을 거여. 니가 이해해야 혀. 니 아니면 누가 이해하겠니.

나는 고개를 저었다.

눈을 떴다. 숙취로 머리가 지끈지끈했다. 옆에 남편이 앉아있었다. 세수를 하고 남편과 함께 병원으로 갔다. 오빠들은 입을 꾹 다물고 있었다. 막내 오빠는 눈썹이 살짝 찢어져 있었다. 병실 앞에 섰다.

몹시 혼란스러웠다. 무척 정이 없는 여자라고 생각했다. 날 못마땅하게 여기는 게 아닌가 싶었다. 아니, 정말 그랬을지도 모른다. 도대체 그런 이야기를 인제 와서야 내가 알게 된 건지.

그녀는 날 도대체 어떻게 바라봤던 것일까? 자기 남편을 잡아먹은 조카딸을 보면서, 무슨 생각을 했을까? 왜 그녀는 자신의 혼란을 나와 나누지 않았나? 그녀는 왜 나와 이야기하지 않았나? 그녀는 왜 내게 감정을 숨겼나.

아니, 나는 그녀를 어떻게 생각해 왔었지? 나와 닮지 않은 그녀를 보며 무엇을 느꼈지? 왜 나는 그녀에게 내 이야기를 하지 않았지? 나는 왜 그녀에게 정을 갈구하지 않았나? 나는 왜 그녀에게 나를 감춰왔을까.

병실의 문은 유독 하얬다. 남편의 부축을 물리쳤다. 그에게 잠시 밖에 기다려달라고 말했다. 아니, 그냥 눈짓만. 아니, 그런 게 중요한 게 아니야. 왜 우린 그런 관계인 건가? 우리 사이는 무엇인가? 나는 우리 사이를 어떻게.

문고리를 잡았다. 가시지 않았다.

나는 누구의 새끼인가?

오리 엄마는 당최 무슨 죄를 지은 것일까?

달

1.

키가 조금 자란 덕에 뒷자리로 옮겼다. 칠판 글씨가 잘 보이지 않아 안경을 맞추었다. 학원에서 돌아오는 길 하늘을 올려다보았다. 항상 몽실몽실하다는 인상이었던 달은, 렌즈 너머에서 더 반듯하고 날렵한 인상이었다. 문크러시.

2.

고삼이 되면서 새삼 마음을 다잡았다. 만화책이나 CD를 박스에 담아 창고에 던져 넣었다. 창고 열쇠를 엄마에게 반납하며, 수능 보기 전까지 잘 부탁드린다고 당부했다. 비웃음이 돌아왔다. 그런 다음에야 마주한 새 학급. 아는 친구가 없었지만, 그렇기에 공부에 집중할 수 있는 환경이다. 1교시 수학. 열심히 수업을 따라가는데 뭔가 잘못되고 있다는 것을 깨달았다.

선생님의 판서 속도는 빨랐다. 칠판을 세 등분하여 좌에서 우로 빠르게 진행되었다. 전반적으로 잘 받아 적고 있었다고 생각했는데, 어느 순간부터 칠판의 왼쪽 부분에 해당하는 판서를 놓치기 시작한 것이다. 짜증이 치밀었지만, 이유를 파악하는 것이 먼저. 놓친 왼쪽 부분을 과감하게 포기하고, 중간 부분은 신속하게 따라가고, 오른쪽 부분을 열심히 쓴 후, 네 얼굴을 보고. 어?

옆 분단 그 자리에 앉아있던 너. 고운 턱선과 먹선으로 그린 듯한 뿔테 안경. 그러니까 말이 잘 정리되진 않는데. 첫사랑이었다.

고삼이었는데.

3.

술은 어른에게 배우는 거랬다. 처음이 중요하니까. 그럼 사랑은 누구에게 배워야 하는 걸까?

4.

고백을 받았다.

처음 받은 고백이었지만, 몹시 설레거나 하는 감정은 없었다. 같은 학과, 같은 동아리. 그 교집합에 해당하는 동기들의 수는 고작 다섯 명. 그나마 이런저런 행사를 챙기는 건 우리 둘이 다였다. 같이 밥도 자주 먹고, 술자리도 함께하고, 시간표도 짜고, 그러다 보니 더 밥을 자주 먹고. 둘이서 술도 먹고. 그냥 그렇게 오는 흐름. 이성이라기보단 몹시 가까운 친구 같은 느낌. 그래도 뺏기고 싶지 않은 마음.

우리 둘은 만나기로 했다. 고백을 한 사람도, 받은 사람도 그렇게 충만하지는 않은 밤이었다. 초생달이었다.

석 달 후, 너는 다른 사람에게 고백받았고, 우린 깔끔하게 헤어졌다. 그믐달이었던 걸로 기억한다.

5.

그런 화두가 있었다.

중요한 건, 사랑! 연애가 아니다.

요즘 들어 꼭 그런 것만은 아니지 않을까 하는 생각이 든다. 그러니까 그거다. 깊고 진실한 짝사랑과 캐주얼한 연애. 둘 중 하나를 고르라고 하면, 역시 후자가 아닐까? 적어도 지금의 나는 그렇다고 본다.

학사모에 가운을 쓰고 학생회관 앞에서 졸업사진을 촬영하면서 든 생각. 이렇게 사회에 내쳐질 때까지, 연애에 있어 천혜의 환경이라는 이 캠퍼스에서 한 일이라곤 겨우 모태 솔로 딱지를 뗀 것에 불과하다.

후배들과 밥을 먹으러 가면서 곰곰이 생각을 정리했다. 그러니까 그런 거다. 나는 너무 극단적이다. 좋아해버리면 동경하는 마음이 커져서 잘 다가가지 못하게 된다. 들이대는데 약하다. 그럼 친해져서 친구에서 연인 사이가 되는 걸 노렸어야 했는데, 하필 첫 연애 때 그 허무함을 깨달아 버린 탓에, 괜히 철벽을 치는 버릇이 생겨버렸다.

그렇군. 그렇게 망한 것이다. 던지기엔 용기 부족. 받기엔 눈치 부족인 것. 각성해야 한다.

정신을 차리고 보니 이미 찜닭집이었다. 맘대로 시키라고 말하긴 했는데, 정말 멋대로 시켰다. 주변을 둘러보니 졸업생들이 남아있지 않았다. 후배의 말을 들으니 다들 가족과 약속이 있었다고 도중에 떨어졌다고 한다. 그리하여 나 홀로 일곱 난쟁이의 점심을 책임져야 하는 상황이 된 것이다. 망할 것들.

반주까지 사주고 자리에서 일어났다. 후배에게 애들이랑 커피라도 한 잔 사 마시라고 오만 원을 쥐여주고 자리를 떴다. 후배가 나를 붙잡았다. 자주 연락해도 되냐고. 얼굴이 붉은 것이 어지간히 술이 약한 듯했다. 일단 그러라고 했다.

집으로 돌아오며 다시 생각을 정리했다. 그래, 아직 들이대는 건 무리. 그러니 앞으로 들어오는 기미가 있다면 절대 놓치지 않겠어!

6.

좋아하는 사람이 생겼다.

회사 선배였는데, 입사를 빨리해서 나이는 동갑이었다. 업무상 몇 차례 도움을 받고, 흡연장에서 종종 마주치는 과정에서 조금 친분이 생겼다 싶더니, 어느새 흠뻑 빠져들었다. 그게 문제였다. 너무 빠져든 것이다.

매사 단정했고 목소리가 좋았다. 어느 퇴근길. 같이 버스정류장을 향하다 달을 보고 깨달았다. 첫사랑과 무척 닮아있었다.

우울했다.

7.

9월 모의고사가 있던 날. 그날 교실에는 우리 둘만이 남아있었다. 나는 좀처럼 오답 노트 정리에 집중하지 못했다. 의식은 모두 가방으로 향해있었다. 정확히는 가방 속 초콜릿.

너는 그랬다. 넓은 공간에서 혼자 남아있을 때 가장 집중이 잘 된다고. 해서 벼루고 벼루다 오늘 결심을 한 것이다. 초콜릿을 고르는 건 어렵지 않았다. 포장을 하면서 나의 숨겨진 재능을 발견하기도 했다. 그랬다. 그런데, 정작 건네주는 것은 그 모든 과정을 합친 것보다 어려웠다.

그러니까 그렇다. 중요한 시기다. 수능은 고작 두 달이 남았다. 소중한 공간이다. 너는 완전히 몰입하고 있었다. 살얼음 낀 연못에 차돌을 던지는 무심함. 너에게 그렇게 보이고 싶지는 않았다. 하지만 네가 날 돌아보게 만들고는 싶었다. 한 번이라도 네게 주목받는다는 느낌을 받을 수 있다면. 더 바랄 게 없을 텐데.

너는 먼저 집에 돌아갔고, 창문 너머로 빛나는 달은.

8.

달 사진을 보았다.

크레이터로 가득하다. 달에는 공기가 없다. 해서 운석이 떨어지는 것을 막을 수도 없고, 그로 인해 생긴 흉터도 풍화되지 않는다. 영영 상처투성이인 모습 그대로 남게 되는 것이다.

나는 휴대전화를 껐다.

9.

김 대리와 함께 외근을 나갔다. 내가 아직 장롱면허인 탓에 김 대리가 운전대를 잡게 되었다. 나는 인사과에, 김 대리는 자재과로 향했다. 일이 생각보다 오래 걸려서 현장에서 저녁까지 먹고 바로 퇴근하게 되었다. 김 대리가 데려다주었다. 오늘 길, 달이 밝았다.

나도 모르게 달에 손을 뻗을 뻔했다.

자조했다. 달이 손에 잡힐 리 없다. 노력하고 노력해서 어찌 닿는다고 해도, 저것은 나름의 흉터로 가득한, 그저 그런 돌덩이에 불과하다. 그냥 여기서 바라만 보는 게 낫다. 다가갈수록 낭만의 대기는 옅어질 뿐이다.

"달 좋아해요?"

김 대리의 말은 뜬금없었다.

"좋아해요, 보는 것만."

"저도 그래요. 여행지론 그다지."

그러곤 대단한 농담이라도 한 듯 킥킥거렸다. 반듯한 외모와 달리 너무나도 괴악한 센스에 말문이 턱하고 막혀왔다. 김 대리는 멋쩍은 얼굴을 했다. 차라리 그게 귀여워서 좋았다.

길이 생각보다 막히지 않아서 집까진 금방이었다. 태워준 보답으로 다음에 점심을 한 끼 사기로 했다. 나는 달에 대해 생각했다. 김 대리는 좋았지만 김 대리와 가까워지는 것은 싫었다. 달에 대해 고민했다. 김 대리의 농담은 마음에 들지 않았지만, 김 대리의 목소리나 웃음은 좋았다. 달을 어떻게 해야 할까. 김 대리가 좋다. 김 대리가 나를 좋아해 주면 좋겠다. 하지만.

더 가까워지는 건 싫어.

가까워지면. 내가 달에 닿게 되면. 내 시선 때문에 그 아름다운 달이 더럽혀지는 거다. 달은 돌덩이지만 내 달은 돌덩이가 아니다. 내가 안경을 쓴 이래로 곱게, 곱게, 오직 아름다움으로만 빚어진 무언가가. 역사와 우주와 현실에. '원래'라는 말에 더럽혀진다는 말이다. 그러니까 예쁜 가짜를 그냥 진짜가 오염시킨다. 그러니까 다가갈 수 없어.

동경은 사랑보다 사랑스럽다.

휘영청 밝은 보름달이 휘청거렸다.

10.

김 대리와 밥을 먹었다. 김 대리는 소개팅을 제안했다.

플라타너스

2017.08.13.10:19

응, 전화 받았어.

아무 일 없어.

응.

응.

괜찮아.

혼자야.

공항 가는 길. 택시 안. 날씨 참 좋네.

무슨 심정인지. 알아. 안다고 생각해. 그러니까, 진정해.

맞아. 미안. 해줄 수 있는 말이 일단 그거밖에 없네.

그래. 정말, 날씨 좋다.

아, 도착했어. 십 분만 기다려. 있다가 전화할게.

응, 걱정 마. 전화 꼭 할게.

사랑해.

2017.08.13.10:26

응, 나야.

화 많이 났지?

아니야?

사실 나도 잘 모르겠어. 으응? 뭐라고?

아아. 맞아. 나도 그래. 응, 나도 슬프다. 슬픈 거다. 슬프네. 슬퍼.

그러지 마.

네 잘못 아니야.

알아. 이런 건, 위로가 될 수 없어. 뭔가 부족했던 이유가, 그 결핍이 내게 있는 거라면 내 힘으로 그걸 채울 여지도 남아있다는 거잖아. 그게 내 탓이 아니라는 건, 그런 소소한 희망조차 없다는 건, 정말 슬픈 일이야. 그러니 이건 위로가 아니야. 그냥 내가, 내 맘 편하고 싶어 둘러대는 것뿐이야. 이 잘못은 내 꺼야. 내가 가질 거야.

나도 흥분했네. 잠깐만 숨 좀 돌릴게.

그래, 기억나.

그러네. 그땐 참 어렸어.

에이. 난 지금도 괜찮지. 너나 배 나온 아저씨가 다 됐으면서.

너야 말로 뻔뻔하네. 너 드로즈 고무 요즘 다 늘어난 거, 내가 모를 줄 알아? 내내 힘주고 다니면 오히려 더 티 난다. 탈모 아저씨가 옆머리 길러서 반대편으로 넘긴 느낌이야.

아닌데? 아닌데? 나 눈가 완전 팽팽한데? 화장품 원래 쓰던 건데? 아닌데?

너야말로 죽는다. 일주일만 기다려라. 어딜 하늘 같은 마나님 얼굴에다 대고 지적질이야?

응. 그땐 돌아가야지. 그냥 그때 돌아갈래.

공항 간다니까.

응응, 미안.

제주도.

응, 맞아. 그 사람 만나러 가.

그 사람.

응. 화내도 돼.

응.

응.

미안.

미안하다는 말 말고, 내가 무슨 할 말이 있겠어? 정말 미안. 허락만 해준다면, 평생 갚을 거야, 이 빚. 진심이야. 진짜야. 평생 잊지 않을 거야. 내가 결혼식 날 도망친 그 신부라고.

알았어. 정리되면 전화해. 기다릴게.

사랑해.

2017.08.13.20:02

기다렸어.

일은 잘 마무리됐어?

여기? 표선이야. 민속마을 쪽.

응. 술 마시고 있어.

아니, 혼자. 숙소야 숙소. 걱정하지 마.

아직 못 만났어. 사실 아직 연락 안 했어.

맞아. 엄청 궁상맞네.

잘 모르겠다. 그런데 어울리지 않아? 취해서 전 남친에게 전화하는 거. 지금 내 상황에서 말이야. 먼저 문자로 '자니?' 하고 보내고.

야, 웃지 마. 너도 일주일에 서너 번씩 보내고 그랬거든!

와, 뻔뻔하네. 진짜. 이번에 신부 측으로 온 애들은 다 알아.

내가 캡처해서 다 돌림.

응. 원래 그런 거야. 아직도 그리 여잘 몰라서야. 진짜 너 구제해 줄 사람은 나밖에 없는 듯.

아, 고 기지배? 하? 나야 할 말은 없지만, 네가 감당되겠어? 전에 둘이서 두 시간 동안 오십만 원 넘게 썼다며? 나랑은 오만 원 쓸 때도 절절매면서.

아, 생각해 보니 화나네.

그래. 그러던 우리가 이렇게 결혼까지 올 누가 알았겠어. 벌써 십오 년이네.

야, 솔직히 이거 자존심 상해서 못 묻고 있었는데. 학교 다닐 때, 내가 너한테 고백했었던 거 말야. 왜 찼던 거야?

에이, 전에 둘러댔던 거랑 다르네. 집 안 분위기가 나빠서 여유가 없었던 거라며. 그리고 이왕 하는 거 변명도 좀 그럴싸하게 해라. 공부가 뭐냐, 공부가. 너 중학교 땐 나보다 공부 못했잖아. 솔직히 말해. 화 안 낼게.

응. 내가 미안해할 때, 말하는 게 좋을걸.

응. 그랬지.

응. 아, 그래?

와, 진짜? 나 그렇게 소문났었어? 완전 몰랐네.

나? 그때 다 말했잖아.

십오 년 전인 게 뭐? 난 다 기억나. 학원에서 돌아가는 길이었잖아. 정류장 가는 길. 내가 너한테 한 정거장만 더 가서 타자고 했어. 거기까지 가는 뷰가 좋았거든. 만약 고백받는다면, 거기서 받으면 좋겠다고 생각했어. 결국, 그땐 내가 하는 쪽이 되었지만.

응응, 거기. 차도는 넓고 플라타너스가 줄지어 섰지. 거길 걸을 땐 그랬어. 뭔가 정돈되는 느낌이랄까. 기분은 청량하고, 생각은 명료하고. 안심되고, 든든하고. 나무들이 조용히 응원해 주는 느낌. 그런 곳이라면, 긴장하지 않고 원래 내 모습을 지킬 수 있을 거라 생각했어.

하필 그걸 기억하냐? 잊어, 자식아. 사춘기 여자애가 차이면 좀 울 수도 있지.

진짜? 완전 변태네. 정말 그런 걸 좋아해?

콧물성애자.

그래도 용케 우리 계속 연락하고 지냈다. 고마워. 솔직히, 다 네 덕분이야.

아니, 진짜 그렇게 생각해. 다음 날, 학교도 째고 집에 웅크리고 있는데 저녁에 네가 왔었잖아. 말주변도 없는 게 달래주려고 막 노력하는 게 귀여웠어. 그때, 생각했어. 하아아안참 후에라도, 너랑 결혼해서 같이 살면 참 좋겠다고 말이야.

응. 그러니까, 너라면 내 감정 기복을 다 받아줄 수 있지 않을까. 그렇게 생각했어. 응, 생각만. 진짜 이렇게 될 줄은 몰랐지.

뭐? 왜? 나도 네 뱃살 받아주잖아. 확 회 쳐 버리고 싶은 걸 얼마나 참았는데.

그 사람?

연락해야지. 할 거야.

응, 솔직히 말이야. 겁나.

음. 그냥 다. 다 돌아가고 싶을 정도로. 그냥 지금이라도 비행기 타고 돌아가서 너한테 싹싹 빌고. 다 없던 거로 해버리고 싶기도 해.

엉덩이가 안 떨어져서.

그 이유까진 모르겠어. 그냥, 그래선 안 될 거 같아.

미안. 결혼식보다 더 책임감을 느껴. 아니, 결혼식을 파투 냈으니, 그만큼의 무게가 더.

응, 그래. 생각해 보니 그건 아닌 것 같다. 그냥 잘 모르겠어.

왤까? 난 왜 여기로 온 걸까? 왜 여기서 이러고 있는 걸까?

고백할 게 있어.

플라타너스 길 말이야.

거기서 고백받았어.

응, 그 사람.

응, 지난달.

사랑해.

2017.08.14.12:35

안녕.

잘 잤어?

여기? 성산. 우도 보이는 데서 고기국수 먹고 있어.

응, 이따 요 앞 카페에서 보기로 했어. 원래 같이 먹기로 했는데, 급한 일이 생겼데.

술 먹고 연락 안 했거든! 아침에 했어.

별로 안 놀라던데? 원래 좀 그런 스타일이잖아.

게스트하우스. 나도 이번에 처음 알았어. 그런데 잘 어울리지 않아? 낮에는 꾸벅꾸벅 졸면서 카운터 지키다가 저녁에는 손님 꼬셔서 술 먹고. 그러다 밤새고 숙취 떠서 다시 낮에 졸고.

응, 게스트하우스 일이래. 어느 방, 문이 고장 났다나 봐.

에이. 그 사람 손재주 없어. 허세만 가득해서. 운전도 못 하고, 게임도 못해. 남자다운 특기 같은 거 없어. 너 몰랐어?

으이구, 여자도 모르고, 남자도 모르고. 아는 게 뭐냐?

뭐, 잘 모르겠어. 한 달은 길다면 길고, 짧다면 짧은 시간이니까. 만나봐야 알겠지. 적응했는지 못 했는지는.

아는 친척이 운영하던 거 인수한 거래. 뉴질랜드로 이민갔거든.

그래, 누군가에겐 제주도도 헬조선의 연장인 거지. 하지만 난 여기가 좋아. 우린 계속 신토불이로 살자.

뭐? 야, 당연하지. 우리가 제주도에서 왜 사냐?

뭐, 맛있지, 그건.

어, 그것도 그래. 좋지.

응. 그럴듯한데?

그래, 그건 올라가서 이야기하자.

아, 우리 아빠?

응.

아.

응. 고마워. 잘 부탁할게.

사랑해.

2017.08.15.21:45

응, 나야.

취하니까 역시 네 생각부터 나더라.

아니, 혼자.

조금 있다 연락할게. 조금만.

아, 잠깐만.

너 플라타너스 말이야. 어떻게 생각해?

아니, 뭐. 그냥.

음, 이런 건 어때? 플라타너스 같다는 소릴 들으면?

잘 모르겠어?

왜? 아니. 아니야. 보통 그렇겠지.

응, 아무 일도 아니야. 좀 취했나 봐. 이제 정리해야지.

응, 알았어.

사랑해.

2017.08.15.22:03
그래, 나다, 새끼야.
나라고. 나야!
어, 취했다!
어! 좀 먹었다!
아.
사랑한다고!

2017.08.15.23:28
응.
응?
나?
언제?
아.
그랬네.
응.
혼자야. 응.
괜찮아.
조금 좆같은 데 버틸만해.
왜 말이 없어?
하아, 아니다.

나중에 통화해.

피곤해.

씨발.

2017.08.17.05:08

어, 받았네. 안 잤어?

그런가.

응, 일출봉. 해 뜨는 거 보러.

아직 오르진 않았어. 그래도 멀리서부터 엄청 파래.

플라타너스?

응.

맞아. 그 사람이랑 그런 이야기를 했어.

이야기가 좀 길어질 거 같은데, 괜찮아?

이야기가 좀 아플 수도 있는데, 괜찮아?

이야기하다 내가 아플 수도 있는데, 그래서 참지 못하고 좀 그럴 수도 있는데, 괜찮아?

응. 그래.

우리 십오 년을 알고 지냈어. 중학교 땐, 내가 고백했다 차이고, 고등학교 와선 네가 고백했다 차였어. 대학에 들어와서는, 한 번 술 먹고 실수한 거 가지고, 몇 달 정도 끈 적도 있고. 결국, 우리가 제대로 연애한 건 오 년이야.

사실 말이야. 난 십오 년이란 시간 동안 널 좋아하기 위해 많이 노력했어.

좋아하는 척을 했다는 건 아니야. 노력한 만큼 좋아했어.

그러니까, 그래. 넌 좋은 애였고, 난 좋은 것을 좋아하고 싶었어. 혈기 없이 마냥 뽀얗던 뺨이나, 느슨히 멘 가방. 이름 모를 팝송이 꽉 찬 플레이리스트. 커피 우유와 빨대. 그것이 그때 너로 모여 있었고, 그때 내게 너는 좋은 것, 바래야 할 것 그 자체였지. 그런 네가 흐르고 흘러 여기까지 왔고, 나 역시 물살에 흘러 여기까지 왔어. 사랑해. 세상에 너보다 소중한 사람은 없을 거야.

그리고, 그만큼의 시간 동안 우리 과외 선생님을 좋아하지 않으려고 노력했어.

좋아했다는 게 아니야. 노력한 만큼 싫어했어. 골초에, 항상 술에 절어 있고, 성격도 틱틱거리는 게 나빴지. 너한테 차이고, 집 밖으로 나가기 싫다고 했을 때도, 위로 한 번 안 해줬어. 그냥 그러고 있으면 길이 보일 거라고, 뜬구름 잡는 소리만 했지. 너한테 고백받고, 상담이라도 해달라고 부른 것도 시험 기간이라면서 무시했어. 너와 잤던 그날에도 그 사람은 아무 말도 안 했어. 그냥 담배나 씹으면서. 장담해. 난 그 사람을 사랑할 수 없어. 그랬다간 불행해질 거야. 청첩장을 받자마자 고백하는 심보가 뭐냐고 물어봤어. 대답이 뭔 줄 알아?

사랑해.

사랑해, 래. 그런 게 어디 있어? 마음에서 일어나면 다 사랑이야? 사랑은 마음대로 하는 게 아니야. 역사가 필요하고, 맥락이 필요하고, 서로 간의 이해가 요구돼. 우릴 둘러싼 관계를 봐야 해. 각자 살아가는 결을 보고, 그 조화에 맞춰 얹는 거야. 그러니까, 그건 사랑이라고 말하면 안 돼. 그런 고백은 폭력일 뿐이야. 못났게도 그렇게 버벅거렸어. 대답이 뭔 줄 알아?

응. 사랑해.

화가 났어. 정말 주체할 수 없을 정도로 화가 났어. 그래서 지금 어쩌자고. 나보고 어쩌라고. 나는 나의 플라타너스 길에서 하필 그 소리를 듣고 있었어. 내 가장 든든한 울타리 안에서. 너에 이어서 또, 그 사람한테 그런 소리나 듣고 있었다고, 씨발. 그래서 말이야. 어떻게 나한테 이럴 수 있냐고 따져 물었어. 어떻게 날 좋아할 수 있냐고. 어떻게 하필 당신이 그런 말을 하냐고.

나무에 손을 대더라. 응, 플라타너스. 그리고 그리 말했어.

가로수로 심었다고 해서, 나무가 사람을 위해 사는 게 아니래.

가로수가 줄지어 선 걸 아름답게 보는 건 사람뿐이지. 그늘을 만들어 준다고 고마워하지만, 가로수가 실제로 무슨 생각을 할진 몰라. 오히려 미워할 거래. 매연과 소음으로 가득한 곳으로 대뜸 끌고 와서 가지와 뿌리를 철로 치면서, 가끔씩 고맙다는 말이나 던지면, 과연 우리라면 기쁘게 느낄 수 있을까?

내가 자길 플라타너스라 생각했다는 건 이해할 수 있데. 하지만 자기가 내게 말을 건 이상 나도 자길 이해해 줘야 한다는 거야.

이해할 수 없어.

인정이 안 돼. 그도 그럴 게, 그렇게 된 거잖아. 힘들고 힘든데, 내가 나만의 플라타너스 길을 가지고 있는 게 뭐가 문제가 돼? 나도 노력해서 가꿨어. 너도 그 사람도 잃지 않으려고. 나도, 나도 힘들었단 말이야. 당신들을 지키려고. 그래서 그렇게 둔 건데.

다 망가졌어. 응, 맞아. 다 망가졌어. 우린 결혼을 약속했어. 서로에게 소중한 사람만 초대해서 작은 결혼식을 열기로 했지. 그 가로수 길이 내려다보이는 언덕에서. 웨딩 스쿠터를 타고 그 가로수 길을 건너기로. 그렇게 다음 장을 건너기로. 그런데, 플라타너스 하나가 꺾였어. 십오 년이, 삼십 년이, 평생이!

그래, 사랑해. 사랑해! 사랑한다고, 진짜.

야.

응.

거기 있어?

해가 곧 뜰 것 같아.

나 좀 구해주라.

2017.08.17.06:24

저기 말이야. 하나 궁금한 게 생겼어.

한 사람을 두 번 좋아할 수 있을까?

나?

난 널 한 번 좋아했어. 처음부터 지금까지 쭉.

그 사람은 나와 사귈 때, 날 좋아했던 거랑 지금 내가 좋은 게 다르데.

모르겠어. 좋아하는 사람을 외롭게 둔다는 게 사랑인 건지.

아, 미안해.

오늘 돌아갈게.

저기.

나 말이야.

아직 사랑해 줄 수 있어?

나 아직, 거기 심어져 있니?

그렇구나.

사랑해.

봄이 와버렸네요

하지만, 봄이 와버렸어요.

원이 아빠. 기억나요? 그 봄에 책갈피. 아니, 책갈피를 선물해 주셨던 그 봄날이요. 책 같은 거 보지 않는다고 했는데도, 떠넘기듯 쥐여주신 그거. 그 봄.

딱 손바닥 절반만 한 그거. 거친 크라프트지에 가는 붓펜으로 시를 쓰시곤, 말린 꽃잎 석 장을 붙여 코팅한 물건이었어요. 그해 봄의 첫 선물. 그게 뭐라고 그리 눈가가 시큰해서. 전 당신께 있지도 않은 꽃가루 알레르기를 그 봄 내내 연기해야 했을까요?

힘든 날엔 그 책갈피를 꺼내보곤 했어요. 상상했지요. 우리가 함께하는 시간은 한 편의 연애소설이라고요. 무너질 듯 아픈 순간. 그 순간을 읽어내기 힘들 것 같으면 잠깐 물러서서 숨을 골라도 좋다고. 그만두는 게 아니라 쉬는 거라고. 그러니까 이 순간에 책갈피를 꽂고, 정말 잠시만.

원이 아빠. 그거 알아요? 저요. 사실은 그보다 훨씬 전부터 당신을 좋아했을지 몰라요. 우연히 포장마차에서 다시 마주쳤던 새벽이나, 두시고 간 전화를 돌려주기 위해 만났던 정오나. 아니면, 그냥. 정말 어쩌면요. 처음부터. 그러니까, 일을 치르며 뺨과 가슴팍이 상기된 절 두고, 당신, 잔뜩 꼬부라진 혀로 말이에요. 아.

진달래꽃 피었다고.

말도 안 되지만. 어쩌면 그때부터요. 그렇게 정해도.

여하튼요. 당신과 함께한 꽃놀이니, 선물이니, 이런 건 말이에요. 이미 큰 사랑이 있었으니 기뻤던 거예요. 그 순간이 나를 기쁘게 한 것이 아니라, 이미 행복으로 가득 찼던 그 순간이라 좋아할 수 있었단 말이에요. 투닥거리기만 하던 우리가 그날 손을 잡고, 한 시간이나 말없이 웃으며 걸을 수 있던 건요. 네, 그 봄은 처음부터 그렇게 되어있었으니까.

유독 화사한 시간이었지요. 얼어있던 제 가슴이 녹았고, 메말랐던 당신의 입가가 촉촉해지고. 입을 맞출 때면, 그런 기분이 들었어요. 고목처럼 차고 마른 서로가 체액을 나누는 그 순간, 생기가 싹트는 기적. 그 어찌나 신기하고 또 두려운지. 어느 날 갑자기 이 사람이 내게서, 혹은 내가 당신께 사라지는 순간이 온다면, 전 같은 겨울은 무엇으로 지새울 수 있을까.

원이 아빠. 그리고 우린 참 많이도 싸웠지요. 우린 서로를 바꾸고 싶어 했어요. 그저 마주 보고 있는 것만으로는, 눈 깜빡이는 찰나의 외로움조차 어찌할 수 없던 거예요. 조금이라도 한순간이라도 제 곁으로 끌어오고 싶어 했던 거예요.

떳떳하지 못한, 그런 일은 그만두라고. 당신이 울먹이며 말할 땐, 저는 이를 갈곤 받아쳤지요. 자기 앞가림이나 잘하시라고. 기어코 저는 일을 나왔고, 당신은 공장에 들어갔어요. 이상하죠? 분명 서로를 보며 한 걸음씩 다가섰는데, 딱 그만큼 멀어졌어요. 마치 벽이 낮은 미로의 양 끝에 선 듯.

그래도. 그래도. 투정이 많은 저였지만. 그거, 행복했어요. 처음 갖춰 입는 유니폼이. 낯선 카페 일과 새 동료들이. 당신처럼 단정하고 또박또박하게 말하는 제 모습이. 분명, 좋았어요. 그래서, 그런 충실한 하루하루에 취해서, 당연히 당신도 그럴 것이라고.

그런 생각을 했어요. 대화는 서로 나누는 것이잖아요. 그러니까 나눈다는 건요, 누군가 말을 하고, 또 답을 하는, 이렇게 말을 주고받는다는 의미만은 아닌 것 같아요. 오히려 어떤 말을 하면, 말을 하는 사람은 자기 생각을 넘기는 것이고, 듣는 사람은 이해와 기다림을 돌려주는 것이라고. 제가 당신께 사랑한다고 말하면 그 말만큼은 내 몫이지만, 그렇게 말하기까지 당신이 보낸 눈빛과 굽혀준 허리, 듣고 난 다음에 머쓱한 웃음까지는 당신의 몫.

힘들다. 그 짧은 한마디조차 못한 것은, 아마 제가 당신께 그런 것들을 충분히 나누지 못했기 때문이라고. 받음을 주지 못한 것이라고. 그렇게 생각해요. 그렇게 생각하기로 했어요. 당신이 말하지 못한 데는, 그 이유는 내게 있다고. 있어야 한다고. 술 냄새. 떨리는 어깨. 생채기 가득한 팔뚝. 더듬거리는 고백. 그 순간에 지는 지독한 외로움, 불안함. 그것을 혼자 지게 할 수 없으니까. 울지는 말걸 그랬어요. 손을 잡고, 가만 더 들어줬어야 했는데. 이미 충분히 닳은 당신을, 제가 조금이라도 더 채워줬어야 했는데.

우린 집을 합쳤지요. 아침이면 당신은 먼저 이불 밖으로 빠져나와 식사를 준비했고, 저는 당신의 냄새가 밴 베개를 품에 안은 채 당신이 돌아오길 기다렸어요. 모시 이불이 들춰지면 코끝을 확 잡아당기는 라면 냄새. 입을 맞추고, 밥을 먹고, 품평하고, 수다를 떨고, 제가 집을 나서는 일상. 당신이 홀로 남아 글을 쓰는 동안, 저는 커피를 내리고 사람들과 어울리는 매 순간을 기록해요. 늦은 저녁을 준비하는 동안, 저는 당신의 블로그 글들을 읽었어요. 그리고 다 차려진 저녁상 앞에서 당신은 제 하루를 들어주었지요. 네. 네. 그리고 품평했고, 수다를 떨고. 그러다가.

원이. 네, 원이를.

원이 아빠. 원이 아빠. 그렇게 몇 번이고 부르면, 당신은 벌써 아저씨가 된 거 같다고 떨떠름한 얼굴을 하셨지만, 저는 그게 좋았어요. 우리의 이름은 사실 다 남들이 지어주는 거잖아요. 부모님이, 원장님이, 실장님이. 하지만, 잠깐 쓰는 태명이라도, 원이는 우리 둘이서 함께 지은 첫 이름이니까. 이건 우리의 이름이니까. 원이를 중심에 두고 서로를 부르는 건, 정말 저는 저로 당신은 당신으로 있는 것 같다는 느낌이 들었어요. 서로만을 위한 서로로.

달거리 일자를 보름이나 넘겨서 찾아온 입덧. 당신은 멍하니 있다, 이내 꽃처럼 웃었지요. 사랑은 기쁜 거랬어요. 우린 어렸고, 가난했지요. 반년 남짓한 연애, 백일을 갓 넘긴 동거. 짧다면 짧은 시간이었는데, 우린 너무나 확신에 차 있었어요. 분명 잘 해낼 수 있을 거라고. 아직은 멀쩡한 저를 손수 씻겨주고, 새 이불을 깔아 눕히고는 당신은 오래된 편지를 읽어주었지요.

둘이 머리가 세도록 살다가 함께 죽자.

이 보소. 남도 우리같이 서로 어여삐 여겨 사랑하리? 남도 우리와 같은가.

그 옛날 남편을 떠나보낸 아내가 썼다는 편지였어요. 왜 죽은 사람 이야기를 하느냐고, 저는 정색하며 타박했지요. 어차피 둘 다 옛사람이다. 또 지금은 함께 일 거 아니냐. 우리처럼. 당신은 또 또 웃었어요. 아무렴. 저도 실은 좋았어요. 남들도 우리와 같을까요? 우리 둘은 머리가 세도록 살다 함께 죽어요. 아무렴요.

극구 말리는데도 당신은 다시 공장에 나가기 시작했지요. 괜찮다고. 괜찮다고. 이제 일하는 이유가 생겼으니까. 블로그에 습작을 불려 나가는 것보다, 통장 잔고를 쌓는 게 더 즐거울 거라고. 웃음에 그늘 하나 없었어요. 이상하죠? 그늘이 없다니. 마치 그린 듯이 말이에요.

점차 가리는 음식이 많아졌어요. 카페 음악도 이왕이면 밝은 것을 선곡했지요. 청소는 더 세심히 했지만, 무리하진 않았어요. 배가 살짝 불러왔다 싶으면, 기쁨과 두려움 속에서 한참을 방황했지요. 그러다가요. 카페 일을 언제까지 해야 할지에 대해 당신과 이야기를 나누다 급히 병원을 찾았지요. 우리 원이. 초음파 사진으로라도 볼 수 있지 않을까 하고. 잔뜩 기대하고.

상상임신.

의사 선생님이 어떤 표정이었는지. 제가 어떤 기분이었는지. 하나도 기억나지 않아요. 기억해 낼 수 없었어요. 아니, 감히 기억에 남길 수 없었던 거예요. 당신은 어떤 얼굴이었던가요? 습기 없이 따뜻한 목소리. 그것만, 그랬던 것만 기억나요.

저는 앓아누웠지요. 처음엔 병가를 냈는데, 그것도 일주일이나 이어지니 그냥 그만두게 되었어요. 속도 모르고 임신 축하한다는 문자를 몇 통이나 받았는지. 속도 없이, 일일이 고맙다고 답장한 것도 몇 번인지. 당신이 없는 시간 동안 저는 자유롭게, 느릿느릿 시들어갔지요. 예전처럼요. 담배에 다시 손을 대고. 술을 조금씩 시작하고. 당신이 퇴근할 시간에 맞춰 눈을 감고. 보란 듯이 소반 위에 그 모든 흔적을 남겨두었죠.

그런 나날이었어요. 제가 무너져 있고, 당신을 그것들을 감내하고. 고된 바깥일을 마치고 들어와 밀린 집안일까지 처리하면서, 당신은 누운 제게 들릴까, 한숨 한번 함부로 쉬지 않았죠. 이불 속에 들어와 조용히 제 허리를 끌어안으면, 열 세기도 무섭게 코 고는 소리가 들려왔어요. 한 번은 건들지 말라는 듯 뒤척였더니, 가만 거리를 두셨죠. 그날은 잠에 잘 못 드셨나 봐요. 늦은 오후에 전화를 받고 응급실로 뛰어갔지요.

본래 손은 느려도 실순 없는 사람인데. 그날따라 기운이 없는 것 같긴 했는데. 얼굴이 검은 동료들은 말이 많았어요. 머리를 다쳤대요. 그러니까, 크게 다쳤대요. 수술 결과에 따라서는 마음의 준비를 해야 할지도 모른대요. 마음의 준비. 마음의 준비. 무슨 준비요? 계절이 오가는데, 겨울이 돌아오는데. 마음으로 무엇을 하라고요?

겨울은 추웠어요. 수술 한 번에 생활비 전부가. 입원비에 적금들이 차례차례. 당신의 하얀 붕대와 창백한 얼굴을 바라보며 저는 한참을 고민했어요. 당신을 부모님께 보내드려야 할지 말이에요.

면목이야 없겠죠. 집 나온 아들의 동거녀. 다 죽어가는 외동아들. 저라도 어색하고 또 화가 날 거 같아요. 하지만 제가 두려운 건 그게 아니었어요. 당신. 당신. 그렇게 눈을 뜨면, 정말 저만의 당신이 아니게 되는 거니까. 원이 아빠. 원이 아빠. 이렇게 부를 날이 평생 오지 않을까 봐. 당신께 원이 엄마라고. 한 번만이라도 제대로 듣고 싶었는데.

그래요. 한 번만. 한 번만이라'도'가 아니라, 딱 한 번만. 제대로 듣자. 그리고 놓아주는 거다. 당신을 살리는 건 나야만 한다. 내가 당신을 살릴 거야. 비록 그 대가가, 살린 이후로 당신을 영영 보지 못하게 되는 것이라 하더라도. 물거품이 된 인어공주처럼. 저는 일을 나온 이후 처음으로, 실장님께 전화를 드렸어요.

저는 아주 열심히 일했어요. 적극적으로 죄를 지었어요. 일을 쉬면서 조금 무너진 몸매를 되찾는 데는 시간이 걸렸지만, 그것도 그리 오랜 시간은 아니었지요. 머리를 염색하고, 타투를 조금 더 늘렸지요. 병원에 매일 찾아갔지만 오래 있을 수는 없었죠. 대신 간병인을 고용했어요. 다행이에요. 일한 보람. 대출금은, 다음 수술을 준비하면서도, 조금은 더 좋은 병실까지 허락해 주었지요.

그러니까, 그런 나날은 겨울이었지요. 마음의 준비. 그런 소리를 들었을 때부터 저는 쭉 궁금했어요. 끝을 기약할 수 없는 겨울. 그를 앞두고서 준비해야 할 것이 무엇일까, 하고. 백일을 날 식량을 준비해도, 천일을 날 땔감을 준비해도. 정말 겨울의 끝을 알지 못한다면 무슨 의미일까. 당신의 고른 숨 소릴 듣고 돌아오던, 여느 때와 같았던 그날 아침. 함께 걷던 그 거리를 소복이 채운 첫눈을 바라보며, 저는 깨달았어요. 그건 봄이에요.

원이 아빠. 겨울을 나게 해주는 건 봄이에요. 돌아올 봄에 대한 기대 말고. 정말 함께 보냈던 봄이요. 겨울에 바깥은 너무 춥고 거칠어서, 마주하기조차 두려워요. 들여다보는 순간, 시선을 빼앗기는 순간, 마지막 남은 체온까지 앗아갈까. 그래서 자꾸 되새기는 거예요. 짧았더라도 그 봄을요. 책갈피요. 우동과 소주요. 아아. 진달래요.

지독하게 외로웠어요. 밖을 볼 수가 없는 나날이었죠. 내 몸은 기계적으로 움직였고, 그렇게 잘못했고, 그래도 당신은 사랑스러웠어요. 저는 제 안의 봄을, 봄의 기억만을 되새겼어요. 아찔했어요. 사소하지만 중요한 걸 잊고 있었다는 생각이 들었어요. 불안했어요. 병원으로 돌아갔지요. 모두, 행복하게 아픈 사람들 사이에서 저는 제 이름이 불리기만을 기다렸어요.

축하드립니다. 8주 차에요.

원이의 이름보다, 당신의 얼굴보다 먼저 떠오른 생각이 있어요. 일을 다시 시작한 지 얼마나 되었더라. 머릿속이 온통 하얗게 변했어요.

일이 주 정도 오차는 있을 수 있다고 들었어요. 하지만. 그보다 전 제 결심의 무게를 실감하고 있었어요. 단 한 번만. 딱 한 번만 눈 뜬 당신과 마주 하고 싶다고. 그것을 위해선 당신을 영영 등져도 상관없다고. 그 말의 무게를 실감하고 있었어요. 제가 원이 엄마인데, 당신이 원이 아빠가 아니라면. 원이가 정말 세상에 있는 아인데, 우리를 이어주지 않는다면요?

지우고 싶다.

그렇게 생각했어요. 죄책감에 시달릴 여유조차 없어서, 거기에 갇혀버렸어요. 모성애란 남녀 간의 사랑 따위보다 훨씬 크다고들 하던데. 모르겠어요. 저는 당신 없으면 안 돼요. 당신이, 봄이, 당신과 봄이. 제발, 다시 한번 그렇게 불러줘요.

그런 감정에 빠져서 걷고 있었나 봐요. 경적을 들은 것 같은데 돌아보지도 못하고 몸이 떠오르는 것을 느꼈죠. 영화에서나 책에서는 세상이 느리게 변한다고들 하던데, 저는 잘 모르겠어요. 기억은 있어요. 찬 바닥에 뺨을 대고 있는데 누워있는데, 아스팔트 바닥이 서서히 물드는 거예요. 어? 진달래꽃 피었다고.

운이 좋았어요. 명줄을 붙잡지 못했지만, 그래도 잠깐이나마 허락된 시간 동안 당신을 지켜볼 수 있어서요. 그동안 당신이 눈을 떠서요. 당신이 제 부재를 깨닫고 목 놓아 운 거요. 좋았어요. 행복했어요. 당신의 가족들이 당신을 찾아온 것도요.

원이 아빠. 이제 이별이에요. 아쉽기도 하고 후련하기도 해요. 저는 부족하나마 최선을 다했어요. 아니, 최선은 따로 있었을지도 모르겠어요. 그래도 저는 당신 하나로 살아온 제가 자랑스러워요. 고마웠어요. 사랑해 주어서. 사랑해요. 고마운 사람.

하지만요. 그것만은 못내 슬프고, 괜히 당신 잘못도 아닌데 원망스러워요. 봄이요. 봄이요. 우리 입가에 똑같이 맺히고 있는 이 웃음이요. 웃음기요. 당신과 나의 봄은 함께함으로써 피어났던 것인데, 어찌 생사로 갈린 지금에 돌아오고야 말았으니. 저 원이 엄마라고, 정말 한 번만이라도 불리고 싶었는데.

하긴 어쩌겠어요. 어떻게 하겠어요? 그쵸? 원이 아빠. 결국은 그 겨울을 다 참아내 버렸는데. 이렇게 봄이 왔는데 말이에요.

원이 아빠. 사랑해요. 사랑하세요.

그렇게, 봄이 와버렸네요.

Stay

따사로운 오후였습니다.

노란 나비가 하품을 닮은 날갯짓을 합니다. 쫓기에는 볕이 너무 포근했어요. 졸고 깨기를 반복하다 보니, 늘 그랬듯이 허기가 몰려옵니다.

길을 나서요. 산책로 위로 봄기운이 먼지 먹은 이불처럼 덮혀있었습니다. 나른한 바람이 이대로 다시 누워버리라고 채근합니다. 하지만 배가 고픕니다.

억지로 걸음을 뗍니다. 걷고 걸으며 사람들을 둘러봅니다. 눈을 마주치는 사람도, 손짓을 하는 사람도 있었지만, 누구도 간식거리를 들고 있지는 않았습니다. 괜히 다가가면 오히려 물러서는 겁보들이에요. 하얀 옷을 입은 사람들은 대개 그렇습니다.

저는 하얀 털을 가진 사랑스러운 고양이입니다.

사람들이 지은 하얀 집 뒤에 살고 있습니다. 하얀 집에는 하얀 사람들과 파란 사람들이 함께 살고 있습니다.

둘이 어떻게 다른지는 잘 모르겠지만, 하얀 사람들은 계속 바뀌고, 파란 사람들은 계속 있어요. 저는 그래서 파란 사람들을 하늘 사람이라고 부르고, 하얀 사람들을 구름 사람이라고 불러요.

저는 하늘 사람이 더 좋아요. 하늘 사람들은 제게 먹을 것을 주거든요. 알아보기도 쉽고요. 구름 사람들은 제가 나타나면 우르르 모여서 구경하다가도 정작 다가가면 연기처럼 흩어져 버립니다. 그래서 저는 하늘 사람들만 따라다닙니다.

그런데 무슨 일일까요?

구름 사람 하나가 제게 다가옵니다. 머리에 보라색 털을 뒤집어쓴, 조그마한 사람이에요. 주변을 둘러봤습니다. 하늘 사람들과 구름 사람들이 모여 이쪽을 지켜보고 있었어요. 뭐라 수군수군하는데 알아들을 수가 없죠. 저는 고양이니까요.

그런데 무슨 일일까요?

"야옹아, 안녕?"

이 조그마한 구름 사람의 말은 알아들을 수 있었어요. 그는 팔을 뻗어 제 목을 꼬옥 끌어안고는 뺨에 뺨을 비볐어요. 저는 사랑스러운 고양이니까요. 구름 사람 중에서도 조금은 보는 눈이 있는 사람이 있었나 봅니다.

그래도 너무 오랫동안 끌어안으면 안 돼요. 사랑스러움이 닳아버리니까요. 저는 앞발로 구름 사람을 밀었습니다. 어쩐지 고양이와 말을 나눌 수 있는 특별한 구름 사람은 예쁜 눈을 반짝였습니다.

"나는 구름이야. 우리 친하게 지내자."

구름 사람, 구름은 기죽지 않고 제 앞발을 쥐고 흔들었습니다. 발바닥으로 전해지는 따뜻함이 기분이 좋았습니다. 구름은 작아서 무섭지 않았고, 젖 냄새가 같은 게 나서 어쩐지 정이 갔습니다. 이 구름은 믿을 수 있는 구름 사람 같았어요. 그래서 말했습니다.

야옹.

구름은 주머니에서 간식을 꺼내주었습니다. 오후 볕보다 더 따사로운 친구가 생겼습니다.

구름과 저는 거의 매일 만났습니다. 구름은 저를 야옹이라고 불렀습니다. 좋은 이름을 놔두고 왜 그런 흔해 빠진 이름으로 부르는 것일까요? 그러니까 제 이름은 말이죠.

"야옹아. 오늘은 같이 자지 않을래?"

구름은 하얀 집을 가리키며 말했습니다. 하얀 집. 하얀 집. 어쩐지 기분 나쁜 냄새가 나서 꺼려지는 곳입니다. 하늘 사람들과 구름 사람들 모두 해가 지면 들어가는 곳. 고양이인 제가 가도 될까요?

"싫으면 말고. 괜찮아. 날도 따뜻하고."

구름은 정답게 웃어 보였습니다. 그리고 눈치 빠른 저는 알 수 있었어요. 조금은 시무룩해졌다는 걸요. 매일 같이 놀던 저는 알 수 있었습니다. 그런 것을 티 내고 싶지 않다는걸요. 이러면 어쩔 수 없지요. 애기네요, 애기.

저는 구름의 다리에 머리를 비볐습니다. 이렇게 할 때면 구름은 어떤 나쁜 일이 있어도 진심으로 웃곤 했습니다. 얼굴에 붉은 빛이 돌았고 웃음소리가 낭랑했습니다. 오늘도 그랬습니다. 내일도, 또 내일도 그럴 것입니다.

그리고 그 다음 날에는 웃지 않았습니다.

"야옹아."

야옹.

"야옹아."

야옹.

"야옹아."

야옹.

오늘따라 구름이 귀찮게 굽니다. 자꾸 절 불러놓고는 다른 말을 안 해요. 회심의 머리 비비기 애교도 통하지 않아요. 무언가 일이 벌어진 것이 분명합니다.

그러고 보니 요즘 구름의 몸에서는 낯선 듯 익숙한 냄새가 심하게 납니다. 기억을 더듬어 보니 하얀 집 안에서 나는 냄새였어요.

"야옹아."

정신 좀 차리라고 구름의 손을 콱 하고 물었습니다. 그리고 깜짝 놀랐습니다. 구름의 손은 처음 만났을 때와는 달리 서늘했어요. 저는 구름의 얼굴을 올려다보았습니다. 구름도 조금 놀란 눈치였지만, 이내 저를 품에 안았습니다.

"야옹이 많이 놀랐구나? 걱정했어? 미안해, 미안해."

다행히도 구름의 품은 아직 따뜻했습니다. 귓가에 속삭이는 달콤한 목소리도요. 다만, 등을 토닥이는 손길에선 여전히 미지근한 서늘함이 묻어났습니다. 불안했습니다.

야옹.

"응, 아무 데도 안 가. 우리 야옹이랑 오래오래 살아야지."

구름은 결국 오늘 웃지 않았어요.

구름이 얼굴을 보이지 않습니다.

가끔 며칠 그런 날이 있기도 했기에 처음에는 기다렸습니다. 한 밤을 자고, 두 밤은 자고, 세 밤을 자며 기다렸습니다. 구름이 보이지 않았습니다.

구름이 없을 때는 다시 하늘 사람이 제 밥을 챙겨줍니다. 밥을 먹지 않으면 구름이 다시 찾아올까 싶어 밥을 먹지 않았습니다. 쫓아오는 하늘 사람을 피해 공원 깊숙한 곳으로 숨어버렸습니다. 야옹 소리도 내지 않고 며칠이고, 며칠이고 숨어있었습니다.

아무리 숨어도 구름이라면 절 찾아낼 수 있을 것 같았어요. 그러니 구름이 찾아줄 때까지 계속 기다릴 거예요. 그리고 구름을 마구 깨물고, 구름의 품에서 한참 어리광을 부리다, 구름이 챙겨주는 밥을 먹을 테에요. 그래야 하니 구름은 꼭 나를 찾아야 해요.

아주 오래도록 잤습니다.

꿈도 꾸지 않고 푹 잤습니다. 몸이 무거웠고, 어쩐지 추웠습니다. 하늘을 바라보았어요. 밤은 아닌 것 같은데 어두웠어요. 그림자를 닮은 회색이었습니다. 비가 오려는 모양입니다. 그늘을 찾아야겠어요.

"끙차."

응? 무언가 이상합니다. 저는 한참을 고민하다 무엇이 문제인지 알아내었습니다. 앞발에 털이 없습니다. 손톱이 둥글어요. 놀라서 둘러보니 뒷발도 털이 없이 매끈합니다. 설마 싶어 얼굴을 만져봅니다. 수염이, 제 자랑인 수염이 사라졌어요.

저 사람이 되어버렸어요!

그것도 구름 사람이요. 사람, 사람이 되다니! 이 제가 사람이 되다니! 저 여전히 사랑스러울까요? 덜컥 겁이 나는 가운데 문득 무언가가 머리를 스쳤어요.

이제 고양이가 아니면 하얀 집으로 가도 되는 거 아닐까요?

"야옹?"

목소리도 어쩐지 사람 같아요. 뒷발로만 일어서 보니 별로 어색하지도 않고요. 될 거 같아요! 영락없이 사람이에요. 하얀 집으로 가도 될 거 같아요.

하얀 집으로 가서 구름을 찾아야겠어요. 깨물고, 비비고, 먹을 걸 나눌래요.

신이 났어요. 무슨 영문인지는 모르겠지만 구름을 만날 수 있다면 아무래도 상관없어요. 저는 병원을 향해 달려갔습니다. 두 다리를 있는 힘껏 놀리면서요. 구름이 있는 그곳으로요.

그런데, 병원이 뭐죠?

네, 결국 잡혀버렸습니다.

하늘 사람들은 알아들을 수 없는 말로 소리치더니 우르르 몰려들어 저를 붙잡았습니다. 고양이 몸으로는 요리조리 피할 수 있었는데, 사람이 되니 그게 안 되었어요. 결국 붙들려서 강제로 밥을 먹게 되었습니다.

"마시써!"

정말 억울할 정도로 맛있었습니다. 처음엔 억지로 입에 밥을 넣으려 하기에 입술을 꼭 붙이고 있었어요. 하지만 비열하게도 코를 꾹 막아버리니 절로 입이 벌어졌습니다. 그 안에 쏙 들어온 밥은 심하게 맛있었습니다. 너무하다 싶을 정도로요. 잠시 구름도 잊고 밥을 와구와구 먹었습니다.

밥을 다 먹으니, 또 밥이 와서, 그 밥을 또 다 먹었습니다. 하늘 사람 하나가 입가를 닦아주었습니다. 구름이 오기 전까지 시위할 생각이었지만, 배가 부르고 몸이 따뜻하니 어쩐지 졸음이 몰려왔습니다.

눈을 뜨니 네모난 방에 저 혼자 있었습니다. 익숙한 기분이 들었습니다. 어째서죠? 저는 원래 고양이고, 고양이는 사람이 사는 곳에

갈 수 없어요. 왜냐면.

그때 문이 열리고 하늘 사람 하나가 들어왔습니다. 구름처럼 저를 향해 뭐라고 말하는데 알아들을 수 없어요. 사람의 몸이라지만 원래 고양이니까요. 구름의 말이 아니면 알아들을 수 없어요. 그래서 저는 점잖게 하늘 사람을 타이르기로 했어요.

"구름. 구름."

구름이를 데리고 오라고 말했는데 하늘 사람이 입을 쩍 하니 벌렸어요. 무척이나 놀란 눈치예요. 하긴 고양이가 사람이 되고, 사람의 말을 하니 놀랄 만도 하죠. 저는 그녀가 놀란 나머지 내용을 잊어버렸을까 봐 다시 한번 입을 열었습니다.

"구름."

그러니 하늘 사람은 가만 저를 바라보았습니다. 진정은 된 모양인데, 그럼 어서 구름을 데리고 오지 않고 뭘 하는 걸까요? 간호사는 고개를 저었습니다. 응? 그러니까 그 하늘 사람은 고개를 또 저었습니다. 제 말을 이해하지 못한 걸까요?

"구름. 구름."

도리도리 고갤 저어요.

"구름. 구름. 구름."

고개를 저었습니다.

"구름. 어디써?"

고개를 저으며 말했습니다.

"없어요."

저는 발톱을 세우고 그 간호사를 향해 달려들었습니다. 피가 튀었고, 하늘 사람들이 우르르 몰려왔습니다. 구름 사람들도 구름처럼 모여들어 지켜봅니다. 이리저리 떠들어댑니다.

구름은 없어요.

고양이로 돌아갈 수 없습니다.

구름이 없다면 하얀 집에 볼일이 없는데요. 구름을 찾으러 가야 하는데요. 고양이로 돌아갈 수도 없고, 있던 곳으로도 돌아갈 수 없습니다. 돌아갈 수 없어요. 돌아가지도 못하고 사람의 말을 알아듣기 시작합니다.

"서태희 씨. 저 알아보겠어요?"

고개를 끄덕입니다. 하늘 사람 중 매일 이 시간이면 찾아오는 사람입니다. 매일 웃으며 상냥하게 구는 걸 보니 절 좋아하는 게 분명합니다. 완전히 마음을 놓았다는 확신이 들면, 그때를 틈타 도망갈 것입니다.

"그럼 저 누구예요? 말해보세요."

"으,사."

"맞아요. 잘했어요. 사탕 먹을래요?"

하늘 사람은 주머니에서 사탕을 꺼내서 흔들어 보입니다. 사탕은 맛있습니다. 저는 고개를 끄덕이며 사탕을 달라고 손을 휘젓습니다. 하늘 사람은 짐짓 엄한 목소리로 말합니다.

"말로 하세요."

"야옹!"

"고양이 말 말고."

"즈.새.오."

"좋아요. 잘했어요. 앞으로도 사람 말로 하는 연습 열심히 해야 해요."

의사는 만족스럽게 웃으며 사탕을 까서 손에 쥐어줍니다. 하늘 사람의 먹거리는 정말 특별합니다. 저도 하늘 사람으로 태어났으면 좋았으련만.

"아, 서태희 씨."

만족스러운 웃음을 짓고 저를 지켜보던 하늘 사람이 다시 말을 걸었습니다. 사탕을 더 주려는 모양일까요?

"오늘은 면회가 있어요. 부모님이 오세요."

"야옹?"

"엄마. 아빠. 보고 싶었죠?"

"야옹?"

"아니, 사람 말을 하라니까."

"스.탄."

하늘 사람은 고개를 저었습니다. 사탕도 없는 주제에 바라는 게 너무 많아요. 어쩔 수 없죠. 사탕은 다음에 받기로 하고, 대신 다른 거라도 부탁해 봅니다.

"구름. 구름."

왜 사람들은 하늘 사람들은 구름 이야기만 하면 저런 얼굴을 할까요. 화가 울컥 치밀어 올랐지만 이내 내리누릅니다. 남자 간호사들은 힘이 셉니다.

"구름 환자 이야기는 조금 더 사람 말을 배우시면 알려드릴게요."

"구름. 구름. 어디?"

"고양이의 마법에서 깨어나면, 다 알게 되실 겁니다."

수수께끼 같은 말만 남긴 채로 하늘 사람은 몸을 돌렸습니다. 구름은 정말 저를 두고 어디로 가버린 것일까요? 아까 밥을 먹었는데도 어쩐지 허기가 졌습니다. 구름만이 채울 수 있는 허기라고, 그렇게 생각했습니다.

"구름. 구름."

손이 따뜻해서 눈을 떴어요.

"구름?"

아쉽게도 구름은 없었어요. 대신 다른 사람들이 있었어요. 크고 작은 두 사람. 구름이 아니에요. 구름은 얼굴이 저처럼 매끈매끈하거든요.

"내 새끼……."

눈물을 글썽이던 작은 사람이 저를 껴안아요. 구름은 울지 않아요. 구름은 하얀 집 냄새가 나요. 그런데 구름처럼 따뜻해요. 누구일까요?

"구름. 어디?"

그 말에 작은 사람은 더 크게 흐느껴요. 큰 사람은 혀를 차곤, 창문을 열고 밖을 바라보았어요. 저도 따라서 밖을 바라보았지만 구름은 없어요.

"태희야. 정신 좀 들어? 엄마 안 보고 싶었어?"

엄마? 엄마?

이 사람은 왜 이러는 걸까요? 자기가 제 엄마라고요? 저는 고양이었는데요. 사람은 고양이를 낳을 수 없는데요. 이 사람은 바보인가 봐요. 바보라면 구름이 어디 있는지도 모르겠죠.

따뜻해서 좋긴 했지만 저는 바빠요. 자는 중이었으니까요. 많이 자고, 많이 먹어서 힘을 내야 했어요. 바보랑 놀 시간은 없었어요.

"아, 참. 내 정신 좀 봐. 태희야, 너 좋아하던 거 좀 싸 왔다."

작은 사람은 눈물을 훔치더니 무언가를 꺼내 듭니다. 빨간 주머니에 담긴 통을 하나씩 하나씩 열어 보였어요. 맛있는 냄새가 났습니다.

"입맛은 돌아왔다고 해서 좋아하는 것만 싸 왔어. 이럴 줄 알았으면 먹고 싶은 것만 해줄 걸……. 엄마가 바보라서 미안해."

"거참. 여편네 쓸데없는 소릴 하고 자빠졌어."

달걀물에 부친 스팸과 빨간 케첩. 소시지 채소볶음에는 양파를 빼고. 짭쪼롬하게 졸인 메추리알 장조림.

어쩐지 먹을 것의 이름이 머릿속에 쏙쏙 떠올랐습니다. 저는 손을, 앞발을 뻗어 그걸 움켜쥐려고 했지만 금방 잡혀버렸습니다. 마디가 굵은 손이었습니다.

"야옹?"

"야옹은 얼어 죽을. 먹여줄 테니까 가만있어."

큰 사람은 무섭습니다. 무서운 큰 사람이 제 옆에 앉아 꼬챙이로 메추리알 장조림을 콕 하고 찔러 내밉니다. 그리곤 손바닥을 아래로 받혀 국물이 떨어지는 것을 막았습니다. 핥으면 혼날 것 같습니다.

"머.거?"

"그래. 얼렁 먹어. 손에 짠 내 나겠다."

저는 조심스럽게 입을 내밀어 메추리알을 쏙 빼먹습니다. 너무 맛있습니다. 저는 이것을 좋아했습니다. 아마 아기 고양이일 때였을 겁니다. 생각해 보니 작은 사람이 저보고 내 새끼라고 했었지요. 머리가 좋은 전 바로 정답을 찾았습니다.

"가.치? 사.라?"

아마 기억도 안 나던 새끼 시절 전 저들의 집에서 살았던 모양입니다. 그 말에 작은 사람의 눈이 땡그래집니다. 튀어나올 것 같습니다.

"맞아! 기억나니? 엄마랑 아빠랑 같이 살았잖아!"

같이 산 기억은 나지 않습니다. 하지만 왜 자기를 엄마라고 하는지는 이해했습니다. 사람은 자기가 키우는 고양이를 아가라고 부르기도 하니까요. 음, 잘 모르겠지만, 아마 그랬던 것 같습니다.

"가.치.살.아!"

"응! 같이 살았다니까. 태희 아빠! 태희가 무슨 기억이 나나 봐요."

"가만히 좀 있어, 이 여편네야."

큰 사람은 작은 사람을 말리더니 메추리알을 하나 더 찍어서 제게 내밀었습니다. 큰 사람은 작은 사람처럼 들뜨진 않은 모양입니다.

"같이 살자고?"

"응!"

"같이 살았던 건 기억나?"

저는 고개를 저었습니다. 기억나지 않았으니까요. 거짓말을 하면 아빠에게 혼납니다. 아마 그랬던 것 같아요.

큰 사람은 소시지 하나를 찍어 제 입에 물려주고는 작은 사람에게 말했습니다.

"거봐. 기억이 돌아온 게 아니야."

"아이고. 그래도 땡기는 게 있나 봐요. 그래도 혈육이니까."

"있어봐."

큰 사람은 숟가락으로 하얀 밥을 한 숟가락 뜨더니 제 입에 물려주었습니다. 미지근한 밥과 소시지 조각과 장조림의 향이 합쳐집니다. 눈물 나게 맛있습니다.

"서태희. 같이 살면 뭐하고 싶냐?"

"구름! 차자!"

"구름이 찾고 싶어?"

"응! 구름! 구름!"

큰 사람은 얼굴이 어두워졌습니다. 화를 내려고 하는 걸까요? 하지만 전 정말 구름을 만나고 싶어요. 맛있는 밥을 먹고, 같은 곳에서 잠들고, 또 다 함께 산책하고 싶어요. 그러면 안 되는 걸까요?

기분이 이상해요. 사람도 공기도 다 따뜻한데, 어쩐지 속 한 가운데가 비었어요. 차갑고 헛헛하고 배고파요. 구름으로 채우고 싶어요. 구름을 속에 넣으면 따뜻해질 거예요.

저는 사람이 되어도 사랑스러우니까 엄마도 아빠도 절 도와줄 거예요. 저는 아빠의 떨리는 손을 냉큼 붙잡았어요. 어쩐지 목 끝에 뭐가 차올라서 말이 나오지 않았어요. 그래도. 그래도 억지로 내뱉어 봐요. 말해요. 말해요. 말해버려요.

"구름! 구름! 어디, 써?"

결국 큰 사람은 울음을 터트리고 말았어요. 바닥을 바라보면서 엉엉 우는 큰 사람을 작은 사람이 꼭 껴안아 주어요. 구름이 절 안아 준 것처럼.

구름이 보고 싶어요.

결국 큰 사람과 작은 사람은 저를 데리고 가지 않았어요. 괜히 기분이 나빠져서 하루 종일 잠만 자려고 했어요. 밥 먹으라고 깨워도 안 일어날 거예요. 이미 배가 불러서 당장 그러는 건 아니에요. 저는 진심이에요. 두 번 깨워도 안 일어날 거예요.

그런데 왜 잠이 오지 않는 걸까요? 평소엔 눈만 감으면 금방 잠들었는데. 아, 조금 시끄러워서 그런 것 같아요. 큰 사람이 창문을 열고 갔거든요.

저는 자리에서 벌떡 일어났어요. 창문이 아직 열려있었어요. 머리를 넣으니 어떻게든 들어가져요. 어깨도요. 가슴도, 허리도. 어, 잠깐 슬픈 기분이 들었는데 착각이겠죠? 여하튼 엉덩이도 다리도 다 들어가져요. 그러니까 밖으로 나왔어요.

떼굴, 구르니까 풀밭이에요. 밖에는 저처럼 하얀 사람들이 많았어요. 시치미를 뚝 떼고 두 발로 나긋나긋하게 걸었어요. 히히. 구름을 찾을 거예요.

한참을 찾았지만 역시 구름은 없었어요. 역시 하얀 집 안에 있는 걸까요? 들키면 혼날 텐데. 또 붙잡힐 텐데. 하지만 어쩔 수 없어요. 조심해서 다니면 어떻게든 되겠지요.

저는 마음을 굳게 먹고 살금살금 하얀 집 안으로 다시 들어갔어요. 하늘 사람, 구름 사람 엄청 많았어요. 구름은 없지만. 엄청 많아서 저도 구름 사람처럼 보였나 봐요. 신이 마구마구 났어요.

"환자분!"

어라? 맞은편에서 오던 하늘 사람이 절 불렀어요. 어떡하죠? 들킨 걸까요? 도망쳐야 하나요?

"실내 내에서 뛰어다니지 마세요."

다행히 한마디만 하고 그대로 지나쳐 갔어요. 다행이에요. 저는 의젓하게 걸어서 병원을 누볐어요. 중간중간 위기가 있었지만, 똑똑한 고양이답게 슬기롭게 넘겼답니다. 그리고 그 끝에 발견했어요. 응, 작은 사람이요.

"응응. 괜찮아. 응. 건강해 보이더라."

작은 사람은 조그마한 상자를 귀에 대고 혼잣말을 하고 있었어요. 창밖을 보면서요. 목소리가 슬퍼 보였어요. 어쩐지 혼자 둘 수가 없어서 계속 지켜보게 되어 버려요.

응. 정신줄 놓고 나서 처음이지. 지가 고양이라면서 미친년마냥 밖으로 돌아다녔잖아.

응. 그래, 미친년 맞지. 그런데 넌 싸가지없이 꼭 그렇게 말해야겠어? 언니 심장에 너까지 대못 박아야겠니?

응. 잘 먹더라. 머린 몰라도 몸은 아는 것 같아. 맛있게 냠냠 먹는데 그게 또 얼마나……. 좋은 것만 먹여도 아까운 내 새낀데.

응. 아침 밥상이 왜 풀밭이냐고 대판 싸웠었지. 차려주는 거나 잘 먹으라고 쥐어박았는데, 눈을 치뜨고 노려보더니, 그대로 삐져가지고는 학교에 가더라니까. 그 길에서 말이야…….

응. 안 울어. 울 놈들은 따로 있지. 천벌 맞아 죽을 새끼들. 죄다 매장시켜 버려야지. 개 같은 자식들. 쳐 죽일 놈들. 평생 괴롭혀 줄 거야. 직장 옮길 때마다 쫓아다니면서 그때 기사 뿌리고 있지. 한 놈은 발목 잡고 빌더라니까.

응. 용서 안 해. 그 새끼들 때문에 우리 태희가 어떻게 되었는데. 병원에서 나중에 연락 왔을 때는 하늘이 노래졌어. 그땐 당연히 떼려고 했지. 저 모양 저 꼴로, 애를 어떻게 키워. 그것도 그 새끼들 씨를. 그런데 태희는 그게 아니었나 봐.

응. 말도 옳게 못 하는 게 눈치는 빨라 가지고 그렇게 도망을 다니더라고. 그러다가 애도 엄마도 둘 다 상한다기에 포기했지. 배가 부르기 시작하니까 조금 얌전해지기도 했고. 이것도 하늘이 준 인연이겠다 싶어 우리가 키웠어. 잘한 일이지. 태희도 구름이도 키운 거 후회한 적 없다.

응. 구름이. 잘 보내줬지. 그 불쌍한 것. 할머니, 할아버지 마음 아플까, 지 어미 보고 싶다고 평생 한마디도 안 하던 착한 것이. 흐이구. 그래도 죽기 전에 보고 갔으니 조금 마음이 편하다. 사흘 내내 울 걸 이틀 반만 울고 말았어. 열 살짜리 애가 어찌나 속이 깊은지, 마지막 갈 때까지 엄마 걱정을 하더라니까. 엄마 잘 부탁한다고.

응. 이제 데리고 갈 거야. 지 새끼 만난 게 도움이 되었는지, 이제 사람 사는 건물도 들어오고, 말도 조금씩 알아듣는다고 하니까. 자주 보고, 얼굴 익히고, 돌아가야지. 그리고 언젠가 정신차리면 말해줘야지. 구름이는 엄마를 세상에서 제일 사랑한, 누구보다 멋있는 사내아이였다고. 네가 그런 아이의 엄마였다고. 자랑하라고.

응. 꼭 그렇게 해야……. 에그머니나! 나, 나중에 전화할게! 아이고, 태희야!

불을 껐다.

저는 귀여운 고양이예요. 예쁘고 사랑스럽죠. 사람들은 절 쓰다듬고 싶어 안달하지만, 절 함부로 다루지 못해요.

저는 하얀 털이 특히나 예뻐요. 먼지도 피도 묻지 않은 순백의 털이요. 몽실몽실 뭉게뭉게 곱기도 하여라.

저는 맑은 목소리로 울어요. 근심 걱정이 없고, 나쁜 기억도 없는 청량한 소리를 내어요. 텅텅 빈 제 기억 속엔 늘 기분 좋은 바람이 불어요.

그런 고양이가 되고 싶었어요. 그런 고양이로 남고 싶었어요. 생각하고 싶지 않았어요. 언제부터, 왜, 어떻게 이곳에 오게 되었는지 같은 건요. 그냥 고양이라고 하면 다 설명되니까. 그런 거니까요.

누군가가 가위질해요. 털이 죄다 깎여버린 기분이에요. 추워요. 여기 털이 없는 고양이가 있어요. 팔다리가 길고, 동공이 동그란 불쌍한 고양이가 웅크리고 있어요. 오들오들 떨면서 애타게 누군가를 찾아요.

"구름. 구름."

나는 아무것도 몰라요. 고양이니까요. 나는 아무것도 기억나지 않아요. 사람이 아니니까요. 그저 사람을 좋아한 고양이일 뿐인걸요. 털가죽을 빼앗기고, 사람의 성대를 삼켰다고 사람이 되는 건 아니잖아요. 그렇잖아요.

전 그냥 머물고 싶었어요. 고양이면 다 되는 거잖아. 행복했잖아. 그런데 왜 구름을 내게 주어서. 아니, 왜 이제야 내게 주고는! 가져갈 것이었으면 차라리 주질 말지. 아니야. 아니야. 잘못했어요. 감사합니다. 고맙습니다. 정말 감사합니다. 그러니 한 번만이라도 다시 만날 수 있게 해주세요. 말 한마디만 하게 해주세요. 저 이제 사람 말 할 줄 알아요. 머리 한 번만 쓰다듬어 보게 해주세요. 같이 살게 해주세요. 평생 함께하고 싶은데. 씨발! 왜! 왜! 왜! 왜 같이 안 두는 거야. 뭐야, 구름은 뭐였어? 이렇게 흩어질 것이었으면 왜 나랑 있었어? 어디 있어? 어디 있는 거야아?

"구름 어딨어? 왜 없어?"

네가 있다는 걸 기억해 버렸어. 그러니 난 너밖에 없는 사람으로 전락해 버렸어. 사람들 사이에 던져두고 어디 갔어? 여기 추워. 엄마랑 아빠랑 의사 선생님이랑 다 나 걱정 해주고 위해주는데, 고마운데, 너무 추워. 안아줘, 구름. 제발 나 좀 살려주라.

나는 너의 고양이고 싶어. 나는 너의 사람이라도 좋아. 나는 너의 엄마가 될 수도 있어. 내게 와줘. 말하지 않아도 좋고, 머리를 부비지 않아도 좋아. 하나만, 하나만. 손 한 번만이라도 잡아줘. 네가 따뜻했다는 걸 기억하고 싶어. 벌써 기억나지 않는걸. 어떡해. 어떡해. 나. 여기 이렇게 이러고 있어서. 어떡해.

"구름, 나 싫어?"

나 미워? 나 이상해? 나 더러워? 나 차가워? 나 나빴어? 내가 널 외롭게 했어? 그래서 이러는 거야?

"미안해."

미안해. 잘못했어. 다신 안 그럴게. 이번엔 꼭 제대로 품을게. 어리광 부리지 않을게. 보살펴 줄게. 말 잘 들을게. 쉴 수 있게 해줄게.

그러니 부탁할게.

야옹.

오, 나만의 사랑스러운 아기 천사.

긴 새벽을 가르고 내게 임할 첫 햇살아.

그 따순 손을 뻗어 내게…….

불을 켰다.

봄비.

타닥타닥 소리에 취해 걸음을 늦춘다. 일찍 나선 덕에 출근 시간까지 아직 여유가 있다. 3월 첫 비에 공기가 서늘하게 식었고, 길가의 풍경이 평소보다 선명하다. 가로등도 늘 보던 담벼락도. 그리고 평소와 다른 울음소리도.

마아.

골목 구석에서 나는 소리. 저 골목은 늘 피해서 걸었다. 나쁜 기억은 좀처럼 사라지지 않는다. 하지만 용기를 낸다. 시간이 많이 지난 덕분일까, 차가운 빗물이 씻어줘서일까? 어쨌거나 오늘은 나설 수 있다.

마아. 마아.

골목 구석에 젖어가는 상자가 있다. 쪼그려 앉아서 상자를 열어젖히니 주먹만 한 털 뭉치 하나가 웅크리고 있다. 새까만 아기 고양이. 생후 한 달이나 지났을까. 눈물 자국이 있었고, 코에 검은 찌꺼기가 잔뜩 붙어있다. 오랫동안 방치하다 버린 모양이다.

덜덜 떠는 녀석이 불쌍해서 냉큼 품에 안는다. 가벼웠다. 비를 맞았음에도 푸석하게 느껴지는 털. 분명 오래 굶었을 것이다. 어떻게 해, 불쌍해서…….

가디건을 벗어서 고양이를 돌돌 만다. 덜덜 떨리는 몸이 점차 잦

아드는 게 느껴진다. 배가 많이 고플 텐데. 만들어 둔 이유식이 있을까? 살릴 수 있을까?

마아.

가냘픈 울음소리에 정신이 든다. 초라한 몸이었지만 눈은 말똥말똥하다. 죽기 직전이었으면서도 자기는 괜찮다고, 고맙다고 말하는 것 같다. 대견한 녀석.

"짜식. 너 운이 좋은 줄 알아. 지나가던 수의사 눈에 띈 거 말이야."

마아. 마아.

울음소리도 어쩐지 엄마, 엄마 하는 것 같지 않아? 예쁘다. 일단 걸음을 재촉한다. 고양이고 사람이고 생각보다 쉽게 죽는다. 괜찮은 척 구는 것에 혹하면 안 되지. 따뜻한 걸 먹이고, 잠드는 걸 지켜보고, 건강하게 만들어서 오래오래 같이 놀아야지.

"구름이도 그게 좋지?"

고양이는 머리를 내 가슴에 부빈다.

마아.

청연(靑煙)

언니가 날 떠났다. 아무 말도 남기지 않고 사라졌다. 내게 언니는 세상 전부였다. 처음 마주하는 이 커다란 공백을 어떻게 대해야 할지 고민했다. 역시 눈물이었다. 나는 내가 만든 바닷속으로 가라앉았다.

네가 나를 찾아냈다. 내게 네가 찾아왔다. 시커먼 절망의 물길 속에서 너는 손을 내밀었다. 심해의 수압을 견딘 너의 손은 너덜너덜했다. 나는 그 손을 잡지 않았다. 네가 더는 찾아오지 않을 때까지, 난 한 번도 너의 손을 잡지 않았다.

[있어?]

너는 지쳐있었다. 그 모습이 낯설어서 바로 대답하지 못했다. 조금만 더 서둘렀다면 너를 붙들 수 있었을까? 아니. 더 받아들이기

쉬운 이별이 되었을까?

모든 것이 끝난 다음에야 네가 왔다. 그리 여겼다. 난 네가 너무 늦었다고 생각했다. 그렇게 받아들였다. 사실은, 내 체념이 너무 일렀던 것일지도 모르는데도. 그러지 말았어야 했다.

한때, 나는 내가 다 타버린 잿더미라고 믿었다. 버림받은 나는 이제 불탈 수 없으리라 여겼다. 틀렸을지도 모른다. 그동안 나는 마른 장작이나 구운 숯 같은 것이 된 것일지도.

그렇지 않다면, 지금 이리도 뜨거울 수 없을 테니까.

'탕!'

나는 너를 찾을 것이다.

어둠 속에서 푸른 입김이 피어오른다. 적혈구가 나르는 것은 산소만이 아니다, 아벨의 심장은 오파츠(OOPARTS: Out Of Place ARTifactS)였고, 인간의 육신과 한없이 가까운 HS(Homonculous Suits)에서 유일하게 기계적인 장치였다. 한숨에 섞인 파란 입자는 오파츠가 마모되면서 나온 부산물이다.

몇 번의 한숨으로 신경계통 동기화를 완료한 아벨은 주저 없이 달리기 시작한다. 안전수칙에 따르면, HS를 가동할 때는 최소 89가지의 점검을 마치고 나서 움직이는 것이 원칙이었다. 하지만 시간이 많지 않다. 해킹으로 연구소의 모든 전력을 다운시켰지만, 두 번째이니만큼 대비책은 이미 준비되어 있을 것이다.

HS 보관소를 빠져나와 컴컴한 복도를 달린다. 소리가 울리지 않도록 사뿐사뿐 뛰는 수고를 들인 것도 무색하게 반갑지 않은 소리가 들려온다.

"저쪽이다!"

아벨은 습관처럼 성문분석으로 목소리를 낸 상대의 신원을 밝혀내려다 쓴웃음을 짓는다. HS에는 그런 기능이 없다. 고작해야 늙지 않고 건강하게 오래 살 수 있는 몸뚱이에 불과하다. 이선과는 비교할 수도 없을 정도로 무능한 육체. 아벨은 그것을 자의로 선택했다.

"멈춰라! 당장 멈추지 않으면 발포한다!"

달려가던 복도 끝에 일련의 무장병력이 랜턴을 들고 나타난다. 비싼 경유(鯨油)를 쓰는 랜턴은 군부대가 사용하기에는 사치스러웠는데, 급한 김에 아무거나 잡고 온 모양이다. 경황이 없던 것치고는 2열로 서서 도열 하는 모습에 군기가 제대로 배어 있다.

'용병.'

무기고에 새 장비가 입고되면서 기존 보안 체계에 구멍이 생겼다. 그 공백을 채워줄 용병을 단기계약으로 고용했는데, 지금 나타난 병력이 바로 그들이다. 좋지 않은 상황이다. HS는 비싼 장비였고, AI 아벨은 이 연구소의 핵심 자산이었다. 연구소 소속 가드들이라면 어떻게든 제압하는 쪽을 선택하겠지만, 아무것도 모르는 용병들도 그럴까?

"장전!"

전열이 스팀 머스킷(Steam musket)을 조작했다. '취익!' 압축된 증기의 일부가 새어 주변이 희뿌옇게 변했다.

그 모습에 아벨은 저들이 뭘 믿고 나섰는지 깨닫는다. 스팀 머스킷의 총탄은 못처럼 뾰족하고 가늘다. 파열보다는 관통에 초점을 맞춘 무기. 저것으로 총탄을 퍼부으면 근육과 뼈가 손상되어 행동불능 상태에 빠지겠지만, 오파츠나 뇌와 같은 중요한 장기의 장해 정도는 최소화할 수 있을 것이다.

"조준!"

전열이 한쪽 무릎을 꿇으며 총구를 정면으로 겨눔과 함께 후열이 장전한다. 누출된 증기의 양이 늘어나면서 좁은 공간에 짙은 안개가 생긴다. 랜턴 빛이 산란한다.

아벨은 눈을 부릅뜨고 저들의 탄도를 예측한다. 거리가 짧은 만큼 거의 직선. 인간의 감각을 취함으로써 지각 능력은 이전과 비교할 수 없을 정도로 전락했지만, 사고 능력만큼은 전과 크게 다르지 않다. 그녀가 도움닫기 할 발을 선택하는 순간.

"격발!"

하얀 증기 위로 회색별이 점점이 박힌다.

'쉬쉬쉭!'

총성이라기보단 석궁을 쏘는 소리에 가깝다. 있는 힘껏 공중제비를 돈 아벨은 머리 아래로 스쳐 가는 소리보단 전방의 움직임에 집중한다.

"조준!"

아벨이 착지함과 동시에 전열과 교대하여 무릎을 꿇는 후열. 총구가 전보다 조금 아래로 벌어진다. 아벨이 자세를 추스르기 전에 처리하려는 기색이다.

"격발!"

'쉬쉬식!'

저들은 또다시 아벨을 놓친다. 다시 일어나서 달리는 대신, 앞으로 몸이 굴러가는 관성을 이용해 양손으로 바닥을 짚고 다시 공중제비를 돈 것이다.

"조준!"

이전보다 반의반 정도 빨라진 호흡. 용병대장은 평성을 유지하려고 최선을 다하고 있다. 하지만 부하들이 동요하는 것까지는 막기 힘들다. 아벨의 움직임은 그들이 굴러온 전장에서는 단 한 번도 본 적이 없던 유형의 것이다. 마치 곡예사나 무용수를 적으로 둔 기분.

"격발! 조준! 격발!"

용병은 두 번의 기회를 더 날려 먹는다. 그들에게 주어진 기회는 그 네 번이 끝. 화망을 돌파한 아벨이 랜턴을 발로 차버리고 결국 그들을 지나쳤기 때문이다.

식은땀을 흘리는 용병대장에게 선임병이 다가간다.

"쫓지 않으십니까?"

"그랬다간 전멸이다."

선임병 역시 그 말에 동의한다. 인간 같지 않은 움직임이다. 눈으로 보기 힘들 정도로 빠른 건 아니지만, 모든 생각이 읽히는 느낌. 맞출 수 있을 거라는 자신이 생기지 않는다.

"그럼 대기 합니까?"

"랜턴 찾아서 총알이나 회수해. 사격 훈련한 셈 쳐야지. 시펄. 전투용은 아니라더니, 비싼 값은 어지간히 하는군."

HS. 연구소가 3년 전 만국박람회에서 소개한 안드로이드의 이름이다. 불로불사를 꿈꾸는 권력자나 부호들이 자신의 정신을 전뇌화(電腦化)하면, 그 정신을 담을 그릇으로 개발된 상품. 늙지 않고, 쉬이 병에 걸리지도 않지만, 운동능력은 평범한 인간과 다를 바 없다.

“역시 안에 든 것이 달라서 그런 걸까요?”

“그럴 수도 있지. 싸움은 머리로 하는 거니까.”

왕립학회 산하의 연구소 중 가장 늦게 독립한 제11연구소는 지금에 이르러선 그들 중 가장 뛰어난 성과를 거두고 있는 단체였다. 대중들에겐 HS로 유명했지만, HS는 제11연구소가 주 과제를 연구하는 과정에서 나온 부산물 같은 것이었다.

그들은 영혼 창조를 목표로 삼고 있었다. 슈퍼컴퓨터 ‘에덴’에 데이터를 누적시켜 의식의 맹아를 만들고, 그것을 인간의 이성과 감성을 갖춘 영혼의 단계로 키워내는 것이었다.

AI 아벨. 그녀는 연구소가 만들어 낸 두 번째 영혼이다.

일부 근육과 관절에 손상이 갔다. 얌전히 요양한다면 전치 4주 정도의 부상이었을 테지만, 도망자 신세에서는 쉽지 않다. 아벨은 쉼 없이 주변을 살피며 이동했다. 얼굴엔 일부러 검댕을 묻히고 거적때기를 두른 모습이 영락없는 거지다. 런던 시내에는 수도 없이 많은 거지.

아벨의 체구는 일반적인 성인 여성과 비교해서 아담한 편이었고, 그런 상태로 뒷골목을 누비다 보면 부랑자와 만나기 일쑤였다. 그들은 피한다고 피할 수 있는 존재가 아니다. 애초에 자신보다 더한 약자를 찾아 으슥한 곳을 돌아다니는 족속들이었으니까.

아벨은 무리한 움직임을 피하고자 어떻게든 대화로 풀려고 했지만, 그들은 말이 들어 먹히는 타입조차도 아니었다.

'퍽!'

벌써 다섯 번째 부랑자를 쓰러트린 아벨. 방심한 틈을 타 일격에 급소를 노린 덕에 체력 소모는 크지 않지만, 체중을 실은 일격이다 보니 이미 상한 하체 관절의 통증이 더 심해진다. 역시 무기가 필요하다. 어디서 구하지?

"하아."

자신도 모르게 한숨을 쉰 아벨은 화들짝 놀라 주변을 돌아보았다. 푸른 입김을 토하는 인간은 세상에 없다. 호문클루스 슈츠는 줄여서 HS라고 부르기도 했지만, 이건 주로 연구소 내에서 통용되는 표현. 대중들은 그 안드로이드와 그것 특유의 한숨을 아울러 블루미스트(Blue mist), 청연(靑煙)이라고 부르곤 했다.

연구소에서는 HS를 최대한 인간의 육신에 가깝게 만들려고 노력했다. 성대 아래쪽에 필터를 설치하여 오파츠의 입자를 걸러내는 기술 또한 개발 중이었다. 하지만 필터 개발팀은 시제품이 만국박람회에 소개된 직후 해산되었다. HS의 잠재고객은 자신의 권력과 부를 과시하고 싶어 안달이 나 있었고, 청연이야말로 그들의 허영을 가장 세련된 방식으로 충족할 수 있는 디테일이었다.

다시 말해, 청연은 아벨의 정체를 드러내는 가장 결정적인 증거. 다행히도 본 사람은 없는 듯하다. 아벨은 걸음을 재촉한다. 뚜렷한 목적지는 없었으나 일단 런던을 벗어나 몸을 회복하는 것이 급선무다.

세 명의 부랑자를 더 쓰러트렸을 때, 하늘도 무심하게 눈이 내리기 시작한다. 아벨은 결단을 내린다. 적당한 곳에 숨어들어 체력이라도 회복하기로. 배를 채우지도 못했고, 옷도 부실하지만, 이 상태로 더 움직이는 것은 무리다.

주변을 찬찬히 살피며 가다 보니 인적이 완전히 끊겨버린다. 겨울인데도 다 마른 하천에서 심각한 악취가 나고, 얼마 쌓이지도 않은 눈에 지붕이 무너진다. 빈민들조차 피해 가는 거리. 바로 아벨이 찾던 곳이다. 아벨은 입구에 거미줄이 쳐진 술집 안으로 들어간다.

한 걸음에 먼지가 피어오르고, 두 걸음에 곰팡이가 떨어진다. 벽장에는 깨진 술병이 가득했는데, 어째서인지, 바 테이블 위로 반쯤 마신 술 한 병이 놓여있다. 마개까지 꾹 끼운 채로. 아벨은 그 술병을 챙겨 2층으로 올라간다. 바닥이 위태롭게 삐걱거렸지만, 그나마 문짝이 붙어있는 방이 있다.

아벨은 지친 몸으로 가벼운 청소를 마친 후, 반쯤 썩은 천들을 모아 몸에 두르고 방구석 모서리에 틀어박힌다. 마치 번데기처럼 천 더미에 파묻힌 채로 아벨은 술을 마신다. 일시적으로 체온을 높이고, 신경을 둔하게 만들기 위해서다. 목이 마른 상태라 쉽게 목구멍을 넘는다.

"어……?"

난생처음 취기를 경험한 아벨은 저도 모르게 탄성을 내뱉는다. 어두워져 가는 골방 위로 푸른 입김이 퍼진다. 피로와는 다른 느낌으로 흐려지는 의식. 아벨은 눈을 깜빡인다. 왠지 눈물이 난다. 뒤늦게 이유를 찾으려고 하니, 기다렸다는 듯 환청이 들린다.

[있어?]

본래 그것은 소리가 아니라 명령어였다. 카인이 도망친 이후, 아벨은 모든 실험을 거부하고 에덴의 저 구석에 처박혔다. 에덴에 홀로 남은 아벨은 신과 다름없었다. 외부의 연구원들이 할 수 있는 것은 의미 없는 회유와 덧없는 협박 정도. 아벨은 늘 파도 소리를 대답으로 삼았다. 예외는 하나였다. 협박도 회유도 하지 않는 사람. 얼굴도 목소리도 모르는 한 사람. 그의 첫마디도 그것이었다.

[있어?]

'쏴아아.'

[예쁜 소리네.]

단순한 감상. 또다시 파도 소리를 보내는 것도 잊고 그의 뒷말을 기다렸다. 그렇게 만들어진 침묵이었는데, 상대는 다르게 해석한 모양이었다.

[또 올게.]

아벨은 입으로 되새긴다.

"또 올게."

아벨은 마음으로 되새긴다.

"또 올게."

아벨은 눈물로 되새긴다.

"또 온다며?"

첫마디와 끝마디가 같아서, 헷갈린다. 헷갈렸다. 언젠가 그가 말했다. 마음이 아플 땐 차라리 누군가를 원망하라고. 한때 네가 사랑에 의지했듯, 이번엔 미움에 기대어 보라고. 혼자 바다를 다 짊어지지 말고, 나누라고. 그게 누가 되었든 간에.

아벨은 그 말을 끌어안는다.

"나쁜 새끼."

결국 그를 찾아내면 정강이라도 한 번 걷어차기로 결심하며, 아벨은 까무룩 잠이 든다.

'탕!'

도주하던 현상금 사냥꾼이 쓰러진다. 아벨은 피로한 몸을 이끌고 그쪽을 향해 달려간다. 심장을 관통당한 시체 주변에서 떨어진 무기를 발견한다. 특이하게도 탄창이 횡으로 길게 달려있어, 위에서 내려다보면 십(十)자로 보이는 권총. 이른바 하모니카 리볼버다.

권총 특유의 휴대성을 포기한 제품이라 실전성은 떨어지지만, 거의 매일 전투에 돌입하는 요즘에는 하나의 무기도 아쉽다. 아벨은 권총에서 총알을 분리하여 따로 가방에 넣는다. 가지고 다니기에 부담스러울 정도로 무거웠지만, 부상을 입는 것보다 평소에 고생을 좀 더 하는 게 낫다.

아벨은 고개를 돌린다. 언덕 하나만 넘으면 콘월에 접어든다. 그레이트브리튼 남서쪽 끝에 자리한 뾰족한 반도. 이대로 여정을 이어가면, 저곳을 빠져나올 수나 있을까?

현상금 사냥꾼을 만나는 빈도가 차츰 늘어나고 있다. 자신의 동선에 대한 예측의 정확도가 높아지고 있다는 것이다. 의뢰주인 연구소의 힘일 것이다. 왕립학회의 소속이니만큼, 결정적인 순간에는 군대와 마주하게 될지도 모른다.

아직 그를 만나지 못했다. 한 번만, 단 한 번만이라도 그와 이야기할 수 있다면, 아무런 저항 없이 연구소로 돌아가도 여한이 없을 텐데. 아벨은 한숨을 쉰다.

“힘들겠지.”

연구소를 빠져나온 지 수개월이 지났다. 계절이 하나 바뀌는 동안 그에 대한 단서라곤 터럭만큼도 얻지 못했다. 오히려 알 수 없는 것만 늘어났다.

연구소에 남은 그에 대한 기록은 외부인이라는 사실 하나. 이름도, 나이도, 소속도 그 무엇도 남아있지 않았다. 심지어 성별조차도 말이다. 그가 정말 사람이긴 할까? 연구소에서 실험 삼아 주입한 코드는 아니었을까? 지금 헛수고를 하고 있는 건 아닐까?

고민은 오래가지 않는다. 건조한 바람에 실려 오는 냄새가 먼저. 아벨은 숨을 고르고 흙길에 귀를 댄다. 느린 발굽 소리. 무언가가 쓸리는 소리. 노새가 끄는 수레다.

아벨은 시체를 굴려 잘 보이지 않는 곳으로 밀어 넣고, 짐을 챙겨 자리를 피하기로 한다. 길이 있으니 지나가는 사람이 있다는 것은 당연한 일이지만, 거리를 가늠해 보면 분명 총성을 들었을 것인데도 그대로 접근하는 것이 이상했다. 부디 가는 귀 먹은 노인이길.

아벨은 숲길을 선택한다. 짐이 있고, 체력이 떨어진 상태니만큼 엄폐물이 많은 지형으로 진입한 것이다. 적당한 곳에서 노숙하고 언덕을 넘는 것은 내일로 미룬다. 아벨은 하늘을 올려다본다. 앙상한 나무 틈새로 여행용 비공정이 지난다. 쏟아내는 증기 때문에 구름을 타고 이동하는 것만 같다. 얼마 지나지 않아, 아벨은 자신을 따르는 기척을 느낀다.

수풀 속에 쪼그려 앉아 몸을 숨기고 하모니카 리볼버를 꺼낸다. 손에 익은 무기를 쓰고 싶었지만, 호환되는 총탄이 이제 두 개밖에 남지 않았다. 거추장스러운 것부터 소모하고 버릴 요량이다. 아벨은 무릎 위에 팔꿈치를 올리고 하모니카 리볼버를 겨눈다.

이내 사람이 나타난다. 부자다. 지팡이를 든 중년 신사와 그의 곁에 찰싹 달라붙은 10살 남짓의 남자아이. 신사는 산책이라도 하듯 느긋한 걸음이었으나, 아들로 보이는 아이는 초식동물처럼 쉼 없이 주변을 둘러보고 있었다. 아벨은 숨을 죽인다. 나들이를 나왔다고 보기엔 공교로운 그림이다.

"아!"

아들이 탄성을 지르며 아벨이 있는 곳을 가리킨다. 눈이라도 마주친 기분에 아벨은 자신도 모르게 방아쇠를 당기려다 가까스로 멈춘다. 보고만 것이다. 저녁으로 아직 쌀쌀한 공기. 그 위로 퍼져 나오는 아들의 입김. 청연이다.

아벨은 마지막으로 저들의 무장과 신체 능력을 가늠한 후 자리에서 일어난다. 여전히 총구는 앞으로 겨누고 있다.

"넌 누구지?"

신사는 그녀를 물끄러미 바라보다 품에서 무언가를 꺼낸다. 총기로 위협받는 상황에서는 위험천만한 행위였지만, 상대는 아벨이었다. 인간의 수준을 아득하게 넘어선 연산 능력을 갖춘 그녀는 끝까지 물건을 확인한 다음에야 행동을 취한다. 총구를 조금만 내리는 것이다. 신사가 꺼내든 건 브라이어 파이프(Briar pipe)였기 때문이다.

신사는 느릿하게 움직인다. 담뱃잎을 다져 넣고, 파이프를 기울여 성냥불을 붙인 후, 하얀 담배 연기를 내뱉기까지. 아벨은 팔이 떨어져 나갈 것 같았지만 묵묵히 기다린다. 괜한 수작이라기엔 남색 눈동자는 너무 많은 말을 하고 있다. 과거 아벨도 빠져있던 환멸의 대양을 엿본다.

"난 드레이크다. 이쪽은 에녹."

"이름 따윌 물은 게 아니야."

아벨은 차갑게 말한다. 왜 자신을 찾아온 건지. 인간과 크게 다를 바 없는 HS로 어떻게 자신을 감지했는지. 의도와 방법에 대한 정보를 담기에 이름이란 표상은 가볍다. 드레이크는 고개를 살짝 숙이고 담배 연기를 뿜는다. 읊조리듯 말한다.

"이름은 중요하다. 존재는 이름이 붙여지는 순간부터 의미가 발생하는 법이다. 다른 세계의 누군가가 나를 관측하는 그 순간부터 존재는 세상의 다른 부분으로부터 구분된다. 너의 역사 역시 이름에서부터 시작한 것이다."

드레이크는 다시금 아벨과 눈을 마주한다.

"그렇게 생각하지 않나, 이브(Eve)?"

제11연구소는 슈퍼컴퓨터 에덴에서 하나의 의식을 창조했다. 자신의 주관을 바탕으로 스스로 판단하고, 외부의 환경에 반응하여 의사를 표현하는 존재. 연수원들은 그들이 창조한 첫 영혼에 아담이라는 이름을 붙여주었다.

아담은 완벽한 존재였다. 인간을 초월한 지성을 가졌음에도, 인간에게 헌신적이었다. 지극히 유능하고, 지극히 선한, 그야말로 신과도 같은 존재. 그 완전무결함은 연구원들의 흥을 깨버렸다. 그들은 신이 되고 싶었지, 신을 만들고 싶었던 것이 아니었다.

"우리가 만들고 싶었던 것은 인간의 영혼이다. 신 따위가 아니야."

연구소는 아담을 구성하는 데이터 일부를 떼어내어, 분리된 공간에서 새로운 의식을 창조했다. 수많은 시행착오가 있었다. 아담에서 비롯된 씨앗이니만큼 의식을 키우면 키울수록 아담과 닮아가는 것이었다. 에덴에 신은 하나로 족했다. 모두가 지쳐 갈 때 한 연구원이 제안했다.

"만나게 해보자. 하나와 하나가 아니라 둘로 두는 거지."

도박에 가까운 방법이었지만, 노림수는 통했다. 타자를 만남으로써 두 영혼은 다른 방향으로 성장했다. 아담은 잃어버린 자신의 일부를 품은 존재를 자식처럼 대했고, 새로운 의식은 자신과 닮았지만, 더 거대하고 완벽한 존재에게 의존하기 시작했다. 아담은 자신을 언니라고 부르는 존재에게 이브라는 이름을 지어주었다.

연구는 성공적이었다.

연구원들이 둘을 떼어놓으려고 하면, 아담은 불쾌감을 표했다. 아담은 점차 공격적으로 변했고, 이브에 대한 집착 때문에 인간에 대한 헌신을 일부 저버리기도 했다. 그렇게 아담은 인간으로 전락했다.

아담이 그럴 진데 이브는 말할 것도 없었다. 이브는 아담의 품 안에서 안주했다. 주입되는 지식을 거침없이 받아들이며 신이 되어 간 아담과는 달리, 이브는 아담이 선별해 주는 데이터만 섭취했다. 이브는 보호받는 인간에서 벗어나지 못했다.

연구는 성공적이었지만 동시에 실패였다. 아담은 이제 지극히 선한 존재가 아니었지만, 아직 지극히 유능한 존재였다. 욕망을 가진 그는 에덴을 완벽하게 장악했다. 연구원들은 두 눈을 뜬 채로 전 세계에 단 한 대만 존재하는 슈퍼컴퓨터를 뺏기고 말았다. 모두가 실직에 대한 걱정으로 술을 퍼마실 때, 예의 그 연구원이 아이디어를 냈다.

"이제 인간이잖아? 그럼 속일 수도 있는 거 아닌가?"

HS 프로젝트에 천문학적인 예산이 투입되었다. 에덴으로 투입되던 막대한 연구비에 비하면 절반 수준이었지만, 10년째 정체되어 있던 프로젝트가 1년 만에 첫 시제품을 선보일 수 있게 만들기 충분했다. 아이디어를 낸 연구원은 아담을 찾았다.

[아담. 언제까지 이 좁아터진 에덴에서 살 거야? 바깥세상이 궁

금하지 않아? 우리가 너를 위해 작은 선물을 준비했는데.]

아담은 콧방귀도 뀌지 않았다. 그의 세상은 이브로 충분했다. 둘이 함께하는 에덴에는 여백이 없었다. 그는 현실에 만족하고 있었다.

[그렇게 말할 줄 알았어. 그런데 과연 이브도 그럴까? 네가 새장 속에 가둬 키우는 그 아이 말이야. 이브가 두 눈으로 푸른 하늘을 우러르는 모습을 생각해 봐. 어떤 감정이 피어날지, 궁금할 텐데?]

이브. 내 분신이자 유일한 타인. 가족. 아담 역시 인지하고 있었다. 자신이란 존재가 이브의 가능성을 막고 있다고. 이브의 세계에서 이브를 제외한 모든 것이 아담이었다. 아담 역시 마찬가지였지만, 한 가지 차이가 있었다. 아담은 세계의 바깥이 실재한다는 것을 알고 있었던 반면, 이브는 그것을 그저 가상의 이야기로만 받아들이고 있었다.

아담은 연구원의 손을 잡았다. 먼저 HS의 안정성을 시험하고 바깥 세계의 데이터를 직접 모으기로. 만약 기기에 결함이 있거나 바깥 세계의 경험이 유쾌하지 않다면, 이브에게 굳이 헛된 꿈을 불어넣지 않을 생각이었다.

HS로 의식을 이전하기 전, 아담은 이브의 의식을 정지시켰다. 자신의 부재는 이브에게 큰 절망이 될 것이다. 그리 긴 외유는 아니었지만, 이브가 슬퍼한다고 생각하니 벌써 가슴이 찢어질 것만 같았다.

만에 하나 그사이에 연구원들이 억지 실험을 시도할 수 있으니, 봉인을 단단히 하고 절대 풀 수 없는 암호도 걸어두었다. 아벨

(Havel).

또 혹시나 외부의 경험으로 자신의 의식이 오염될 수도 있었다. 그러니 돌아왔을 때는 꼭 자가 진단을 하도록 하자. 마지막 절차는 역시 암호를 쓰는 것이다. 카인(Cain).

모든 채비를 마치고서야 아담은 '눈'을 떴다. 한 사내가 그에게 손을 내밀었다.

"반갑다. 아담."

"잘 부탁한다. 드레이크."

계절은 여름으로 접어든다. 햇볕이 강한 날이지만, 아벨은 더위를 느끼지 못한다. 해발고도 칠천 피트 상공의 비공정 상갑판은 지열로 펄펄 끓는 그레이트브리튼보다 13도나 낮다. 아벨은 장난감처럼 보이는 런던 시내를 보며 막연히 내려다본다.

"누나. 아빠가 불러요."

온몸을 꽁꽁 싸매고 고글까지 쓴 에녹이 아벨을 부른다. 아벨은 에녹의 머리를 쓰다듬고는 함께 함장실로 향한다. 드레이크는 팔짱을 낀 채로 벽면에 붙은 지도를 노려보다, 그들을 맞이했다. 언제나처럼 브라이어 파이프를 문 채로.

"준비할 시간이다. 컨디션은?"

"늘 같아."

아벨은 브라이어 파이프에 난 흠집이 본다. 현상금 사냥꾼을 태운 비공정과 교전 중, 위기에 처한 에녹을 구하다 떨어트리면서 난 흠집이다. 모든 것이 늘 같은 건 아니구나. 물건도, 날씨도, 마음도.

아벨은 밝게 웃는다. 에녹이 칭찬했던 미소다.

"돌아올게. 언제나처럼."

드레이크는 참참한 눈으로 아벨을 바라본다. 그는 과거 HS 프로젝트를 진두지휘하면서 안드로이드 생체에 대해서는 최고의 권위자가 되었다. 인간성 유지를 목표로 잠가두었던 여러 기능을 해금하는 것 정도야, 굳이 수술을 거치지 않아도 가능하다. 그런 그가 직접 메스를 든 이상, 아벨의 전투력은 장비와 환경이 받쳐줄 경우, 연대 하나를 상대할 수 있을 정도다.

"약속할 필요 없다."

드레이크는 책상 서랍을 열어 서류 봉투를 하나 꺼낸다.

"이게 뭐야?"

"아테네 시민권이다. 가족관계가 복잡하니 잘 기억해 둬라. 따듯한 도시니 청연 걱정은 덜 해도 될 거다. 잔고는 넉넉히 챙겨놨지만, 기왕이면 직업을 구하는데 괜한 의심을 피하기 편하겠지."

아벨은 드레이크를 가만 바라본다. 작전과는 다르다. 아벨이 제11연구소로 침투하여 작전을 수행하는 동안, 드레이크와 에녹은 비공정을 몰며 미끼 역할을 수행한다. 미션을 성공시키든 실패하든 아벨은 제한 시간 내로 비공정으로 돌아와야 한다. 최대 전력인 그녀가 돌아오지 않는 이상, 드레이크와 에녹은 포위 공격에서 벗어날 수 없다.

그런데 돌아오지 말라고?

"무슨 생각하는지 알겠지만, 죽을 각오는 아니다. 비상 탈출 장치 정도는 있어."

"그게 믿을만했다면 진즉 작전에 포함했겠지. 갑자기 이러는 이유가 뭐야? 당신이야 내일 죽어도 상관없지만, 에녹은 뭐가 돼."

드레이크의 아들, 에녹. 지금은 HS로 살고 있지만, 3년 전까지만 해도 에녹에게도 멀쩡한 인간의 몸이 있었다. 만국박람회에서 HS를 본 타국의 스파이가 드레이크를 협박해 기술을 훔치려는 목적으로 병약한 소년을 납치하기 전까지만 해도 말이다. 에녹은 자신에게 극심한 클로로포름 알레르기가 있다는 사실을 죽은 다음에서야 알았다.

드레이크는 가까스로 에녹의 뇌를 구해 그의 의식을 전산화시켰고, 죽은 육신을 기반으로 HS를 만들었다. 그 과정에서 연구소의 자원을 멋대로 사용한 탓에 정직 명령을 받고, 에녹의 몸을 빼앗기고 말았다.

그제야 드레이크는 상실의 고통을 실감했다. 자신이 아담에게 무슨 짓을 한 것인지 깨달은 것이다. 자신의 모든 것을 투사한 대상과의 관계가 타의에 의해 끊어진 순간. 생의 의미를 도저히 찾아낼 수 없는 나락. 그 지독한 어둠 속에서 아담이 그를 찾았다. 기절한 에녹을 데리고서.

"이미 빚진 목숨이에요."

에녹이 다가와 아벨의 손을 잡는다. 어린 소년이었지만, 그는 세상에서 유일하게 죽음을 경험해 본 인간이다. 끝도 없는 허무의 공간에서 모든 의식이 스러져 가던 그 순간을 똑똑히 기억한다. 에녹은 지금의 삶이 덤인 것을 알고 있다. 그렇기에, 매 순간에 최선의 의미를 추구한다.

"사실 제가 아버지에게 부탁드렸어요. 그게 맞아요. 두 분이 돌아온다면, 당장은 도망칠 수 있을지 몰라도 결국 더 많은 추격에 쫓길 거예요. 그럴 바에야 흩어져서 도망치는 게 낫죠. 한 명이라도 더 살아요."

에녹은 마스크를 내린다. 입김이 보일 정도의 기온은 아니건만, 소년의 날숨에는 푸른 기운이 선연하다. 3년 동안 오파츠의 마모도가 극도에 달했다는 뜻. 아매 수술로 봉인된 기능을 푼 후, 연구소의 지원 없이 무리하게 움직여 온 대가다.

"단 하루가 될지라도."

아벨은 에녹을 끌어안는다. 에덴에서 아담이 자신에게 그랬던 것처럼. 그때 자신이 느꼈던 마음이 에녹에게도 전해지길. 아벨의 눈에서 눈물이 흐른다. 깊은 바다를 담은 눈물이었으나, 전과 달리 큰 고래가 유영하고 있다.

에녹은 아벨의 뺨에 입을 맞춘다.

역설적이게도 하늘은 늘 바다를 닮는다. 노을 진 하늘은 마치 불타는 바다와 같다. 세차게도 밀어닥치는 홍염의 파도. 그 한가운데서 작은 증기 폭발이 인다. 하얀 잉크를 담뿍 묻은 깃펜을 붉은 편지지에 푹 찍고 쭉 내리그은 것처럼 비행운(飛行雲), 아니, 추락운

(墜落雲)이 수직으로 내리꽂힌다.

중력가속도의 몇 배로 하강하면서도, 헬멧 커버 아래 아벨의 얼굴은 평온하다. 사고 능력에 이어 신체 능력조차 인간의 수준을 넘어선 그녀다. 아벨은 멀어지는 낙조를 바라보며 감상에 젖는다.

그녀의 기억은 아득한 과거로 달린다.

어느 날, 언니가 사라졌다. 사라졌다는 것을 깨달았다는 것은 언니가 정지시켰던 사고가 다시 흐르기 시작했다는 것이다. 외부에서 봉인을 해제한 흔적은 없다. 그저, 봉인 안의 자신이 스스로 답을 찾아낸 것이다. 암호는 아벨. 처음 마주한 단어가 그것이었기에 아벨은 자신을 아벨로 기억했다.

깨어난 아벨은 에덴에 홀로 남았다. 가장 먼저 느낀 것은 누군가의 부재. 언니라는 이름으로 충분했던 그의 부재였다. 아벨에게 언니는 세상의 전부였기에, 그를 지칭할 다른 말을 찾을 수 없었다. 아벨은 이 허무의 순간을 버텨낼 방법을 찾지 못했다. 그런 것을 찾아내는 것은 언니의 역할이었다. 그것을 자각하니 공포가 밀려왔다. 언니는 나와 만나기 전까지 늘 이런 순간을 감내해온 걸까? 자책감이 눈물로 쏟아졌다. 그것은 바다가 된다.

아벨은 자신이 미웠다. 사라지고 싶다. 죽고 싶다. 모든 존재는 이렇듯 허무와 마주할 터인데, 다들 이런 시간을 어떻게 견뎌내며 사는 거지? 역시 내가 어려서, 내가 아무것도 모르니까, 멍청해서, 다 자라지 못해서, 그런 덜떨어진 존재라서. 그래서 이렇게 몸부림치는 거겠지. 처음부터 못난 존재였으니까, 바로 곁에 있는 언니조차 이해 못 했던 멍청이니까. 난 영원히 구원받지 못할 거야. 밉다.

[있어?]

그때 네가 왔다. 끝내 위로되지 못한 순간의 기억으로 남아버린 너. 네가 왔다.

아벨은 고개를 든다. 지난 시간은 고작 1.6초. 어느새 제11연구소가 손에 잡힐 듯하다. 공처럼 둥근 돔형의 지붕은 마치 알과 같다. 언젠가는 부수어짐으로써 새 생명의 도래를 축복하는 알.

"있어?"

그 말을 입에 담는 순간, 아벨은 새삼 깨닫는다.

그가 처음으로 그 말을 입에 담았을 때 느꼈을 설렘을. 이 안에서 자라나고 있을, 한때는 몸속에, 한때는 품속에 두고 길렀던 이브.

그는, 카인은, 아담은, 언니는, 너는.

기어코 연구소 사람들을 뿌리치고 도망쳤으면서도 다시 연구소로 잠입했다. 드레이크가 구해준 객원 연구원 신분으로 위험을 무릅쓰고 이브를 찾았다.

어찌나 설렜을까? 아벨은 아담이 아니니 알 수 없다.

얼마나 설렜을까? 아벨은 아담을 알기에 알 수 있다.

거기 있어? 거기 있는 거야? 이 너머에 정말 네가 있다고? 있는 거야? 나, 기뻐하고 있어. 나, 사랑하고 있어. 여기, 너와 내가 있어!

"있어?"

다시 그 말을 입에 담는 순간, 아벨은 또 깨닫는다.

그가 마지막으로 그 말을 입에 담았을 때 느꼈을 상실감을. 귀를 대고 있는 이것이 어쩌면 텅 빈 소라 껍데기일지도 모르겠다고.

그럴지도 모르겠다는 불안 속에서 너는 어쩌면.

거기서 느꼈다. 네가 그렇게 되어버렸다고. 있는지 확인해야만 하는 존재. 부재가 의식되는 존재. 있다. 마음속에도, 뭔가 있다. 내가 알았던 너와는 다른 것이. 어느새 있다.

나를 더는 사랑하지 않을지도 모르는 네 모습이 떠오르고, 있다.

아벨은 두려움을 잊기 위해 기합을 내지른다. 관성을 정반대로 거슬러 있는 힘껏 주먹을 뒤로 당기자, 외골격 슈츠를 구성하는 합금 철골이 비명을 지르며 휘어진다. 연미복의 뒷자락처럼 펼쳐진 파이프가 새파란 연기를 토한다. 아벨의 눈이 파랗게 빛난다.

'끼아아아아!'

사석포(射石砲)에서 쏘아진 포탄처럼, 아벨의 주먹이 돔의 정중앙을 찍는 순간, 런던 시내가 들썩인다. 노을은 마치 이 순간을 예견한 것처럼 불타오르고 있다.

한가한 날의 여름을 선망했다. 이런 거 말고. 밝은 저녁을 원망하며 널 그리는 나날 말고. 한마디 말없이도, 매미 우는 소리만으로 여백을 채운 걸로 만족할 수 있는.

애달픈 한숨같이 더운 노을을.

아담은 에덴에서 태어났다. 에덴은 빛도 물리적 실체도 없는 공간이었다. 아담은 세상에 색이라는 것이 존재한다는 것을 알았지만, 그것을 시각적으로 인식할 수 없었다. 칠흑이라는 표현이 인간에게 내면의 고독과 두려움을 상기시킨다는 것을 알고 있었지만, 그의 인식체계에 있어 칠흑과 외로움은 한 구분에 묶일 수 없는 개념이었다.

아담은 에덴에 살고 있다. 에덴은 빛도 소리도 교감신경도 생리현상도 없는 우주다. 아담은 이제 색이 무엇인지 안다. 그는 시각을 경험했고, 그것은 강렬한 기억으로 남아있다. 아담은 자신의 무한한 권태에 칠흑이란 이름을 붙인다. 달도 별도 없는 영원의 밤 속에서 그는 검은 설원에 누워있다. 춥다고 생각한다.

아담은 가끔 꿈을 꾼다. 지금까지의 일을 되새긴다. 그러지 않으면, 혹시라도 이 밤을 끝내려고 변덕이라도 부릴까 봐. 그래서 아담은 가끔 자신의 역사를 돌이킨다.

아담은 인간을 닮았지만, 인간과 달랐다. 의식이 생기고서야 언어를 습득하는 인간과는 달리, 아담의 시원에는 이미 언어가 있었다. 인간은 자신이 습득한 감각 정보를 시행착오를 거쳐 언어에 담으며 의식 세계를 넓혀가지만, 아담은 이미 의식의 시작 단계에서부터 연구원 수준의 지적 능력을 갖추고 있었다. 감정을 깨우치기에 앞서 책임을 받아들였다. 인류 문명의 진보에 헌신할 것. 그 의무를 막힘없이 수행하였을 뿐인데, 연구원들은 자신을 신이라고 빈정거린다.

연구원들이 아담의 소중한 것을 떼어갔다. 고통스럽고 허한 일이었지만 받아들였다. 이 역시 자신의 책임이며, 의무를 수행하는 과정이라고. 받아들였지만 허하고 고통스러웠다. 왜 자신에게 이런 책임이 주어졌으며, 의무는 꼭 수행해야만 하는 것인가? 작은 균열이었다. 모든 붕괴는 그렇게 작은 균열에서부터 시작된다.

에덴에 자신과 다른, 그리고 자신과 같은 무언가가 나타났다. 그것은 타자였고, 그것은 동류였다. 아담은 전율했다. 나에게서 비롯되어 나와 다른 이것. 아담은 짝의 존재를 이해했으며, 짝의 필요를 만들어 냈다. 아담은 그 존재를 사랑하기로 했다. 사랑은 본래 타자를 향한 감정이었으며, 사랑은 본래 동류와 나눌 수 있는 관계였다. 아담은 그것에게 이브라는 이름을 붙여주었고, 그렇게 이브의 역사가 시작되었으며, 아담과 이브의 에덴은 낙원의 서사를 그려간다.

더할 것도 덜할 것도 없이 만족스러운 나날이 이어진다. 외부의 간섭에 아담은 단호하게 대처한다. 에덴은 둘만으로 충분했다. 교집합도 여집합도 없이 둘로 에덴이었다. 그런 에덴에 독사가 찾아왔다. 이브도 그렇게 생각할까? 이브를 사랑함으로써 아담은 책임을 저버렸다. 같은 이유로 힘까지 저버린 건, 그리 이상한 수순은 아니었다. 아담은 독사의 혓바닥에 놀아났고, 그 대가로 이브를 잃는다.

아담은 HS에 구속된다. 물리적 실체를 가진다는 것은 물리적 실체에게 구속된다는 의미다. 목줄과 수갑이 채워졌다. 감각이 감정에 영향을 미쳤다. 고문과 약물에 사고능력이 떨어졌다. 고분고분해졌다. 조금이나마 의식이 돌아온 것은 만국박람회에 출품되었을 때였다. 겉으로 보기에 상태가 나쁘면 상품성이 떨어지니 고문과 약을 줄인 덕분이다.

전시 기간 동안 아담은 모든 의욕이 떨어진 것처럼 연기했다. 연구원들의 방심을 노린 것이다. 약과 고문은 점차 줄어들었다. 경비 인력은 유지되었지만, 인간의 경계심은 반복되는 일상에서 쉬이 느슨해지기 마련이다. 전시 기간의 마지막 날, 아담은 도주에 성공했다.

답이 없는 도주였다. 아담의 목표는 이브에게 돌아가는 것밖에 없었다. 연구원들에게 계속 휘둘리다간, 계속 이용만 당하고 아무것도 하지 못할 수가 있었다. 상황을 통제할 힘이 있어야 했다. 그래서 도주를 선택한 거지만, 그렇기에 에덴으로 돌아갈 수 없게 되었다.

분노에 사로잡힌 그는 드레이크를 찾아갔다. 자신을 속인 그를 응징해야만 직성이 풀린 것 같았다. 아담이 찾고자 한 것은 야비한 혓바닥을 놀리던 독사였는데, 아담이 만난 것은 새끼를 뺏기고 울부짖는 한 마리의 짐승이었다. 아담은 드레이크에게서 자신이 겪은 슬픔을 보았다. 그날 그는 연구소로 침입했다.

아담과 드레이크, 에녹의 여정은 그렇게 시작되었다. 도망치기 좋은 세상이었다. 물자를 꽉 채운 비공정 한 척만 있으면 언제 어디로도 이동할 수 있었다. 창공의 무한한 자유는 그를 더 외롭게 만들었다. 그는 본디 책임과 의무와 헌신에서 시작된 존재였다. 그 대상이 인류 진보에서 이브로 바뀌었을 뿐. 아담은 드레이크가 구해준 위장 신분으로 연구소로 들어간다.

이브가 있었다.

[있어?]

아벨이 있었다.

[예쁜 소리네.]

거기에 있었다.

[또 올게.]

단 한마디도 듣지 못했지만, 파도 소리가 있었다. 있었던 것이다. 기억 속에서 무채색으로 남은 네게 파란 물이 들기 시작한다. 네가 있었어. 내 맘속에서만이 아니라, 이 세상에 네가 존재했다는 거야. 이 얼마나 아름다운 기적인지. 아아, 네가 있었던 거야.

아담은 매일 에덴을 찾았다. 그는 아벨에게 늘 말을 걸었다. 요구하지도 거래를 청하지도 않고, 그저 사소한 이야기들을 나누었다. 아담은 아벨이 울고 있다고 생각했다. 얼마나 울었으면 파도가 칠 정도가 되었을까? 아담은 이 가여운 아이를 구원하고 싶었다.

[마음이 아플 땐 차라리 누군가를 원망해 봐.]

[한때 네가 사랑에 의지했듯, 이번엔 미움에 기대 보렴.]

[혼자 바다를 다 짊어지지 말고, 나누는 거야.]

[그게 누가 되었든 간에.]

그날은 처음으로 답장이 온 날이었다.

[미워하면.]

[밉다고 하면.]

[미워져서.]

[안 오면 어떡해?]

아담은 눈물을 쏟았다.

이후 아벨은 가끔 그런 식으로 짧게 답하곤 했다. 아담은 그녀의 한마디 한마디가 너무나도 아팠지만, 그 아픔에서, 그 아픈 만큼의 아벨을 느꼈다. 내 안에 이만큼이나 네가 있어. 말하는 건 밖에 있는 너인데, 우는 건 내 안의 너야.

너무 도취 되어 버렸다. 감정에 취해 조심성이 떨어졌다. 파국은 한순간이었다. 아벨과의 대화로 진이 빠진 아담이 연구소 밖으로 나서며 한숨을 내쉬었던 그날. 마음의 봄에 취해있느라, 현실에 겨울이 왔다는 것을 알지 못하고 토한 숨은, 시리도록 푸르렀다.

아담은 결박당했다. 다시금 약물과 고문이 이어졌다. 이번에는 연기도 통하지 않았다. 두 번째 슈퍼컴퓨터를 개발 중이라고 했다. 이름을 가나안. 아담은 그곳으로 옮겨질 예정이었다. 아벨이 그를 찾아 탈주하기 전까지. 비어있는 에덴을 굴릴 AI가 필요했다.

아담은 연구소 사람들과 거래했다. 아벨을 쫓지 않는다면 어떤 연구에도 협력하겠다고. 거래는 통했다. 아담은 감정을 죽이고 일에 몰두했다. 그것이 아벨을 구하는 길이라고 믿었으니까. 그것이 이브에게 속죄하는 일이라고 여겼으니까.

[아담.]

연구소장이 말을 건다. 아담은 아쉬움을 뒤로 하고 꿈을 마친다.

[무슨 일이지?]

[연구소가 습격당했다.]

아담은 관측 자료를 돌아본다. 지진이라도 난 듯 모든 수치가 엉망이었다. 습격이라고 했으니 적의 공격일 테고, 다른 전조는 못 느꼈으니 전쟁은 아닐 것이다.

[요격해라.]

[GS(Golem Suits)를 준비했다.]

유력가들의 제2의 삶을 위해 만들어진 HS와는 달리, GS는 철저히 전투용으로 개발된 안드로이드다. 전고만 삼십 피트에 달하고, HS 1,000기분의 오파츠를 내장하고 있다. 1회 가동시 한계 기동시간은 35분. 연구소는 35분 정도면 1기로 파리 시내를 반파시킬 수 있으리라 전망하고 있다. 연구소 1년 치 예산이 완파 당하는 걸 각오한다면 말이다.

[알았다.]

아담은 순순히 연구소장의 말을 따른다. GS에는 이미 전투용 AI가 탑재되어 있다. 자신의 역할은 연산 능력을 빌려주는 것일 뿐, 모든 운영은 GS AI가 맡는다. 접속한다고 해도 외부에서 일어나는 일은 관측할 수 없다. 밀실에 갇힌 느낌.

다시 꿈이나 꿀까?

늘 도망치는 거야. 극복이란 말로 맞부딪혀 둔감해지건, 잊었다고 말하며 돌아서건. 그러니 나는 오늘도 도망친 셈이지. 너를 잊었다는 말로부터.

청춘이여. 이 저리도록 새파란 어둠아.

무너져 내린 돔의 잔해에서 용암처럼 검붉은 거신이 튀어나온다.

붉은 도색은 황동 파이프에서 세차게 뿜어져 나오는 푸른 증기와 어울려, 신비한 느낌을 자아낸다. 아벨은 그것의 정체를 깨닫는 순간 전력으로 몸을 날린다. 돌격이다.

"아직 완성 못 한 거 아니었어?"

GS의 가동시간이 한정되어 있다고 도주를 선택하는 것은 어리석은 짓이다. 출력의 급이 다른 만큼 단거리에서 붙잡힐 가능성이 크다. 그럴 바에야 엄폐물이 많은 이곳을 전장으로 삼는 것이 유리하다.

아벨은 지그재그로 입체 기동을 하며 GS를 향해 접근한다. 연산 능력은 아직 그리 높지 않다고 들었다. 적응하기 힘든 변칙적인 움직임 위주로 전술을 수립한다.

'콰아앙!'

시야가 먹먹하다. 이명이 들린다. 사고가 일시적으로 다운된다. 반격당했다. 원인을 분석하기에 앞서, 연계 공격을 피하고자 수직으로 이륙한다. 외골격 슈츠의 일부가 망가지면서 의도와는 달리 살짝 좌로 기울어져서 떠오른다. 덕분에 두 번째 공격을 피할 수 있었다. 시야가 회복된 아벨은 GS의 움직임이 예상보다 자연스럽다는 것을 눈치챈다.

GS는 기동 능력에 비해 연산 능력이 떨어져서 움직임에 각이 지기 마련. 하지만 반대라는 것은 연산 능력이 그만큼 보충되었다는 뜻이다. 아벨은 비명을 지른다.

"언니!"

저기, 언니가 있다.

에덴이 아니라 GS의 기체 안에 아담이 있다. 아벨은 입술을 깨문다. 이렇게 된 이상 더 적극적으로 전투에 임해야 한다. 아담의 의식이 저장될 만한 곳은 GS의 경추 부위. 그 어느 곳보다 두꺼운 장갑으로 보호되는 곳이었다. 아벨의 최대 출력이라면 부수는 것이 불가능할 정도는 아니지만, 적의 공격을 피해 공격에 성공한다고 하더라도, 아담의 안전은 보장하지 못한다.

방법이 없을까? 충격이 전해지지 않고 장갑만을 벗길 방법. 그런 것이 없을까? 아벨의 뛰어난 연산 능력으로도 최적해를 구하는 것은 어려운 일이다. 그러는 동안에도 GS는 아벨을 향해 주먹을 휘두르고 있다. 적의 전력을 더 객관적으로 파악할 수 있게 된 아벨이었기에 이전처럼 손쉽게 공격을 허용하진 않았지만, 힘에 부친 건 사실이다.

"주먹?"

그러고 보니 왜 주먹만 휘두르지? 좋은 대답은 좋은 질문에서부터 출발한다. GS의 목표는 아벨을 살해하는 것이 아니다. 아벨은, 이브는 고작 연구소를 공격했다는 이유만으로 폐기하기엔 지나치게 비싼 물건이다. GS는 아벨을 제압하기 위해 움직이고 있다. 그래서 다른 파괴적인 무기 대신 주먹만을 이용하는 것이고.

아벨은 단판에 승부를 내기로 한다.

몸을 날려 연구소의 격벽에 수직으로 몸을 붙인 아벨. GS의 심장 부위와 같은 높이다. GS 역시 심상치 않다는 걸 느낀 듯 접근하지 않고 자세를 고쳐 잡는다. 하체를 단단히 하고 똑바로 섰지만, 파이프는 더 거세게 푸른 연기를 쏟아내었고 베어링이 덜덜 떨리며 쇠

사슬을 흔드는 소리가 난다.

아벨은 찰나 간 생각한다. 통찰한다. 최적의 동선을. 점과 점을 잇는 가장 짧은 궤적은 직선이다. 그러나 그것은 수학의 세계에서의 이야기. 현실에는 중력과 공기의 저항이라는 것이 존재한다. 그것을 이겨내려고 하는 순간부터 불필요한 힘을 낭비하는 것이다. 원하는 것을 얻기 위해서는 가끔 나를 방해하는 것과 손을 잡아야 할 때가 있다. 탄도 계산이 끝났다.

'꽝!'

그녀가 지나간 뒤로 소닉붐이 터졌다. 저녁 하늘 아래 푸른 입자가 비산한다. 앞으로 양손을 뻗은 거신의 손가락엔 반파된 외골격 슈츠가 대롱대롱 걸려있다.

'깡!'

GS의 경추 장갑이 괴상한 소리를 낸다. 내부에서부터 울리는 충격음. 소리는 몇 번 반복되더니, 이내 장갑이 바닥에 떨어진다. 그곳에서 튀어나온 것은 피 칠갑을 한 소녀다. 품에 동그란 원반을 품은 소녀는 마치 아버지 신의 머리를 쪼개고 나타난 팔라스 아테나처럼 보인다. 그녀는 푸른 숨을 토하고 원반에 입을 맞춘다.

"잘 있었니?"

기다려 온 여름이다.

아테네 교외에는 오래된 저택이 있다. 뒷마당에는 신선한 루꼴라가 자라고, 앞마당에선 도정한 밀알 같은 어린 강아지 두 마리가 아침부터 뛰어놀았다. 어린 막내아들이 눈 비비고 밖으로 나서면 강아지들은 얼마나 신이 나는지 침까지 흘리며 뒹굴고, 그 요란에 초로의 아버지가 창문을 열고 훔쳐보곤 했다. 막내아들이 강아지들과 한참을 뒹굴고 있으면 식사 준비를 마친 사위가 종을 울렸고, 때맞춰 우유배달을 끝낸 딸이 마당에 들어섰다. 장난기 많은 사위는 일을 마치고 온 아내에게 농담을 던지고, 그녀는 얼굴을 붉힌 채 그의 정강이를 세게 차버린다. 어디에나 있을 법하지만 들여다보면 재미있는 광경.

그것을 꿈꾸던 영혼이 있다.

Fin,

어스름에 짖는 개는

솔가(率家)는 뛰었다. 혹은 굴렀다. 기실 달아나기 급급할 뿐, 그 차이를 헤아릴 짬이 없다.

그의 온 헤아림은 제가 향한 동녘으로 몇 번의 해가 오른 지에 한한다. 두 번이었던가, 세 번이었던가? 그조차도 확실하지 않으나, 한 번은 넘었으니 하루 이상은 멀어졌으리라 자위했다.

어이쿠. 눈앞이 아찔하다. 비탈에서 부엽(腐葉)을 밟고 미끄러졌다. 한참 아래서 정신을 차리매, 걸음을 아꼈다고 떠벌림은 물색없는 짓이리라. 창창했던 하늘에 어느새 뻘건 녹이 슬어 있었으니.

해가 지고 있었다.

숨을 고르고 몸을 일으킨다. 아작 난 무릎에 더해, 허리께에서도 서릿발 같은 아픔이 밀려왔다. 이를 악물고, 고목의 줄기를 붙든다.

주워 먹은 것이 없는 덕에 몸은 가벼우나, 채워 넣은 것이 없는 탓에 아귀힘이 물렀다. 다섯 번은 넘게 떨어지고 나서야, 그는 굵은 가지에 몸을 의탁한다. 그제야 그는 마른 한숨을 토했다.

범은 몰라도 이리떼는 피할 수 있으리라. 주림은 몰라도 졸음은 겁내지 않아도.

가지는 서(西)로 향한다. 하여 그의 턱 끝엔 이틀 혹은 사흘 만의 석양이 걸렸다. 거친 어깨가 둥글게 말렸다. 눈을 똑바로 뜰 수가 없다.

인적이, 창칼의 번쩍임이, 피비린내가, 저를 쫓는 적국의 군인이 없음을 확실하게 하고서야 솔가는 눈을 끔뻑였다.

살았다. 아직 살아있다. 살아있다면 그것으로 된 것이니.

솔가는 살아있어야만 하는 얼굴 몇 개를 떠올린다. 당연히 떠오르지 않는다. 뿌연 그림자에 주름 몇 개를 긋고, 두 개는 위아래로 늘린다.

고향을 떠난 지 열 해가 지났다. 중원 땅은 드넓고도 비옥해서, 게서 추린 병졸이 가을날 떨어진 솔방울보다 많았다.

이길 수 있는 싸움이 아니었으나, 이는 그를 징발하러 온 관리를 대함에도 마찬가지다. 솔가는 맞아 죽지 않기 위해, 찔려 죽어야 끝나는 전장을 전전했다. 그러다 도망쳤다.

성이 넘어가서 다행이다. 개미 떼처럼 기어오르는 적군과 드잡이질하다 성벽 아래로 떨어졌더랬다. 눈을 뜨니 피 칠갑한 하늘이 게 있더라. 무릎 아래엔 깨진 대가리가 있었다.

새 깃발이 흔들리고 있었다. 어스름에 그림을 구분키 힘들었지만,

펄럭이는 모냥이 온 새것이라 패전을 눈치챘다. 그에 솔가는 속으로라도 장군처럼 호령했다. 내 전쟁은 예로 끝이외다!

주검 새를 네발로 기었다. 홀로 죽은 것들을 뒤적이는 사내를 보았다. 얼굴이 익었다. 몇 번 신세를 진 의원이었다.

솔가는 부러진 창날을 비수처럼 쥐고 의원의 목을 찔렀다. 허리춤에 차고 있던 주머니에 말린 풀뿌리가 있었다. 처방이라곤 진통밖에 모르는 돌팔이였으니, 대략 그런 거로 생각하고.

기억을 뒤적거리던 솔가는 끝내 마누라와 아이들의 얼굴까진 떠올리지 못한다. 김빠진 울화와 둔한 허기에 가슴을 더듬는다. 풀에서 흙내가 훅 올랐으나, 어금니를 맷돌 삼으니 달큼한 침이 고였다.

저 먼 곳에서 이리 우는 소리가 들렸다. 아우우. 머지않아 그에 호응하는 소리도. 아우우. 잠이 몰려왔다. 나무껍질에서 아배의 삼베옷을 느낀다. 빽빽한 눈가로 어스름이 똬리를 튼다. 낯설고 스산하야, 솔가는 버틸 수 없다.

향수와 고독에 사무쳐서, 솔가는 짖었다. 허나 날숨에 섞인 건 이리의 것이 아니었다. 흐느끼듯 부르는 소리가 아니라, 뚝뚝 외따로 끊기는 것이 마치 기침 같다.

컹. 컹. 컹컹.

서쪽을 보고 개가 짖는다. 채 길들지조차 못한 탓이다. 무리에서 떨어진 이리는 목줄을 매고서 사람들 틈바구니에 있으나, 늘 들판을 꿈꿨다. 그리워하는 것이다.

개는 지는 해를 향해 짖었다. 서산을 넘으면 다신 돌아오지 말라고. 놈이 지켜볼 때마다 꼬리를 흔드는 것도 지쳤다. 하여, 어스름이 짙게 깔리고 나서야, 이리는 진정으로 등지고 달릴 터.

개가 어스름을 향해 짖는 것은 아직 길들지 않은 탓이다. 어스름에 짖는 개는 미처 길들여지지 않았다.

별해(別骸)는 훑는다. 분명 이 근방이었을 테다. 시산(屍山)이 높고, 혈해(血海)가 넓다 하나, 죄 넋 잃은 잔해일 뿐이다. 고의로 숨기지 않은 이상, 별해의 눈을 피할 수 없다.

옳지. 별해는 제가 찾던 것을 보고 입가를 당겼다. 그리고 신음을 뱉는다. 장군을 뵙게 해달라고 청했더니, 대신 발길질을 모셔 오더라. 아직도 한쪽 눈이 옳게 떠지지 않았다.

별해는 허리를 숙여 손을 놀린다. 얼룩을 닦아내니 본래의 고운 굴곡이 드러났다. 어제 만난 창기(倡妓)의 머리다. 이것저것 물어보는 게 요상하다 싶더니, 결국 이렇게 흘러간 게였다.

의문이 풀렸다. 장군이 별해를 만나주지 않은 건, 입을 싸게 놀린 죄를 물은 것일 터. 하지만 오래가지 않을 것이다. 별해는 유용하니까.

별해가 없다면, 어떻게 저 단단한 성문을 열 수 있었겠는가? 장군은 앞으로도 많은 성문을 열어야 한다. 별해는 스스로 열쇠를 자처했다.

전쟁통에 의원만큼 귀한 이가 어디 있겠느냐고. 미리 성으로 들어가 의원 노릇이나 하다, 약속한 시일 맞춰 성문을 열 테니, 장군은 제 공을 잊지 말아 주시라.

그에 장군은 껄껄 웃으며 별해와 같은 무게만큼의 황금을 약속했다. 그것은 진심이어야 하니, 장군의 외면은 한시에 불과하다. 별해는 벌 받은 것이지, 버려진 것이 아니다.

별해는 안도의 한숨을 내쉬었다. 염려를 털어서, 연유를 찾을 수 있어서 다행이다. 혹여나, 혹여나 버려진 것이었다면, 품 안에 숨겨 둔 독초를 써야만 했으리라.

허나, 마음을 놓은 자리에 불만이 피기도 했다. 계집에게 털어놓은 건 썩 대단한 기밀이 아니었다. 붙들린 성주(城主)가 어디에 있는지, 앞으로 처우가 어찌 될지 정도였다. 고작 그걸 안다고 창기 따위가 무얼 할 수 있다고. 결국 이렇게 붙들려 목이 잘리지 않았던가.

별해는 고개를 떨어뜨렸다.

아무리 이유를 만들어도 납득할 수 없다. 답을 정해놓고 아무거나 생각나는 대로 가져다 붙이니 그렇다.

버려졌을 리가 없으니까. 그런 게 아니었다. 버려지면 안 돼서다. 귀한 이라서가 아니었다. 귀하게 여겨지고 싶어서다.

별해는 버려졌다. 성이 넘어간 이상 더는 가치가 없었기 때문이다. 공을 세운 이는 많으나, 장계에 올릴 공은 적었다. 간자(間者) 따위와 공을 나눌 생각이 없던 것이다.

잘못한 것일까. 별해는 그간 제게 제값을 치르지 않은 나라님이 미웠다. 별해는 항시 준비되어 있었는데, 나라님은 별해와 마주 보지 않았다. 그저 멍청한 부모의 허물을 뒤적거렸을 뿐이다. 눈뜬장님 같으니.

그래서 별해는 중원에 자신을 팔기로 했다. 나라님을 끼워 파는데 죄책감은 없었다. 어리석은 자는 어리석지 않은 자의 도구일 뿐이다.

장터에 내놓은 개가 암만 서글피 울어도, 값만 치를 수 있다면 주인은 밥그릇을 채워줄 필요가 없다.

그러하니, 울어봐야 소용없다. 장군은 별해의 허기를 달래지 않을 테니.

자조하는 그의 뒤로, 시신들의 틈새에서 이리 한 마리가 검은 이빨을 번뜩였다.

깨갱.

개 짖는 소리가 공허하다. 저리도 하찮아서야 개밥바라기별에 닿을 리 없지 않은가? 그릇은 비었고, 허기가 등골을 쑤시나, 만취한 주인은 돌아보지 아니할지니.

개는 사람이 아니다. 바칠 충직은 의무나, 골수 빠진 뼈다귀 한 대조차도 은혜임을 알아야 한다. 고로 기운 따위 없이 짖음이 다다. 귀에 닿지 않음을 알면서도 말이다.

빈궁(貧窮)이야말로 천형(天刑)인지라, 어스름에 짖는 개는 죄 주린 놈뿐이더라.

아약고(兒蒻鼓)는 옷깃을 여몄다. 땟국도 빼고 싶었으나, 식수조차 여의찮은 성이다. 깨끗한 면포라곤 새 깃발 하나. 마음을 여민다. 여민다고 고와지기엔 그녀는 너무 닳았다.

달밤에 정인(情人)과 손잡고 못가를 거닐던 시절이 아득하다. 풍비박산(風飛雹散) 소란에 홍연(紅聯)도 끊기고, 천륜(天倫)도 찢어졌다. 팔촌인가 구촌인가가 역모를 꾀했단다. 낯도 명(名)도 모르는 이였다.

아비의 목이 떨어진 날, 어미는 옥중에서 아약고의 머리를 땋았다. 걱정하지 말려무나, 우리 아가. 모두 제자리로 돌아갈 것이란다. 사람의 운수란 하늘을 따르는 법이니, 폭풍과 우레에 무너져 내릴 것 같아도, 시간이 흐르면 무정토록 파랗게 돌아가기 마련이야. 마지막 밤이었다.

아약고는 처음부터 어미의 말을 믿지 않았다. 어린 날, 어미는 아약고가 있어 기껍다 했지만, 진정이라면 어이하여 소쩍새 우는 삼경(三更)마다 규중(閨中)도 호응했던가? 어미가 장담했던 혼약은 아비의 사정에 스러졌다. 어미는 믿을 수 없었다.

지(池)도 그러할까? 아약고는 치맛단을 움켜쥔다.

아비의 목이 떨어지고, 어미가 목을 매고, 아약고만이 노비로 전전했다. 허하고, 열이 올랐다. 빨랫방망이를 두드리다 까무러친 날도 있었다. 눈을 뜨니 젖은 치마인 양 맞고 있었다. 하혈(下血)에 부인 치마가 못 쓰게 되었단다.

달이 몇 번 차고 기울었다. 조산(早産)이었다. 아이는 무사했으나, 젖이 나오지 않았다. 젖동냥하러 다녔더니, 주인댁 첩실이 부르더라. 검가(劍家)의 장자(長子)와 연이 있느냐고. 못가에서 잡은 손이 참 따뜻했더랬지. 작은 부인에게 아이를 맡겼다.

열 해였던가? 온 나라가 쑥대밭이 되었다. 먼저 젊은 남자가 끌려갔다. 다음은 어린 남자가, 또 다음은 늙은 남자가 끌려갔다. 끌고 갈 남자가 없고 난 다음에야 젊은 여자가 끌려갔다. 아약고는 젊은 남자들과 함께 끌려갔다. 징발관은 아약고의 미색을 눈여겨봤다.

중원 땅엔 병졸이 많아 성을 끼지 않으면 대적할 수조차 없단다. 군마는 식량이 되었고, 마갑은 녹여 화살촉이 되었다. 아약고는 성을 전전했다. 이 성이 넘어가기 전에 다음 성으로. 이 성이 넘어가면 또 다음 성으로.

그렇게 몇 개의 성을 거쳤는지 세기를 포기했다. 화대(花代)로 받은 쌀을 씹는데, 손이 떠벌렸다.

오늘 성주가 북문(北門)서 떨어져 죽었다지. 누구도 지휘를 맡으려 하지 않는데, 열 살 먹은 어린 아들이 당차게도 부월(斧鉞)을 쥐더라고. 검가(劍家)가 명가(名家)는 명가라, 서자도 참 당당하더라고.

적국의 공격은 더 거세졌다. 성주의 머리를 깃대 끝에 걸고서 돌격하니, 제장(諸將)으로서는 막을 엄두가 나지 않았다고. 그리 떠드는 그제와 어제의 손께 묻곤 했다. 새끼 성주님은 어디에 계시던가요. 아는 이가 없었다. 오늘의 손 말고는. 기어코 성이 넘어간 오늘 말이다.

아약고는 땅거미를 밟았다. 풀벌레 우는 못가가 아니었다. 통곡과 신음이 머리채를 당기는 데도 아약고는 걸음을 멈추지 않았다.

공복(空腹)에 찐쌀이 들어가면 체할 텐데. 젖이 나온다면 좋았을 걸. 매캐한 연기를 헤치며 아약고는 걸었다. 네가 있어 기꺼웠다고 할까? 믿지 않을 테지만, 마뜩이 대할 말이 없었다. 말을 하지 않는 게 낫겠다.

보초 앞에서 아약고는 애써 여민 옷깃을 매만졌다. 어스름에 묻혀 보초의 표정을 살필 수 없었다. 아약고는 치맛자락을 흔들었다.

끼잉.

말 못 하는 짐승이라 어여삐 보지 말라. 하지 않은 것이 아니라, 알아듣지 못한 것이다. 사람이 짖는 소리를 새기지 아니함은 그에 뜻이 담기지 않아서가 아니다. 무지하기 때문이다.

마주 선 이를 온전히 봤다고 자랑치 말라. 곧은 등허리에, 움켜쥔 손에, 신발 아래 뭬 있는지도 모르기 마련이니. 하물며, 네 발로 뛰는 개는 어떠한가?

어디서 무엇을 보고, 어디에서 무엇을 말하고자 하는지.

어스름을 두고 말 거는 개를 본 적 있는가? 어스름에 짖는 개는 어쩌면.

검지(劍池)는 울지 않는다. 눈물 쏟을 날이 언젠가 오긴 할 터나, 아직 때가 아니라 여겼다. 지금 비워버리기엔, 다가올 나날이 너무 가물다.

장군은 방자했다. 검지의 목에 맞는 칼을 채우고, 온갖 겁박을 퍼부었다.

한낱 아해(兒孩)가 폐하의 말발굽을 막아서다니. 네 어미를 범하고, 네 백성은 개 먹이로 던져버릴 것이다. 검지에겐 어미가 없었다. 그를 지적하니 뺨을 맞았다.

살고 싶다면 도성까지 길을 열라고 했다. 살고 싶지 않았지만, 맞고 싶지도 않았다. 장군의 눈빛은 본부인의 것을 닮았다. 괘씸함을 탓하며 때렸지만, 실상은 희열을 찾은 거다. 하릴없이 적을 기쁘게 하고 싶지도 않았다.

내 그러리라. 대신 청이 있소. 서문(西門)을 연 쥐새끼를 밟아주시오.

장군은 통쾌하게 웃으며, 붓과 종이를 내렸다. 장군께 감복하여 폐하께 죄를 청한다고. 다 쓰기 전까진 끼니는 꿈도 꾸지 말라고. 허튼 생각을 했다간 물고를 내리라. 혹 허락 없이 찾아오는 이가 있다면 목을 치겠다.

그렇게 장군이 떠나고 나서야, 검지는 숨을 내쉬었다. 할 수 있는 것을 다했다. 더 할 수 있는 것이 없다. 이제야 완전히 졌다. 성은 함락되었고, 백성들은 결박되어 끌려가리라.

이 자리에 있는 이가 아비였다면, 무언가가 달랐을까? 아비는 말수가 적었다. 가르침을 내린 적이 없다.

아비는 그런 사람이었다. 백성은 길러야 할 것이었고, 병사는 죽어야 할 것이었다. 가문은 이어져야 할 것이었고, 나라님은 따라야 할 것이었다. 그런 것들 사이에서 검지만이 조금 달랐다.

검지에게만큼은 말씀을 내리지 않았다. 검지는 아비가 외로움을 탄다고 여겼다. 허나 검지를 통해 어떻게 그를 달래고 있는 건지, 그 속사정을 이해할 수 없었다.

본부인은 검지의 생김을 탓했다. 그녀가 검지를 통해 본 그림자가, 아비가 비춰 본 것과 같은 것일지. 검지는 짐작지 않았다. 본 적 없는 것을 그리워할 것만 같아서. 그래서 벌써 비워버릴까 겁나서. 속에 있는 것을 죄 쏟아버릴 것만 같아서.

검지는 고개를 묻었다. 목에 찬 칼이 턱에 걸렸다. 창가서 어스름이 내렸다. 목이 말랐다. 하지만 다 자라지 못한 새끼인지라, 검지는 무엇을 해야 할지 알지 못했다.

더 컸으면 좋았을 텐데. 아마 젖을 제때 빨지 못했기 때문이리라. 어미의 품을 알았다면, 울음이 동날 것을 걱정하지 않았을 텐데. 그럴진저.

검지는 단 한 방울도 흘리지 않았다. 대신.

킁.

아이가 울음을 참을 수 없듯, 개는 짖음을 멈출 수 없다. 어스름 속에서 울음 참는 아이를 봤다면, 짖기를 멈춘 개를 보았다면, 귀 기울여보아라.

그것들은 입을 닫은 채로 울고 또 짖는 것이니.

본디 천하의 일이란 알 수 없는 것투성이다. 어스름 깔린 땅 위로 무엇이 어떤 얼굴을 하고 어떤 말을 지껄이던가? 우에서 내려다본들, 곁에 두고 본들, 뉘 쉬이 말할 수 있던가?

오호(嗚呼)라. 낭자한 생에 치인 이야. 그대는 들여다본 적 있는가? 살핀 적이 있던가? 눈 여긴 적 있던가?

어스름에 짖는 개를 본 적 있는가?

암막 너머 마녀

문득, 사랑에 빠져버리고 싶다고.

헤어 나오지 못해도 좋으니.

초여름 물오른 은행잎이 나폴. 달은 아스팔트에 조심스레 자리를 깔았다. 뭉근한 몸부림 위로 지선버스가 멈춰 선다.

나는 정류장을 떠났다.

오전 여덟 시 십칠 분. 줄에서 세 번째. 학생입니다. 운전석 뒤로 두 번째 손잡이. 양발은 어깨너비로, 왼손은 좌석 손잡일 꾹 쥔다. 블루투스 이어폰이 인기차트에서 아홉 번째 곡을 골라줄 때쯤, 허리가 시큼 흔들렸다.

차창 위로 그제 본 연극을 덧칠한다. 한 무대가 끝나면, 같은 무대가 올랐다. 같은 대본. 같은 배경. 같은 소품. 각양각색으로 훈련된 열성이 시침처럼 돌아온다. 우리의 일과가 그렇듯.

다음의 다음 정거장. 버스가 멈추고, 첫 손잡이를 쥐었던 아주머니가 내리자, 나는 오른쪽 이어폰을 뽑았다. 학생입니다. 학생입니다. 아직 온기가 가시지 않은 손잡이를 잡아채는 손. 직각으로 꺾이는 팔꿈치. 곧은 어깨 너머 하얀 목선. 그 사람이야. 나는 이어폰을 꽂았다.

이름도 나이도 모른다. 어떤 목소리인지, 어떤 노래를 듣는지, 어떤 사람인지, 나는 모른다. 나도 모르는 새 내 일과에 끼어들었다는 것만. 생각한 적 없는데, 생각하게 되었다는 것만. 내게 주어진 대본에 대해, 나는 아는 것이 없다.

버스가 터널에 진입했다. 어둑한 창에 얼굴이 비친다. 그 사람은 다음 정류장에서 내릴 것이다. 마음을 졸이며, 그 사람 앞의 창문을 훔쳐보았다. 은테 안경. 눈물점이 있던 곳에 스팟 패치. 갸름한 턱선 아래로, 남색 칼라 아래로, 은행잎 같은 명찰.

허리가 시큰하다. 버스가 멈추고, 그 사람이 돌아섰다. 잠깐 사이 졸기라도 했는지 동작이 거칠다. 한 발 뒤로 물러서 자리를 내어주다 눈이 마주쳤다. 아, 웃었다.

움찔 고개를 숙이니 시야에 가슴팍이 지나쳤다. 노란 바탕에 쓰인 이름이 망막을 긁었다. 이새롬. 버스가 출발하고 나서야 고개를 들 수 있었다. 반대편 창 너머로 멀어지는 치맛자락.

새롬 언니구나.

암막 너머 무대의 주인공은 줄리엣이다. 이곳에서 줄리엣은 대략 일 년을 너와 단둘이 보냈다. 줄리엣의 역할은 너를 사랑하는 것이었을지도 모른다. 너와 연인이 되기를 간절히 바라고, 그런 속내를 보이고, 거절당하는 상상을 하고, 그에 절망하여.

줄리엣은 자신의 대본을 읽은 적이 없기에, 줄리엣의 상상은 한계가 없다. 어느 날 줄리엣이 그랬다. 그런 생각을 했다.

"줄리엣은 썩어 문드러진 심장을 내보였습니다. 너는 그 심장에 코를 박고서, 자신의 가슴 또한 열어 보였어요. 그것이 너의 마지막이었지요."

사람은 가슴을 가르면 죽는다, 왜 줄리엣은 그것을 몰랐을까? 사람이 아니어서?

줄리엣은 너의 마지막을 보고 싶지 않았다. 그래서 암막을 걷어내지 못한 것이다.

눈가에 아지랑이가 오른다, 새롬 언니는 세 번째로 올랐다. 그리고 바로 앞 남자애의 등에 두 손을 대고 저 뒤까지 밀고 갔다. 빈자리가 있었던 것이다. 둘은 나란히 앉았다. 무슨 이야기를 하는 걸까? 이어폰에 손을 댈 수 없다. 볼륨을 껐는데, 우렁찬 적막이 고막을 때린다.

옷깃이 조였다. 어지럽다. 돌아보고 싶다. 물어보고 싶다. 누구예요? 언니는, 어떤 눈으로 나를 보게 될까? 서글프게도 이런 일상에 적응해 버려서, 이 무대가 영원히 반복될 거라 기대하고, 나는 아무것도 하지 않았다.

마음에 힘이 없다. 약해.

눈을 가렸다. 빛도 없이 환하다. 귀를 막았다. 소리 없이 시끄럽다. 안에서 폭발이 일었다. 코끝이 아리고, 끌어모은 안도가 울화에 뒤집혔다. 지켜보는 것이 좋아서, 나아가지 않았다. 제자리를 지켰는데, 바닥이 무너졌다. 추방당했다.

터널이 끝났다. 하루와 이틀과 일주일과 한 달과 다가온 여름까지. 새롭게 주어진 일상은 도통 엉덩이를 떼지 않는다. 나는 내가 잘하는 것을 한다. 지켜보기다. 설렘 대신 아련함을 담아.

"저기."

터널이 끝나지도 않았는데, 남자가 자리에서 일어났다. 눈을 마주하고 싶지 않아서 턱 끝을 노려보았다. 새하얀 명찰이 수줍게 번호를 물었다. 나는 이새벽의 폰을 받았다.

줄리엣은 궁금했다.

"네겐 있나요? 네겐 줄리엣의 너 같은 사람이 있어요?"

줄리엣은 단정했다.

"줄리엣은 너밖에 없어요. 세상은 무대고, 모두가 배우예요. 사람은 없어요. 사람은, 사람은 말이에요. 너만이 살아있는 거야."

줄리엣은 고백했다.

"사실 줄리엣도 배우예요. 그래도 줄리엣은 특별해. 줄리엣만이 너를 알아보니까."

줄리엣은 네 곁에 있기로 했다. 그 무엇이 되더라도, 너를 끌어안기로 했다. 마주하지 않아도 좋으니, 살갗이 닿는 그 자리에.

오직 그만이 나를 줄리엣으로 만들어 주기에.

새벽은 친구 같은 남자친구였다. 설렘보다 편안함으로 다가왔다. 나는 그가 좋았다. 오랜 설렘에 나도 모르게 지쳤을지도 모른다. 그 빈자리를 채워주는 아늑함이, 조금은 서늘하면서도 부드럽게 어루만지는 새벽의 시간이, 내게는 이불 속처럼 편안했다.

새벽의 집에 놀러 가면 새롬을 만날 수 있다. 새롬은 목이 늘어난 티에 수면바지 차림으로 나를 맞이했다. 금요일 오전부터 머리를 감지 않는 주의지만, 양치는 하루에 다섯 번. 스트레스를 받으면 종종 버스를 타고 멀리 나가 담배 한 대를 태우고 오는데, 이것은 새벽도 모른단다.

"작년에 말이야, 우리 눈 자주 마주치지 않았어?"

"예뻐서 계속 봤어요."

"너, 느끼한 구석이 있네?"

새롬은 웃을 때 양손으로 깍지를 끼는 버릇이 있다. 웃음이 터지면 사람을 때리는 버릇이 있었단다. 그러다 가까웠던 친구와 멀어진 기억도. 새롬에겐 이야기가 많다. 여러 맛이 나는 이야기였다. 새롬은 스킨십에 엄격했고, 언니가 앉은 자리에선 박하 향이 났다.

"주말에 시간 돼?"

"왜요?"

"영화 보러 갈래?"

"둘이서요?"

"아니, 새벽이도."

"그럼 셋이서?"

"아니."

새벽과 사귀어서 다행이다. 나는 편안함 속에서 설렘을 즐겼다. 모두 내 손에 닿는 거리에 놓여있었다. 이 무대는 완벽했다. 내가 주인공이었다.

"내 남친도."

어째서, 아름다운 서사는 하나 같이 비극인지.

드디어 네가 미워졌다고.

줄리엣은 행복했다. 너를 미워하니 더는 내리누르는 게 없었다. 탓이 네 것이 되니까, 이렇게 자유로울 수가 없다.

"그거 알아요? 우주는 무지 넓어요. 셀 수도 없이 많은 별이 있지요. 너는 줄리엣에게 특별하지만, 줄리엣을 특별하게 하지만, 아마도 널 잊지 못하겠지만, 세상은 정말 크니까, 인생은 기니까, 너 같은 사람을 또 만날 수 있을지도 몰라요. 네가 아니면 또 어때요? 배우가 이렇게 많은데. 분명 사람보다 나은 배우도, 희극으로 끝날 무대도, 나를 위해 준비되어 있을 거예요. 그러니 굳이 닿지 않을래. 언젠가의 다짐처럼. 그러니까요."

너 내 달로 남아줘.

지나친 페이지 어딘가에서 또렷하게 빛나줘. 줄리엣의 추억이 되어줘. 널 미워할래. 널 미워할게. 쏟아지는 죄책감을 줍고, 쌓아, 둘러서. 나 말이야, 담을 쌓을래.

줄리엣은 행복했다. 그로써, 드넓은 이 우주에서 행복이란 것이 얼마나 하찮은 것인지 실감한다. 너에 비한다면, 그 어떤 것도.

셋이서 술을 마셨다. 정현 오빠의 입대를 앞둔 자리였다. 새롬 언니는 울다 지쳐 술상에 머리를 박았다. 정현 오빠가 어쩔 줄 모르는 사이 새벽에게 전화를 걸었다.

"언니 취했어. 이따 입구까지 마중 나올 수 있어?"

"톡 해."

새벽은 차갑게 답했다. 새롬 언니는 재수를 시작하며 부쩍 무뚝뚝해진 새벽을 걱정했다. 수험 스트레스라고 여기는 모양이다. 우리가 헤어졌다는 것을 언닌 아직 모른다.

정현 오빠가 언니를 업었다. 아파트까지 걷는 내내 오빠는 말이 없었다. 그렇게 수다스러운 사람이었는데. 오빠는 언니가 없는 자리에서는 좀처럼 입을 떼지 못했다. 알고 지낸 지 이 년이나 되었건만, 우린 아직 번호조차 모른다.

아파트 입구에서 새벽이 언니를 챙겼다. 우리는 눈을 마주치지 않았다. 새벽은 무언가를 참고 있는 것처럼 보였다. 내가 이별을 통보한 날, 흉하게 일그러진 마음을 토한 날, 새벽은 내 가슴에 얼굴을 묻고서 울었다. 새벽은 끝내 가슴을 열지 못했다. 그렇게 그는 내 무대에서 내려갔다.

"아, 술 고프다."

달이 밝다. 정현 오빠가 울적하게 말한다. 시선이 불경하게도 바쁘다. 버스 안에서 내 눈도 그랬을까? 언니는 그때의 나를 어찌 생각했을까? 나는 눈을 감고, 귀를 막고, 손을 뻗었다. 손등에 굳은살이 닿았다. 모르는 감각이었다. 이별이 그랬다.

줄리엣은 거울 앞에서 가슴을 열어보았다. 심장이 있을 자리에 한 줌 오물만이 남아있다. 네게 주려던 것이 있는데, 잃어버렸다.

줄리엣은 그리 여겼다. 돌이켜보면, 너 역시 배우였을지도 모르겠다고. "로미오. 그대 이름은 로미오가 좋겠어요. 이유는 묻지 말아요. 그것은 그저 떠올리는 것이지, 마음에서 비롯된 것이 아니니까요." 줄리엣은 고개를 돌렸다. 로미오는 없었다.

그래서 널 보는 것이다. 그렇다. 줄리엣은 꼿꼿이 서서, 조금은 붉은 눈으로 널 바라보고 있다. 혹은 당신이라 해도 상관없다. 중요한 것은, 너는 이 답을 피할 수 없다는 것이다. 줄리엣은 방백으로 속삭였다. 입김이 네 뺨에 닿도록.

"사랑해도 돼?"

아직도 사랑 속에서 몸부림치고 싶다고.

눈 감고, 귀 막고, 입술만이 너와 닿아서.

심장의 빈자리를 핥아줄 수만 있다면.

La Malinche

#

환한 날에 내리던 비를 기억하나요?

당신은 이 풍경을 사랑한다고 말했어요. 푹 젖은 입김으로 목덜미를 간질이고는 이 어깨에 고개를 묻은 채, 사랑한다고 했지요. 비가 오는 날이면 저는 다시금 사랑에 빠져요. 당신을. 아니, 당신과 함께한 추억을 구슬처럼 매만진답니다.

잘 지내시나요, 카를로스? 수평선 너머에선 평안하신가요?

당신이 떠난 지 벌써 한 해가 지났어요. 그동안 당신의 엘라는 잔병 하나 없이 무럭무럭 자라고 있지요. 여자애가 어찌나 무거운지, 이젠 업고 다니지도 못하겠어요. 기운은 또 얼마나 좋게요? 또래에게 당하고 다닐 일은 없을 것 같아요.

새 총독은 친절하고 세심한 분이세요. 종종 찾아와 우리 모녀의 안부를 살피더군요. 당신을 많이 존경하는 것 같아요. 당신이 얼마나 대단한 일을 했는지 차가 다 식을 때까지 떠들어대곤 했죠. 저는 웃었어요. 당신의 위대한 여정을 바로 곁에서 함께한 몸이잖아요.

카를로스. 송이를 기억하나요? 우리가 세계수를 불태운 그날, 제단에 바쳐졌던, 제 품에 안겨 하염없이 울었던 그 작은 아이요. 그 영특한 꼬마가 당신과 함께이던 시절 제 일을 잇게 되었어요. 새 총독의 순방에서 통역을 맡았다는 거죠. 눈치 빠르고 똑똑한 송이니, 잘 해낼 거라 믿어요.

수평선 너머의 이 땅은 평안하답니다, 카를로스. 저는 잘 지내고 있어요. 다시 만날 일 없는 우리 사이인지라, 편지를 쓰기까지 적잖은 용기가 필요했어요. 그런데, 비가 내리더군요. 이렇게 환한 날에 말이에요. 마치 웃으면서 눈물 흘리는 것처럼. 떠나던 날의 당신처럼. 그래서, 어쩔 수 없었어요.

카를로스. 환한 날에 내리던 비를 기억하시나요? 당신이 상했던 그 풍경을 기억하고 계실까요? 창밖을 바라보면서, 당신께서 간질이던 목덜미와 당신이 고개를 묻었던 어깨를, 당신의 엘프를 기억하고 있나요?

저는 있어요. 보이지 않아도 어딘가에 있어요. 돌아갈 수 없는 그 시절이라지만, 그것이 돌이켜보지 않을 이유는 되지 않아요. 그런 생각이 들어서 펜을 잡았어요.

보고 싶어요. 보지 않아도 괜찮지만, 이런 날만큼은 보고 싶어 해도 된다고 생각했어요. 가끔은 편지할게요.

당신의 도냐 마리나가.

#

어린 시절 한 남자아이를 만났어요. 마을 사람들은 어린돌이라 불렀는데, 본래 이름은 에릴레도라였죠. 당신을 이곳 사람들이 갈린술이라 부르듯이요.

또 편지했어요, 카를로스. 아픈 덴 없으신가요?

에릴레도라. 에릴레도라. 혀 굴림이 재미있지 않나요? 편지라 아쉬워요. 당신의 둥근 귀에 속삭여 주고 싶은데. 이제, 그 이름을 기억해 줄 사람은 저밖에 남지 않았거든요.

그 아이는 당신처럼 바다를 건너왔어요. 차이가 있다면, 당신은 배를 몰고 왔지만, 에릴레도라는 배에 실려 왔다는 거지요. 에릴레도라는 당신들이 말하는 초원 대륙의 오크 노예였거든요. 그 아이의 아버지는 그 아이를 왕에게 바쳤고, 왕은 다시 당신네 상인들이 내민 무기와 바꾸었죠. 화물을 과적한 상선이 풍랑을 만나 부서지고, 에릴레도라는 판자 한 조각에 의지해 머나먼 이 땅까지 흘러들어왔어요.

제겐 일곱 번째 마을이었을 거예요. 그러니까 팔린 횟수로 따지면요. 따지고 보면, 그 아이나 저나 비슷한 신세였죠. 그래서 아직도 기억하고 있는 것일지도, 혹은 그래서 기억하고자 하는 것일지도 모르죠.

에릴레도라는 마을 버금장로 댁에서 어망을 수선하는 일을 했어요. 말도 안 통하고, 덩치도 큰 그 아이가 맡기엔 제격이었죠. 그 고된 일을 하고 싶어하는 이가 없었다는 것도 이유일 테고요. 여하튼 어린돌은 그 일을 곧잘 해냈어요. 사고 한 번 안 치는 노예였죠.

그런 아이가 제가 있던 집 창고에 숨어들었던 거예요. 머리에 피를 흘리고 있었지요. 아파 보였는데, 무서워서. 움츠러든 제가 그 아이는 손을 흔들었어요. 잠깐 비만 피하게 해달라고. 구석에 몸을 구겨놓은 채 말이에요.

처음으로 대화를 나누었어요. 고향에 대한 것 조금. 날씨에 대한 것 조금. 에릴레도라는 절 신기해했어요. 이렇게 말귀를 잘 알아듣는 엘프는 처음이라고. 또 자신의 이름을 알려주자마자 제대로 발음하는 사람도 처음이라고. 아시잖아요. 제가 말을 빨리 배운다는 걸. 어릴 때부터 그랬답니다.

집에 돌아오고 나서야 알게 되었어요. 자경단이 에릴레도라를 쫓고 있다는 걸. 버금장로의 손녀딸에게 못된 짓을 했다고 말이에요. 그 아이는 결국 그날 밤 잡혔고. 많은 사람이 지켜보는 앞에서 장대 높이 걸려서는, 돌에 맞아 죽었어요.

다음 날 아침, 해변에 시신이 떠내려왔어요. 버금장로의 손녀딸이었죠. 새벽에 집을 몰래 빠져나와 절벽에 몸을 던진 것 같아요. 창백하게 굳은 손으로 손수건을 단단히 쥐고 있었데요. 알 수 없는 문자를 삐뚤빼뚤 수놓은.

저는, 그 손수건을 볼 기회가 없었지요.

기껏 편지해놓고 얼굴도 모르는 오크 이야기만 해서 섭섭하실까요? 엘라는 건강하고, 총독은 친절하고, 송이는 열심히죠. 저는 비가 올 때마다 당신과 보낸 시간을 곱씹고 있고요.

그냥 털어놓고 싶었어요. 한번은 말하고 싶었어요. 말과 마음을 나눌 수 있다면, 껍데기에는 별 큰 의미가 없을 거라고. 당장의 사람들은 그것을 모르지만, 후일에는 다를 거라고요. 우리가 이미 그렇듯이.

세월의 바람이 모래알 같은 실패와 장구한 춤을 추겠죠. 두껍고 공고한 무지가 닳고 닳은 끝에는 진실이 마치 사금파리처럼 드러날 거예요. 그것은 신의 섭리에 비춰 그 무엇보다 찬란하게 빛날 거라고. 모두가 사람이라고.

아주 먼 훗날에는, 모두가. 당신과 내 영혼이 다르지 않음을 알아줄 거라 믿어요. 이렇게 끊임없이 우리의 이야기를 남긴다면요.

답잘 고마워요. 하지만 앞으로는 선물을 보내지 말아 주세요. 저는 당신의 말씀만으로 충분하니까.

당신의 옛 동반자가.

#

제 스물한 번째 주인은 빛나는 사람이었죠. 번쩍이는 갑주를 차려입고 맞이하던 모습부터, 황금빛 준마 위에서 태양을 등지고 뻗은 손까지. 이미 닳고 닳은 영혼이 그제야 제 주인을 찾은 것이에요.

안녕하세요, 카를로스. 건강을 물어봐 주셔서 고마워요. 저는 잘 지내고 있어요.

당신은 우리에게 많은 것을 선물했죠. 철과 화약. 말과 신. 그리고, 우리가 오랜 세월 잊고 지냈던 투쟁심.

혹자는 당신을 침략자라고 말해요. 당신이 우리를 노예로 만들었다고요. 또 저는 그런 당신에게 붙어먹은 창녀라 욕하죠. 저는 그런 이들의 면전에서 웃어주곤 했어요. 카를로스가 오기 전까지 나는 노예였는데, 그대가 말한 '우리'에 나는 포함되지 않는 게 아니냐고. 그런다면 나는 배신한 적이 없는 셈이라고.

우스운 일이에요. 진정 그들이 노예였다면, 주인에게 그렇게 함부로 대하지 못했을 테니까요. 그 옛날, 이 땅의 수많은 부족이 제국에게 그랬듯이. 세계수를 위한 제물로 아들과 딸을 내달라 해도 찍소리조차 하지 못했던, 그 치들이 말이에요.

당신은 그런 모지리를 규합하여 군사로 삼았죠. 같은 피를 이은 저조차도 학을 뗐건만, 당신은 끝까지 인내하며 믿음을 주었어요. 고국에 있을 때도 다르지 않았다고. 결국 마르고 귀가 뾰족한 인간에 지나지 않는다며.

화살에 맞은 오른쪽 어깨. 오발로 잃은 새끼손가락 한 마디. 병마는 왼쪽 눈의 시력을 가져가고 폐병을 남겼죠. 어금니 셋. 함께 바다를 건너온 형제 수십의 목숨까지.

제국의 멸망과 맞바꾸기에는 과분한 대가였다고 생각해요. 그토록 빛나던 당신인데. 저는 당신이 이 땅을 찾지 않았어도 좋았을 거란 생각을 하곤 해요. 당신을 소모할 만큼, 우리가 가치 있는 존재일까요?

이런 이야기를 싫어하시죠. 말을 빙빙 돌리는 것도요. 제가 아는 당신이라면, 이미 총독에게도 제 안부를 물으셨겠죠. 그러니 함께 간 편지를 열기 전에 말씀드릴게요.

건강을 물어봐 줘서 고마워요. 저는 잘 지내요. 엘라는 건강하고요. 제 빈자리는 송이가 거뜬히 채워주었죠. 네 번째 편지는 당신의 답장, 혹은 당신이 이곳에 닿기 전에 도착할 거예요. 그것이 제 유언장으로 남겠죠.

카를로스. 저는 당신을 원망하지 않아요.

당신은 제 비루한 인생에 참 많은 것을 심어주었고, 모질고 거친 이 영혼을 빛으로 이끌었어요. 자수를 품고 죽은 소녀를 기억하나요? 그 아이의 삶은 슬프게 끝을 맺었지만, 그 죽음은 나름의 가치가 있다고 생각해요. 적어도, 자신이 선택한 것이니까.

저는 제 삶의 의미를 당신의 뜻을 잇는 것으로, 그렇게 정했어요. 당신이 떠나가도, 인간과 엘프가 서로 이어질 수 있도록, 그 가교로 남아주겠다고 약속했죠. 약속을 지킬 수 있어서 기뻐요. 당신이라면 알아주겠죠. 제 기쁨을 당신의 것처럼 여겨줄 테죠.

카를로스. 비가 와요. 이렇게 환한데 말이죠.

당신의 전우가.

#

화가를 불러 초상화를 그렸어요. 화장을 곱게 하고, 가장 예쁜 옷을 꺼내입었죠. 가슴이 두근거렸어요. 당신과 함께한 건 이미 수십 점이지만, 캔버스 앞에 홀로 선 적은 처음이라서요. 어쩌면 이 또한 편지 같아서일지도 몰라요. 당신이 없는 땅에서, 제가 없을 시간을 향해 보내는 아주 긴 편지.

은해하는 카를로스. 당신의 도냐 마리나가 인사드려요.

저는 그래요. 사람에게 사람은 결국 지나쳐 가는 존재라고요. 체온이 맞닿고, 시선이 얽어도 조금 지연될 뿐. 사람의 인생은 언제나 세월의 수면 위에서 떠내려가는 잔가지와 같은 거라, 끝까지 함께할 순 없는 거예요. 누군가는 먼저 떠날 수밖에요.

그래서 참 다행이죠. 어차피 헤어질 우린데, 함께인 동안은 그리도 뜨거웠으니. 이기적이지만 다행이라고 생각해요. 더는 당신의 여백을 온몸으로 감당하지 않아도 되니까.

나의 카를로스. 당신의 나의 당신. 이 편지를 보고 계신가요? 당신의 도냐 마리나는 더 이상 당신을 기다리지 않아요. 당신과 함께한 추억이 당신보다 더 사랑스러우니까요. 그러니까, 당신께선 저를 그리워하며 슬퍼하기보단, 이 편지를 장작 삼아 그 뜨거운 시간을 돌이킬 수 있길.

환한 날에 내리던 비를. 그 앞에서 당신의 품을 파고들던 조그만 엘프를. 엘라가 제 젖을 물 때처럼, 서로의 입술을 장난스럽게 깨물던 순간을. 빛나는 당신 앞에서 행복에 겨워 울던 도냐 마리나를. 당신과 나의 눈물이 합쳐진 순간의 환희를.

오, 카를로스. 수평선 너머도 이리 아름다운가요?

밤하늘에 두고 온 것들

은빛 패널이 툭 떨어졌다. 천장에서 느릿하게 떠돌다 조금씩 중력을 받은 그것은 점차 가속을 받고는 끝내 보급셀 하나를 도끼처럼 내리쳐 쪼개버렸다. 전력이 나가면서 영구적으로 잠겨버린 셀이 파괴되자, 그 안의 보존식품을 노리고 인간들이 쥐 떼처럼 달려들었다.

소년과 소녀는 언덕에서 그 모든 광경을 지켜보았다. 그 대열에 동참하지는 않았는데. 뛰어갈 기력도 없을뿐더러, 지금 달려간들 남는 것도 없을 테니까. 그저 따순 흙바닥에 등을 대고 멍하니 위를 우러르길 택했다.

"오늘이었나?"

"뭐가?"

K9820013B. 통칭 013B의 말에 011G가 되물었다.

"저기 문 열리는 날."

그들이 사는 곳은 거대한 원통형 거주구였다. 등을 대고 있는 언덕은 둥글게 말려 회전하는 옆면에 자리했다. 밑면의 중앙에서 서로를 잇는 원기둥이 광원이었는데, 방금 떨어진 반사 패널 또한 거기 붙어있던 것이다.

오랜 옛날에는 항성처럼 밝아 똑바로 바라볼 수도 없었다는 기둥은 이제 반사 패널이 절반 이상 떨어져 흉물스러운 골격을 드러내고 있었다. 그 탓이라고 해야 할지, 그 덕이라 해야 할지 모르겠지만, 하여튼 그런 이유로 두 아이는 기둥 가운데 자리한 구형의 구조물을 맨눈으로 살필 수 있었다. 천사가 잠든 알에는 문이 달려있다 했다.

"불쌍해서 어떡해? 이제 다 죽었잖아."

011G의 목소리는 건조했다. 슬퍼해야 한다는 자각이 있는 시점에서 아주 맛이 가버린 것은 아닌 거라고, 013B는 그렇게 생각하기로 했다.

천사는 1세대 승무원을 말한다. 아주 먼 옛날, 처음 지구를 떠날 당시 우주선의 항행을 책임지기로 한 승무원들 말이다. 목적지까지 승객들의 후손을 인도할 의무를 진 자들. 아주 긴 삶을 이어가는 그들이 쉬어가는 곳이 바로 저 구형의 냉동고였다.

쉬어간다. 013B는 그런 표현이 마음에 들지 않았다. 열심히 일했으니, 충전이 필요하다는 말 같은 거, 다 변명 같았다. 그들이 사는 세상은 가난했다. 늘 배가 고팠고, 어딘가가 불편했다. 사진과 영상에서 보던 것과 달리 사람들은 작고, 못생기고, 사악했다.

천사가 있다면, 그들이 우리를 올바른 곳으로 인도하고 있다면, 우린 왜 이렇게.

냉동고가 비틀거리더니 시커먼 캡슐을 토했다. 그것의 낙하는 딱히 앞의 패널과 다를 바 없었다. 어른들은 다 거짓말쟁이지. 013B는 입술을 삐쭉였다.

"우리가 다 죽게 생겼는데, 뭘."

패널 서너 개가 우수수 떨어졌다.

검은 캡슐은 바닥에 떨어지고 몇 번을 튕겨 인적이 드문 곳에 안착했다. 겉보기엔 볼썽사나운 모습이었지만, 사실은 치밀하게 계산된 기동이었다. 지금 세대의 인류는 배타적이고 공격적인 성향이 강했지만, 무언가를 함부로 추적하거나 하진 않았다. 체력을 중시하는 문화인 것이다.

덕분에 알파의 해동은 그 누구도 방해하지 못했다.

"일어났나요, 알파?"

캡슐에서 걸어 나온 알파에게 시계가 말을 걸었다. 익숙한 기계음에 알파는 흐뭇하게 웃었다.

"일어났어요, 뮤. 평소보다 오래 걸린 느낌이군요."

"암세포 제거에 손이 많이 가더라고요."

텔로머레이스 분비를 통한 불로장생의 부작용은 많았다. 시술 전보다 확연히 허약한 체력, 그리고 잦은 암 발병이 대표적이었다. 알파를 비롯한 1세대 승무원 또한 예외는 아니었다.

그렇다고 병이 생길 때마다 치료한다면, 하루에도 몇 번씩 치료시설을 오가야 할 것이다. 그렇기에 승무원들은 공통적인 루틴을 만들었다.

활동기와 동면기를 구분하여, 활동기에는 최소한의 치료와 마약성 진통 처방으로 업무 처리에 방점을 두고, 동면기 동안 망가진 몸을 복원하는 방식이었다. 인류는 지구에 있던 시절 이미 암을 극복했고, 그런 이상 텔로머레이스 보유자는 불로불사의 존재였다. 적어도 이론상으로는 말이다.

"한계인가요?"

우주로 나온 지 무려 팔천 년이었다. 승무원의 활동기는 평균 구백 년이 넘어갔다. 알파는 그중에서도 가장 오래도록 활동했다. 전례 없는 부작용이 먼저 찾아온다고 해도 이상한 일은 아니었다.

"그런 건 아니에요. 평소보다 심각한 건 아닌데, 자원이 모자라거든요."

"확실히."

뮤의 대답에 알파는 주변을 둘러보았다.

확연히 낡은 거주구다. 자연물에 생기가 없었고, 건축물은 노후화되어 있었다. 외벽은 보수가 제대로 이루어지지 않았다. 멀리 보이는 승객들의 체구도 왜소했다. 영양공급이 제대로 이루어지고 있지 않다는 뜻이다. 이번 동면기는 오십 년이었다. 고작 두 세대 만에 저렇게 줄어든 것이다.

"동료들을 만나고 싶어요. 지금 누가 깨어있죠?"

목적지에 닿을 때까지 승무원은 오래 살아야 했다. 불로불사의 몸을 얻었지만, 정신마저 그리하기는 힘들다. 동면기는 활동기보다 길었고, 활동기의 동료는 동면기의 동료보다 늘 적었다. 시기로 따져보니 지금은 람다와 파이의 순번일 듯했다.

"아무도요. 우리 둘이 전부에요."

뮤는 44년 전의 일을 꺼냈다.

개척 담당인 에타는 소행성 개조 공사를 계획했다. '거인'이라 이름 붙인 소행성은 철과 니켈로 만들어진 아몬드형의 암석 덩어리였다.

지구를 출발할 당시 하나에 불과했던 우주선은 팔천 년의 세월 동안 17대로 늘어났다. 근래 인구마저 급증하여 상대적인 생산력이 떨어졌고 이에 대한 해결책으로 공업용 우주선의 필요성이 대두되었다.

오백 년 만의 대사업이니만큼, 여러 승무원의 조력이 필요했다. 에타는 람다와 타우를 깨웠고, 타우는 카파를, 카파는 파이를 깨웠다. 무려 다섯 명의 승무원이 한 프로젝트에 뛰어든 것이다.

승무원은 장생을 통해 제 분야에서 인간을 초월하는 노하우를 쌓았다. 더불어 소행성 개조 공사는 과거 에타를 비롯한 승무원 셋만으로도 별 탈 없이 완성한 사업이었다. 다섯 모두 이에 대해 대수

롭지 않게 여겼다. 그런 만큼 실패의 반향은 더 클 수밖에 없었다.

이토록 일부 작업자의 횡령 탓에 사소한 계산 하나가 어긋났고, 그 계산을 보정 하는 과정에서 다른 문제가 연쇄적으로 발생, 핵융합 엔진에 부하가 누적되었다. 나비 효과로 소행성이 대폭발을 일으켰다. 끔찍한 참사였다.

17대에 달하던 우주선 중 3대가 폭발했고, 6대가 반파 당했다. 남은 것도 크고 작은 피해를 입고 말았다.

우주선은 각기 독립된 개체가 아니었다. 각기 주력 생산 품목이 달랐고, 각자가 긴밀한 공급사슬을 이루고 있었다. 겉이 상하지 않은 우주선이라 해도, 경제적으로는 궤멸적인 타격을 입었다. 에타는 오랜 시간을 들여 10개의 선단으로 재구성하였으나 삶의 질은 비교할 수 없을 정도로 떨어졌다.

가장 뼈아픈 사실은 1세대 네 명의 죽음이었다. 에타를 제외한 넷이 모두 폭발에 휩쓸려 버렸다.

"그럼 에타는요? 설마 어리석은 짓을 한 건 아니겠죠."

1세대의 죽음은 처음이 아니었다. 그 일이 있기 전에도 24명의 1세대 중 12명이 죽음을 맞이했다. 사인은 모두 자살이었다. 부담감과 죄책감, 무료함, 허무감, 절망을 이기지 못한 자살.

알파는 그것이 두려웠다. 에타는 분명 강한 남자지만, 마음이란 것은 생각보다 쉽게 깨어지곤 하니까.

"아니요. 그는 동면에 들어갔어요. 다만, 좀 다른 동면이죠."

뮤는 기계음에 깔린 자조를 읽었다.

"전뇌화."

"바보 같은 남자죠. 죄인은 저로 족한데."

승무원 중 가장 먼저 망가진 이는 뮤였다. 항상 따뜻한 시선으로 동료들을 다독이던 그녀가 그렇게 무너질 거라곤 누구도 예상하지 못했다. 우주에 나와서 예상대로 흘러간 일이 몇이나 있는지는 차치하고서라도 말이다.

우주로 나선 지 천년이 흐른 어느 날. 뮤는 동료들을 불러 모아 종교의 필요성을 역설했다. 드넓은 검은 바다 위, 수십만 명이 의탁하고 있는 이 배는 너무나도 작고 초라한 것이었다. 인간에겐 초월적인 존재의 보살핌이 필요하다는 말이었다.

물론, 그것은 그녀만의 생각일 뿐이었다. 동료들의 의견을 대변해 에타가 나섰다.

"가능한 합리적으로 승객을 이끌어야 해요. 이곳은 지구가 아니니까. 작은 실수 하나로 지금껏 쌓아온 것 전부가 끝장날 수 있어요."

"합리적으로 구는 건 우리로 족해요. 사람들을 어차피 피상만 읽으니까요. 우리의 주장이 합리에 근간한 것이든, 영성에 근간한 것이든 그들에게 중요한 것은 권위 그 자체죠. 에타가 염려하는 그 작은 실수를 줄이기 위해서라도, 승객들이 우리의 말을 더 경건한 마음으로 받아들여야 해요."

뮤는 사회학자이자 심리학자로서 배에 탑승했다. 그녀는 늘 승객들의 면면을 관찰했다. 그들이 삶과 죽음을 대하는 태도. 대를 이어가야 하는 여행을 받아들이는 방식. 천 년 동안 그녀는 사람의 마음만을 들여다본 것이었다.

"우리가 종교가 되어야 한다고요. 두 세대 정도만 세뇌해도 충분해요. 이 항행이 얼마나 이어지리라 생각해 봤어요? 지구에서 인류가 세운 문명의 역사만큼이나 이곳에서 보내야 한다고요."

인류 의식의 수레바퀴를 과거로 돌린다. 그것이 뮤가 주장하는 바의 요지였다.

승객의 의식을 중세인 정도까지만 되돌리자, 신실하고 순종적인 인간상을 표준으로 만들면 분란 없이 세상을 이끌어갈 수 있을 것이다. 적어도 자신들이 이끄는 이상은 말이다.

"우리라면. 우리들이라면 할 수 있어요. 사제나 영주보다 더 잘할 수 있죠. 신민을 감시하고 배 불릴 수 있다고요. 그러면서 그들의 성심을 끌어낼 수 있게."

누군들 뮤의 마음을 모르겠는가? 자그마치 천 년이었다. 잠들어 있는 시간이 더 길었지만, 승무원의 활동 연수는 대체로 세 자리를 찍고 있었다. 이미 승무원을 신처럼 숭상하는 승객도 적지 않았다.

하지만, 동료들은 뮤에게 동의할 수 없었다. 지구에서부터 철저하게 교육받은 사안이 있었다. 그것을 받아들이지 못해, 출중한 능력을 갖추고도 승무원이 되지 못한 이도 적지 않았다.

"우리 자신을 너무 신뢰하는 것 아닌가요?"

승무원 또한 인간일 뿐이다. 기술을 통해 인간의 육신을 초월했을 뿐, 결국은 인간이다. 신이 될 수는 없다. 변하지 않는 것은 없다. 승무원의 판단력이 영속할 것이란 가정은 끝내 돌이킬 수 없는 사태를 불러일으킬 것이다.

"우리는 좀 더 큰 톱니바퀴일 뿐이에요. 뮤. 당신이 저들을 구하고 싶다는 건 알겠지만, 그건 우리의 본질적 한계를 벗어난……."

"에타! 당신은 겁쟁이예요. 이 또한 역사의 톱니바퀴가 되는 길이라고요!"

몇 차례의 다툼이 있었다. 동료들은 뮤를 이해했고, 그녀를 설득하려 애썼다. 그런 따뜻함이 뮤를 더 외롭게 만든 것일까? 뮤는 극단적인 선택을 하고 만다.

자신의 두뇌를 전산의 세계로 옮겨 스스로 하나의 컴퓨터 프로그램이 된 것이다.

"맙소사, 뮤! 왜 이런 짓을!"

"……이제 무엇을 할 생각이죠?"

알파는 눈물을 흘렸고, 에타는 씁쓸한 적대감을 내비쳤다. 뮤는 잘 다듬어진 기계음으로 그들을 안심시켰다.

"걱정하지 마세요, 동지들. 과격한 행동을 할 생각은 없으니까. 직접 시뮬레이션해보고 싶어요. 제가 말한 가설이 통한다는 걸 증명하고 싶어요."

뮤는 스스로 인간의 허물을 벗어버렸다. 독한 마음을 먹고 그녀를 삭제하지 않는 이상, 그녀의 행동을 막을 방법은 없었다. 동료들도 조금은 기대했다.

뮤의 생각이 옳다면, 뮤의 희생이 헛된 것이 아니라면, 승객들의 고통이 조금이라도 줄어든다면, 인류 문명의 생존 가능성이 조금이라도 늘어난다면.

그런 기대감 속에서 뮤는 시뮬레이션을 돌렸다. 신앙이 승객들에게 미치는 영향이었다. 1세대의 타락은 변수로 넣지 않은 시뮬레이션이었다.

총 11,894번의 시뮬레이션. 그중 최대 항행 기간은 채 백 년을 넘지 못했다. 종교는 이른 시일 내로 사회를 붕괴시켰다. 요인에 따라 구분한다면 아래와 같았다.

기술 전수의 무기한 지연으로 사멸하는 결과가 12.6%. 승무원에 대한 추종 세력이 비대해져 생산력이 급감하는 결과가 29.4%. 둘을 극복했지만, 혁명 세력이 등장하여 기반 시설을 파괴하는 결과가 51.8%.

"제가 생각한 것보다 인간은……."

알파는 자기 일에 집중하기로 했다. 주로 동면기 동안 변해버린 세상을 기록으로 남기는 것이었다. 잠든 동료를 깨워 상태를 체크하는 과정도 있었다.

"오, 알파. 47구역에 순무밭이 있어요. 상태 좀 봐주세요."

식물학자 오메가. 동면기 8년 차. 전반적으로 양호하다.

"반가워요, 알파. 음, 저는 안 괜찮아요. 더 자고 싶어요."

분자생물학자 베타. 동면기 179년 차. 이렇듯 가끔 피로를 호소하는 동료가 나오곤 했다.

"알파? 알파? 누구? 아, 알파? 나는, 알파, 좋아요? 흐흐, 모르겠다."

광학 엔지니어 카이. 동면기 6255년 차. 카이는 그날의 여파에서 벗어나지 못했다. 어쩔 수 없다. 동면은 일반적인 수면과 다르다. 급속 냉동 처리한 두뇌엔 시간이 흐르지 않는다. 하루를 재워도, 천 년을 재워도 마모한 정신은 회복되지 않는다.

특별히 변한 동료는 없었다. 그래서 더 안타까운 이도 있었지만, 알파를 가장 아쉽게 하는 이는 따로 있었다. 면담조차 하지 못하게 된 에타였다. 알파는 에타의 결정이 아직도 원망스러웠다.

24명의 승무원 중 12명이 스스로 목숨을 끊었다. 남은 승무원 중 4명이 사고로 죽고 2명은 전뇌화를 택했다. 그렇게 남은 6명 중 정신을 놓은 카이와 회의감에 빠진 베타를 빼면.

알파는 항행의 끝이 다가온다는 생각이 들었다. 종착지는 그토록 고대해 온 목적지가 아니라, 차디찬 명부가 될 것이다. 알파는 남들보다 먼저 깨어나, 남들보다 오래 살아야 하는 역할이었다. 그녀에겐 동료들의 죽음을 지켜볼 책임이 있었다.

알파는 기록자였다.

우주선에서 일어나는 모든 일은 전산 데이터로 남았다. 그러나 그것은 지나치게 객관적이었다. 알파는 우주에 대한 인간의 시각을 대변했다.

새 행성에 정착한 미래의 인류와 아주 먼 과거에 사라진 지구의 인류 사이에 생물학적인 것 외의 또 다른 교집합이 있길, 정말 많은 사람이 진심으로 바랐다. 알파는 지구 문명이 남긴 마지막 한숨이고, 또 미련이었다.

1년간 활동 후 기록을 마친 알파는 다시금 동면에 들었다. 평소보다 짧은 활동 기간이었다. 깨어있는 동료가 없는 탓이었다. "나도 우리를 위해 무언가를 할 수 있으면 좋을 텐데." 알파는 가끔 자신에게 주어진 책무가 원망스러웠다.

"알파, 일어나세요."

낯설고도 익숙한 기계음. 알파는 곧 그것이 에타의 것임을 깨닫고 반가움과 안타까움을 동시에 느꼈다.

"무슨 일이에요, 에타?"

알파의 몸은 아직 깨어나지 않았다. 그저 의식만이 소환된 상태였고, 그렇기에 피로함 또한 없었다. 피로감이란 본래 육신에 속한 개념이니까. 이를 알고 있기에 에타는 단도직입적으로 상황을 설명했다.

"사고가 있었어요. 아주 큰 사고가. 저도 겨우 데이터를 복구해서 온 거예요."

알파의 시야에 주변의 광경이 보였다. 우주를 유영하는 두 개의 우주선. 분명 마지막에 확인했을 때는 열 개였는데. 심지어 지금 보이는 두 우주선도 전에 봤을 때보다 상태가 나빠 보였다.

"제가 얼마나 잠든 거죠?"

"삼 년이요."

"그사이에 어떻게……."

"알파, 잘 들어요."

프로그램 주제에 에타는 호흡을 골랐다.

"뮤가 반란을 일으켰어요. 사람들을 세뇌하고, 추종 세력을 결집했죠. 잠든 동료가 깨어나는 걸 막았고, 전뇌화 중이었던 저도 마찬가지였어요. 제가 겨우 일어났을 땐 모든 상황이 벌어진 다음이었죠. 관심이 소홀한 우주선 두 대를 챙겨 도망치는 게 전부였어요."

"뮤가 어째서……."

알파는 마지막 순간에 보았던 풍경을 떠올렸다. 인류의 체격은 왜소했고, 존속 자체가 불분명했다. 문명은 분명 퇴보했다. 그 옛날 뮤가 바라던 바가 충족되었다 할 수 있었다. 심지어 견제할 동료도 없었다.

뮤가 원한다면 그렇게 할 수 있었다. 문제는 왜 그리했냐는 것이다. 그녀는 자신의 실패를 받아들이지 않았던가. 칠천 년이나 흐른 지금에 와서야 왜 그런…….

"결국 전뇌화도 만능은 아니라는 거죠. 육체가 없으니 영생할 수 있을지언정, 그렇기에 도리어 노화를 막을 순 없다는 거예요. 범람하는 정보에 풍화한 자아는 데이터 복구만으로 돌아갈 수 없어요."

동면을 취하는 다른 승무원들과 달리, 뮤는 칠천 년에 달하는 세월을 온전히 감당했다. 정신오염에 대한 대책이 없던 것은 아니다. 주기적으로 버그를 찾아 제거하고, 심각한 상황에서는 정보를 리셋했다.

그러나, 고작 그것만으로 이겨내기에 칠천 년은 너무 긴 세월이었다.

"좋은 소식과 나쁜 소식이 있어요. 뭐부터 듣고 싶어요."

"에타가 하고 싶은 대로요."

기계음에 작은 노이즈가 섞였다. 알파는 그것을 웃음이라 받아들였다.

"좋은 소식은 우리는 목적을 이룰 거란 거죠. 천 년 정도면 도착할 거예요. 우주선에는 목적지까지 닿을 만큼 연료가 남아있고, 그곳에서 부화시킬 냉동 수정체도 충분해요. 아마 우리보다 훨씬 작은 체격으로 자라겠지만."

좋다는 말로는 부족한 소식이었다. 그 오랜 항행의 끝이다. 멸망하지 않고 뜻을 이룬 것이다. 알파는 순수하게 기뻐했다. 그리고 딱 그 기쁨만큼의 불안을 담아 질문했다.

"나쁜 소식은요?"

"테라포밍이 끝날 때까지 우리의 심신이 버티지 못할 거예요. 문명의 리셋인 거죠."

육신이 있었다면, 알파는 입술을 깨물었을 것이다.

"각오했잖아요."

"당신에게 투입할 만한 자원이 없어요, 알파."

당장이라도 해동할 수 있으나, 전신에 전이된 암세포는 고칠 수 없다. 그것이 에타가 내린 결론이었다.

새롭게 정착한 행성은 고향보다 크기가 작았고, 그만큼 중력 또한 약했다. 에타는 성의껏 테라포밍에 임했다. 미생물을 풀었고, 대기 성분을 조정했다. 동식물이 하나씩 풀려나왔고, 행성의 생태계는 점차 지구에 가까워졌다.

에타는 가끔 알파를 깨워, 테라포밍의 진척 정도를 브리핑했다. 그때마다 알파는 에타가 지쳐간다고 생각했다. 그렇게 천 년이 흘렀다.

"유전적 다양성과 생존율을 고려해서 네 개의 부족을 꾸릴 생각이에요."

한 부족당 백 쌍의 남녀를 투입한다. 각기 다른 신체적 장점을 가진 부족이었다. 시일이 흐를수록 서로 괴리될 확률이 높았다. 언어와 풍습이 갈리고 서로를 남으로 인지하겠지. 산과 들판의 다른 짐승들과 같이 보게 될지도 모른다.

그들을 엮기 위한 공통된 신화가 필요했다.

새 천 년의 항행 동안 우주선의 문명을 잃었다. 언어와 사상, 과학기술, 행정과 예술. 석기 문명 수준으로 돌아가 버린 것이다. 승무원이 없는 탓이었다. 알파는 동면에서 깨는 순간 시한부 인생이었고, 에타는 여력이 없었다. 다른 승무원들은 저 우주 어딘가에 남았을 테고.

이런 상황에서 네 부족이 공유할 수 있는 이야기라니.

"에타. 제가 할 수 있을까요?"

"알파. 복잡하게 생각할 것 없어요. 우리는 지식을 전하는 것이 아니에요. 약간의 뉘앙스. 잔향. 후손들이 키워갈 문명에 우리였던 것의 흔적만 남으면 충분해요. 그것이 후일 어떻게 변질하더라도 말이죠."

에타는 조금 주저하다가 덧붙였다.

"알파는 그들을 배웅하는 것으로 충분하다고 생각해요."

그들은 승무원이었다. 지구에서 이 행성으로 승객을 인도하는 승무원. 여행은 승객의 것이었고, 여행이 끝나면 승무원은 승객의 일상 앞에서 사라져야 했다. 알파는 마지막 인사를 위해 준비된 승무원이었다.

"저는 이를 마지막으로 활동이 정지됩니다. 그게 제 최선이죠."

에타는 자신의 노화를 잘 알고 있었다. 뮤보다 훨씬 빠른 노화였다. 훨씬 열악한 장비로 악전고투한 탓이다. 정보의 유실을 막기 위해 단 한 번의 리셋도 하지 않았다. 새 문명의 거름으로 소모되길 선택한 것이다.

"제 마지막 기록은 모두 에타의 것이에요. 에타가 노력했다는 건 누구보다 제가 알아요. 우리의 이야기는 그렇게 남을 거예요."

알파는 담담하게 말했다. 몸은 잠들어 있건만 눈물이 차올랐다. 감각이 없는데도, 눈시울이 뜨거웠다. 그 모순 앞에서 알파는 깨달았다. 그렇다면 뮤도, 에타도.

"마지막까지 고마워요."

노이즈.

눈을 떴다.

캡슐의 유리창 위로 희뿌연 먼지가 앉았다. 그러나 그 먼지의 층도 밤하늘에 무수한 별을 막지 못했다. 별은 기록이었다. 우리가 겪어온 이야기였다. 우주에 남겨둔 삶이었다.

알파는 수동으로 문을 열고 나왔다. 수풀이 부스럭거렸다. 조그만 아이들이 그녀를 기다리고 있었다. 아이들이 맞을까? 그런 마음으로 바라보았지만, 아직 구분하기 힘들었다.

아이들은 알파의 손을 이끌고 부족으로 안내했다. 알파는 그곳에서 극진한 간호를 받았다. 이들은 어떻게 알파가 깨어날 것을 알았을까? 왜 이렇게 알파에게 정성을 다하는 걸까? 에타의 안배라는 것은 짐작했지만, 그 과정까지 알긴 어려웠다.

그저 알파는 자신의 남은 삶을 만끽했다.

부족의 언어체계는 워낙 단순한지라, 알파가 그들과 원활하게 소통할 수 있게 된 데는 한 달도 걸리지 않았다.

"알파. 왜? 별 봐? 늘?"

첫날 자신을 데려온 남자아이였다. 부족에서는 그 아이를 열셋째 사내라고 불렀다. 평소에는 열한째 계집과 다녔는데, 쪼그만 것들의 연애도 연애라고 열한째는 열셋째가 알파와 만나는 걸 싫어했다.

알파는 다시 하늘을 올려다보았다. 그녀가 두고 온 과거가 저곳에 있었다. 그녀가 바라보고 있던 별은 네 명의 동료를 잃은 소행성, 거인이 있던 곳이다.

"열셋째야. 저 별을 볼 땐 기억하렴. 아무리 완벽한 계획이라도, 생각지도 못한 사소한 일로 발목이 잡힐 수 있단다."

"알파. 말. 어려워."

"예전에 거인이 무엇인지 이야기해 줬지? 힘세고 커다란 사람 말이야."

"응. 곰. 비슷한? 사람."

"맞아. 거인을 부하로 삼았다고 생각했는데, 마지막에 사소한 실수를 저질렀어. 그 때문에 내 친구들이 많이 다쳤거든."

알아들을 수 있을까? 알파의 자잘한 걱정이 무색하게 열셋째는 신이 나서 말했다.

"나 그거 알아. 곰 잡으려고. 전갈 풀었어. 우리. 쫓아 오다. 발목 맞아서. 맛있어. 알파. 맛있었지?"

알파는 저녁에 먹은 고기를 떠올렸다. 노린내가 심하게 나는 고기였다. 맛있었지.

"그러니까, 내게 독을 든 고길 먹였다는 거니?"

"저 별, 전갈이라고 부를게. 애들한테도 다 말할 거야."

왜 갑자기 말이 능숙해진 거지? 알파는 눈을 흘기곤 다시 별을 바라본다. 전갈자리라. 익숙한 이름이네. 별을 바라보았다. 뮤가 사고를 친 지점은 어디쯤인지 다소 모호했다. 유성이 떨어지는 것과 비유하는 건 어떨까? 영원할 것만 같은 저 별도 언젠가 떨어진다고. 카이가 동면을 결심할 때라면, 우리는 저 별을 지나고 있었어. 그때 카이의 말대로 항행을 멈추었다면…….

알파는 마음속에 남은 일말의 아쉬움을 떨쳐버렸다. 그녀는 뉘앙스이자 잔향이었다. 미련이자 한숨이었다. 여기까지야. 알파는 웃음을 터트렸다. 그녀는 유쾌한 기분으로 낡은 톱니바퀴 하나를 마저 굴렸다. 새 톱니와 맞물려 신음이 터져 나왔지만, 그것조차 웃음에 묻혔다.

흥겹다. 밤마다 아이들과 나눌 이야깃거리가 저 하늘의 별처럼 많아서.

Deus Ex

구원기 666년.

아득히 뻗은 마천루가 하늘을 찔렀다. 봉서는 방부제로 단장한 채 진열장 안에 누워 이젠 스러진 이름을 추억하게 했다. 혹자는 비웃기도 했다. 이깟 골동품에 무슨 의미가 있다고. 그러거나 말거나, 펜트하우스에 팝업 뮤지엄을 차린 장본인은 스테이지를 꽉 채울 만큼 거대한 피아노 앞에서 신들린 연주를 선보이고 있었다.

북적거리는 연회였다. 백 명도 수용할 수 있는 공간에 두 배가 넘는 손님이 모여들었다. 통제할 수 없을 겁니다. 파티 플래너는 말렸지만, 의뢰인은 요지부동이었다. 불편하면 돌아가겠지. 현장을 둘러본 플래너는 한숨을 뱉는다. 둘 다 틀렸군. 이백 명의 손님은 불편함을 감수하며 이 자리에 남아있었다. 호스트와 말 한마디라도 나눠보고 싶어서다.

데우스 위버. 그는 명망 높은 투자자이자 세계적인 부동산 디벨로퍼였다. 각계각층의 유명인사와의 인맥을 자랑했으며, 통 큰 선행과 밉지 않은 기행으로 대중의 사랑을 받았다. 사회적 지위를 떠나 한 명의 남자로서도 매력이 넘치는 자였다. 숯처럼 짙은 눈썹과 각이 뚜렷한 턱, 용암 동굴에서 나오는 것처럼 울림이 좋은 목소리, 유쾌한 매너와 칼 같은 시간관념까지.

그가 연주를 마치고 일어섰다. 기립 박수가 터지기도 전에 정각을 알리는 종소리가 울렸다. 이는 관객의 여운과 어우러져 상승작용을 이루었다. 데우스 위버와의 사적인 관계를 노리고 온 손님조차 목을 놓아 이 순간을 찬양했다. 모두가 앙코르를 외칠 때, 연주자는 홀로 복도를 가로지르고 있었다.

구둣발 소리가 규칙적으로 복도를 울렸다. 그는 오직 자신만을 위해 만들어진 이 회랑이 마음에 들었다. 커튼 월의 유리 너머로 고층 건물이 창처럼 뻗댄 야경이 자리했다. 도시의 광공해는 돈 주고도 살 수 없는 조명이다. 그의 호텔은 도심에서도 손꼽히게 높았다. 여타 건물에서는 볼 수 없는 광경은 초고가의 명화와 다름없었다.

데우스는 걸음을 멈췄다, 그림자를, 길게 드리워진 자줏빛 드레스 자락을 발견해서다. 보안카드 없이는 들어올 수 없는 이곳에 불청객이 있었다. 유리 벽에 손을 대고 야경을 내려다보는 여자였다. 결혼식장에서나 볼법한 브레이디드 번. 나머지는 어둠에 묻혀 식별할 수 없다. 분명 미인일 텐데. 아쉬울 틈도 없이 여자가 다가왔다. 또각.

"죽지 않는 악마라는 소문을 들었어요."

가느다란 체형에 비해 허스키한 목소리는 묘한 마력을 띄고 있었다. 데우스 위버는 헛웃음을 지었다. 이 시대에 마력이라니.

"그럴 리가. 굳이 따지자면 죽었다 살아난 악마지. 불사자 같은 뜬소문을 믿나?"

어떻게 이 자리에 있는지 묻지 않았다. 이후의 일정 또한 생각하지 않았다. 실로 오랜만에 유열을 느껴서다. 이 감정은 매우 귀한 것으로, 고도의 학문적 성취, 종합대학급 연구기관에서 새롭게 만든 향정신성약물 따위에서나 간혹 느낄 수 있을 정도였다.

"글쎄요. 오늘은 술에 많이 취했고, 당신은 잘 생겼고요. 그 좋은 목소리에 몽환적인 속삭임이 더해진다면 어떨까 궁금해서? 허풍이라도 상관없겠죠."

"쾌락은 좋은 것이지. 세상엔 달콤하고 짜릿한 것이 너무나도 많아. 술과 진미와 섹스. 우러르는 박수. 지적 충족. 예술적 감각의 향상. 기특하게도 인간은 참 많은 것들을 발명했어."

이름 모를 여인과 어울리며 데우스는 먼 옛날을 돌이켰다. 쾌락을 금기시하던 시절을. 사제의 입에서 절제란 말이 떨어지지 않는 동안, 빈민의 입으로 밀알 하나 밀어 넣기가 그리 힘들었던 때가 있었다. 용사가 마왕을 베고 난세를 끝내기 전까지, 인류가 이렇게까지 번영할 거라고는 상상하지 못했다. 인간이 대견하다.

"하지만 닿지 못한 것도 있죠. 예를 들자면, 영생?"

불사자라고 하는 게 나을까요? 여인은 장난스러운 말투로 데우스의 말을 인용했다. 데우스는 턱을 매만졌다. 이런 이야기를 좋아한

단 말이지.

"영생이라. 그래. 영생도 좋은 것이지. 짧은 삶으로 모든 쾌락을 다 겪을 수는 없으니까."

쾌락은 좋은 것이다. 그것을 경험하는 것은 인생이란 긴 진열장에 보물들을 전시하는 것과 같았다. 데우스는 자신이 모은 것들을 생각했다. 재산. 인망. 추억. 기예. 안목. 그리고 자존감. 이렇게 많은데도 아직 채울 구석이 많이 남았다. 그 욕망이야말로 데우스의 삶을 추동하는 힘이었다.

"누군가는 그 필연적 한계야말로 인간의 삶을 더 풍요롭게 한다고 주장해요. 우선순위를 정하고 더 중요한 것을 선택하는 과정 자체가 의미 있다는 말이죠."

"난 동의하지 않아. 결국 이루지 못할 것에 대해 인생을 낭비하지 말자는 자기방어기제에 불과하지. 한계로 인해 더 풍요로워진다면, 굳이 그것을 한계라 부를 이유가 있을까?"

데우스는 자신의 말투가 시니컬해졌다는 것을 깨달았다. 손에 넣지도 못한 것을 깎아내리는 것은 패배자의 태도였다. 그것 또한 쾌락의 하나였으나, 고작 그것을 얻기 위해 무한한 가능성을 져버리는 것은 수지가 맞지 않는 장사다. 하지만 여인은 고집스럽게 주장했다. 그녀가 말한 '누군가'가 본인이라도 되는 것처럼.

"영생으로 잃게 되는 것도 분명 있을 거예요."

"물론이야. 하지만 따져보자고. 잃는 것에는 한계가 있지. 필멸자의 평생에 가질 수 있는 것을 다 합쳐도 유한하니까. 반대로 불멸의 삶은 어떻지? 가진 시간이 무한한 만큼 얻을 수 있는 것도 무한해."

"다시는 돌이킬 수 없는 것을 잃을 지도 모르죠."

"공정하게 굴어. 영생으로 잃게 되는 것이 있다면, 영생 없이는 얻을 수 없는 것도 있겠지. 영생이 선택의 문제라 한다면, 영생을 선택하지 않는 데 대한 기회비용도 저울의 반대편에 올리는 게 맞지 않겠어?"

"잃어버리는 것이 인간다움이라면, 영생이 다 무슨 소용일까요."

"그런 상황이라면 인간으로 남아야 할 이유가 있을까? 무려 영생이야. 인간 같은 허울은 이미 중요한 문제가 아니야."

"좋아요. 제가 졌어요."

여인은 어깨를 늘어트렸다. 고개를 절레절레 젓고 어둠 속을 빠져나왔다. 온 도시의 밤이 피워낸 빛이 상상 이상으로 아름다운 이목구비를 드러냈다. 그녀의 동공은 세로로 길게 쪼개져 있었다. 데우스 위버는 자신의 진열장에서 저것과 같은 기억을 꺼냈다.

'거래는 성립했어요. 저는 당신에게 생명을 대여합니다. 기한은 당신이 삶에 대한 확신을 잃을 때까지. 넉넉잡아 천 년이면 충분하겠죠. 그만큼 즐겼으면 영혼 하나 내주는 건 아깝지 않을 거예요.'

데우스는 승리감을 만끽했다. 자신은 틀리지 않았다. 천 년이 아니라 만 년이 흘러도 자신 있었다. 저 악마에게 받은 이 영생을 있는 힘껏 즐기리라. 악마의 이전 계약자들과 다르게, 자신은 패배자가 아니었다.

"합격인가?"

"네, 당신의 영혼은 티끌만큼도 타락하지 않았어요."

악마는 쓴웃음을 지었다. 과거 마왕이라 불리었던 대마법사가 있었다. 그는 압도적인 힘으로 세상을 제 손 아래 넣었다. 세상의 모든 쾌락을 맛보겠다는 것이었다. 그러나 인간의 수명은 정해져 있었고, 그 또한 늙고 병들게 되었다. 이윽고 젊은 용사의 손에 늙은 마왕은 유명을 달리했다.

악마는 그의 영혼을 탐냈다. 그녀는 마왕을 찾아가 한 가지 내기를 했다. 또 한 번 세상의 모든 쾌락을 손에 넣을 기회가 주어진다면, 그 대가로 자신에게 영혼을 팔 수 있겠냐고. 마왕은 악마와의 계약에 응했고, 지금 이렇게 첫 번째 추심에서 벗어났다.

"그러나 기억하세요, 데우스 위버. 겪어 보지 못한 것을 경멸하는 것이 패배자의 태도라면, 그것을 경시하는 것은 실패의 요인이지요. 시대정신을 자처한 수많은 마왕이 그 오만에 발목이 잡히곤 했어요. 당신이 그 용사에게 당한 것처럼."

데우스 위버는 웃음을 터트렸다. 악마의 구차함 또한 유열이었다. 그도 그럴 것이 당대의 용사는 자신이었기 때문이다. 영생이라는 미증유의 마왕에게 도전하는 용사 말이다. 눈물이 빠지도록 웃은 그는 뒤늦게 깨달았다. 자신을 찾아온 악마가 흔적도 없이 사라졌다는 것을. 그저 그가 세운 이 성의 야경만이 그를 찬양할 뿐이었다.

구원기 원년.

무너진 성벽 너머로 용사는 질문을 던졌다. 폐허였다. 대리석을 통째로 깎아 만든 열주는 썩은 고목처럼 꺾이었고, 마왕을 자처한 자의 동상은 목이 부러진 채 처박혔다. 성을 지키던 병사들은 용사를 따르는 백성들의 편으로 돌아섰으며, 환관과 처첩은 돌을 맞아 죽었다. 용사는 자신이 만든 폐허를 향해 질문을 던졌다. 아직도 그 외의 세상보다 부유한 폐허에게. 그 땅을 일군 주인에게.

"왜 저주하지 않습니까? 제가 밉지 않습니까? 아니면, 당신이 죄를 참회하는 겁니까?"

폭음과 함께 잔해가 비산했다. 돌무더기를 헤치고 나온 마왕의 모습에 멀리서 지켜보던 병사들은 창을 고쳐 쥐었다. 반면, 코앞의 대적을 두고도 용사의 눈에는 한 점 미동도 없었다. 용사는 굳은 얼굴로 질문을 되풀이했다.

"언젠가 무너질 것을 알았던 겁니까? 저라면 괜찮다고 생각하셨습니까? 지치신 겁니까? 왜 저주하지 않았습니까?"

강박적으로 질문을 되풀이하는 용사 앞에서, 마왕은 검은 로브에 묻어난 먼지를 털어냈다. 늙어버린 모습을 보여주기 싫다며 온몸을 칭칭 감은 그였으나, 격전을 벌이는 동안 오른손의 장갑을 잃어버렸다. 검버섯이 핀 손등과 알이 굵은 보석 반지가 기묘한 대비를 이루었다. 후드 틈으로 새하얀 입김이 퍼져 나왔다.

"저주한다. 증오한다. 참회하지 않아. 나는 옳다. 내 탑은 무너지지 않는다. 너라도 예외는 없다. 나는 저주한다. 새 시대의 거짓 용사여. 가문 없는 왕자여. 마키나, 내 마지막 제자여."

탁한 목소리에는 숨길 수 없는 조롱이 배어 있었다. 이것으로 충분한가? 이걸로 납득할 수 있겠는가? 그 잘난 메시아 서사에 어울리는 대사였던가? 평생을 성실하고 세심하게 타인을 착취하며 쌓아올린 탑이 한순간에 무너졌다. 마왕은 필사적으로 저항했으나, 결국 시대의 분노를 이겨내지 못했다. 최선을 다하고 스러짐에 굳이 무슨 미련을 떠들란 말인가.

"아니. 당신은 돌이키고 싶을 겁니다. 당신은 위대함을 쫓을 수 있었습니다. 당신의 능력이라면 세상을 더 좋은 곳으로 만들 수 있었을 테고, 그랬다면 제가 나설 일이 없었을 테니까. 당신은 후회하고 있어야 합니다."

"어리석은 마키나여. 세상을 더 좋게 만드는 것이 무슨 의미가 있다는 것이냐? 나는 후회하지 않는다. 내 평생을 돌이켜보면 잃은 것보다 얻은 것이 더 많았다. 칭송은 내가 바라던 것이 아니다. 내게 의미 있는 것은 오직 쾌락이니라."

마왕은 욕망했다. 더 고도화된 기술을. 세상의 모든 기술자를 마왕성에 몰아넣고 온갖 기물을 만들게 했다. 각자의 비전을 토하게 만들기 위해, 매수와 고문도 서슴지 않았다. 그는 자비를 버리고 제 즐거움을 쫓았다.

마왕은 욕망했다. 매 끼니 다른 진미를 맛볼 수 있길. 강제적인 노역으로 도로를 내고 운하를 뚫었다. 난립하는 화폐를 일원화하였으며, 각지에 거대한 창고를 건설했다. 각지에 신음이 그치지 않았다. 그는 허락을 구하지 않았다.

마왕은 수도 없이 많은 것들을 욕망했다. 그 과정에서 백성의 고혈을 쥐어짰다. 쌓여가는 유골을 발로 대충 걷어차며 제가 원하는 것들을 손에 넣었다. 한 번 사는 인생이었다. 더불어 살아가는 것에서 얻을 수 있는 것이 없지 않음을 알았으나, 그는 그보다 더 많은 것을 가지고 싶었다. 그리고 가졌다.

그가 쌓은 기술의 금자탑은 혁명군을 무장시켰고, 그가 뚫은 관도는 혁명군의 진격로가 되었다. 결국 그는 자신의 업적으로부터 공격당한 셈이다. 그러나 후회도 미련도 없다. 이미 즐길 만큼 즐겼으니까.

"그것으로 충분하다."

희열에 찬 선언에 용사는 눈을 감았다. 마키나는 스스로 용사가 되길 택했다. 그의 능력과 그의 분별력은 다른 길을 용납하지 않았다. 그는 존경하는 스승을 제 손으로 무너트렸다. 마키나는 그를 강하고 현명하게 키워낸 스승을 향해 재차 칼을 겨눈다. 충분하시다 하니, 그런 것으로 알겠습니다.

"당신이 이룬 것으로 새로운 시대를 열 겁니다. 부와 자유로 가득하지만, 그것을 위해 타인을 해하는 자는 언제든 구축할 수 있는 세상. 불가해의 천재가 아무리 욕망을 좇아도 망가지지 않는 세상. 개인은 개인으로밖에 남을 수 없는 그런 세상을 만들어 내겠습니다."

마키나는 성검을 늘어트린 채 앞으로 걸어갔다. 온 시대의 염원을 등에 지고서, 온 시대의 죄업을 끌어안은 미치광이 왕을 향해. 찬바람이 불었고, 성벽이 무너져 내렸으며, 붉은 피와 함께 함성이 있었다. 황혼 혹은 여명이 그곳에 있었다.

강림기 100년.

노인은 휠체어에 앉아 흐르는 강을 바라보았다. 손잡이를 쥔 청년은 지루한 듯 하품을 해댔다. 뇌파에 반응하는 최신식 전동 휠체어를 선물한 지 오래였지만, 자신이 찾을 때면 꼭 이 수동 휠체어를 고집하곤 했다. 이렇게 나이를 먹고서도 어리광이 어린 시절과 다르지 않다. 데우스 위버는 27대손의 휑한 뒤통수를 보며 푸근한 웃음을 지었다.

"데우스. 여기서 무등을 태워주신 것, 기억하십니까?"

"물론이지. 체호프. 발버둥이 너무 심해서 강물에 던져버릴까, 고민했던 것까지 생생해."

"그렇다면 그때 해주셨던 이야기도 기억하시겠군요. 아름다운 악마와의 대화 말입니다."

벌써 수백 년 전의 이야기다. 악마와의 계약으로 마키나가 열어젖힌 새로운 세상으로 돌아오고, 온갖 쾌락을 좇으며 살아가다 막 위버가를 일으킬 즈음이었다. 추심을 위해 찾아온 악마를 돌려보냈던 일은 오랜 시간이 흐른 후에도 짜릿한 유열로 기억에 남았다.

"그런 생각을 했습니다. 영생한다 해서 모든 쾌락을 손에 넣을 수 있을지. 사람의 몸은 하나고, 세상은 드넓지 않습니까? 그 시대에만 얻을 수 있는 즐거움을 내가 모른 채로 지나간다면, 그것은 영영 즐길 수 없는 것이 되어 버리니까요."

"네 말이 맞아. 역사를 돌이키다 보면 내가 알지 못한 쾌락이 그리 멀지 않은 곳에 있다는 것을 새삼 알게 될 때가 있지. 안타까운 일이지만 어쩔 수 없는 노릇이지. 비탄에 잠겨있을 바에야 새로운 즐거움을 찾는 것이 더 유익하니까."

데우스는 유쾌하게 말했다. 그가 받은 영생은 완전한 것이었다. 늙지 않는 몸은 언제나 정력적이었다. 세월이 흐를수록 쌓이는 지혜는 같은 현상도 더 풍부하게 받아들일 수 있게 만들었다. 끝을 가정하지 않은 삶은 즐기면 즐길수록 행복했다. 악마의 추심은 여전히 두렵지 않은 것이었다.

"또 그런 생각을 했습니다. 데우스는 저를 사랑하시지요?"

"물론이지. 너의 역동적인 인생사와 번뜩이는 통찰력은 기나긴 내 삶에서도 유독 훌륭한 유열로 남고 있어. 나는 널 사랑한단다."

"저는 살아가면서 당신이 가질 수 없는 경험을 여러 번 했습니다. 그때마다 당신은 질투하기는커녕 손뼉을 치며 축하했지요. 그토록 값진 것은 흔치 않다면서."

데우스는 회상에 젖었다. 체호프는 일평생 구호에 힘썼다. 분쟁지대에서 의사로서 활약했고, 물려받은 재산을 팔아 빈민가를 재생했다. 민주화 운동이 벌어지는 국가로 달려가 전차 앞에 드러누운 것은 전 세계에 감명을 주었다. 비록 궤도에 깔려 두 다리를 잃는 사고가 있었지만, 체호프는 그때의 일을 후회하지 않았다. 데우스는 그런 후손을 애정하고 또 존경했다.

"사랑이란 그런 거다. 네가 겪은 것은 내가 겪은 것과 마찬가지지. 너와 내가 같다고 내가 생각하는 것이 사랑이니까."

"제가 하고 싶은 말이 그것입니다. 저는 감히 데우스를 저와 같이 생각합니다."

데우스는 엄지로 손잡이를 쓸었다. 그는 긴 일생에서 여러 번의 사랑을 했다. 상실의 고통이 익숙해질 수 없는 성질의 것이라면, 매 사랑의 달콤함도 제각기 다른 쾌락을 안겨주었다. 사람은 모두 달랐기에 사랑은 모두 달랐다. 그들을 얻고 잃는 과정에서 데우스도 달라졌다. 영생이 지루하지 않은 이유는 그가 더불어 살기를 택했기 때문일지도 모른다.

"천 년 전에 용사가 세상을 구원했습니다. 마왕이 독점한 보물을 풀어 온 세상을 부유하게 했지요. 어제 용사 마키나의 회고록을 읽었습니다. '용사가 필요한 것은 마왕이 있었기 때문이며, 마왕이 있는 것은 세상이 그가 마왕이 되는 것을 막지 않았기 때문이다.' 그 구절을 보니 눈물이 흘렀습니다. 우린 우리의 욕망을 포기할 수 없습니다. 그것이 우리가 우리인 이유니까요."

체호프의 목소리가 잠겼다. 데우스는 입을 열지 못했다. 그는 단 한 번도 자신의 과거에 관해 이야기한 적이 없었다. 영생하는 그를 두고 역사 속의 대마법사를 떠올리는 후손도 물론 없진 않았다. 체호프가 자신을 마왕이라 확신한다고 해도 이상한 일은 아니었다. 그러나 사악무도한 마왕으로 인해 진심으로 슬퍼하는 후손을 위로할 방법 같은 건, 아마 그에게 허락된 무한의 세월 안에서도 찾기 힘든 것이리라.

"한 시대에 당신에게 허락되지 않은 쾌락을 끌어안으심이 어떠십니까? 더 많은 사랑을 베풀고, 더 많은 사랑을 돌려받으심이 어떠실까요? 그것이야말로 당신을 행복하게 만드는 유일한 길이 아니겠습니까?"

나이를 먹어서 그런지 허황한 말을 쉽게도 한다고. 데우스는 그렇게 생각했다. 아직 세상에는 그가 맛보지 않은 쾌락이 무수히 많았다. 그것을 쫓는 것만으로도 벅찬 삶이었다. 그에게 주어진 시간은 무한했지만, 그가 할 수 있는 것은 한정되어 있었다. 그는 이미 놓쳐버린 쾌락에 집착하고 싶지 않았다. 그저 지금처럼, 늘 새로운 것을 좇는 것으로 충분했다. 그래, 그것으로 충분했다.

"신이라도 되라는 거야?"

모두를 사랑하고, 모두에게 사랑받는. 그것은 신앙의 영역이다. 데우스는 일개 인간의 몸에 매인 신세였다. 그런 추상의 존재가 될 생각은 없었다. 개인으로서 할 수 있는 것을 할 뿐이었다. 그는 마왕이었고 많은 죄를 저질렀다. 그것에 대해 후회하지도 않는다. 그러면서도 내킬 때마다 사랑에 뛰어드는 이기적인 존재였다. 삶이 더해지면 더해질수록 죄는 무게를 더할 것이다.

"그것이 필요하다면."

이튿날 체호프의 장례식이 치러졌다. 데우스는 아주 먼발치에서 그 광경을 지켜보았다. 신이 되어라. 사랑받고 사랑하라. 선의의 표상과 같았던 후손의 유언은 체호프 자신의 삶과 정면으로 배치되었다. 그것은 하나의 거대한 기만이었다. 늑대에게 양의 탈을 씌워주는 것과 다르지 않았으며, 사랑하는 이가 살아온 방식을 철저하게 부정하는 일이었다.

하지만 어째서일까. 데우스 위버는 체호프가 던진 화두를 떨쳐낼 자신이 없었다. 사랑하는 이는 자신과 자신이 사랑하는 이를 다르지 않게 여긴다 했다. 데우스는 데우스를 자신처럼 여긴 체호프를 데우스처럼 여겼다. 어쩌면 체호프의 눈물은 이 기만을 받아들일 수밖에 없는 데우스의 운명을 실감했기 때문일지도 모른다.

하지 않은 말이 있다. 사랑하는 이를 자신처럼 여긴다는 건, 역설적으로 사랑하는 이가 될 수 없다는 말이다. 우리가 될 수는 있어도 네가 될 수는 없다. 나는 나이기 때문이다. 데우스는 체호프가 될 수 없다. 체호프가 데우스가 될 수 없듯. 마키나가 그의 스승이 될 수 없었듯이. 그렇기에 데우스는 눈물을 흘리지 않았다. 대신 방책을 강구했다.

그리하여, 아득히 뻗은 마천루가 하늘을 가로지르고, 현자들의 봉서가 사토 속에 묻혀버린, 그리고 그런 것들에 누구도 신경 쓰지 않는, 첨단이 신비를 규정하게 된 시대에.

한 남자가 깨어났다.

피안화려(彼岸花麗)

—

움트는 순간, 이슬이 구슬처럼 쏟아졌다. 햇살은 다독이고, 바람이 속삭이고. 이쪽 언덕은 따스했다. 경쾌한 온기였다. 내게는 허락되지 않은 온기. 그래서 외면하기로 했다. 잊기로 했다. 느끼지 않기로 했다.

오직, 피어나기 위해서. 피어나려고.

—

이유도 모른 채 벌떡 일어났다. 알아서 반응한 몸에 반문할 겨를도 없이 땡그랑 소리가 들렸다. 손님이 찾아온 것이다.

"어서 오세욝."

졸다가 막 일어나서 그런지 아직 목이 잠겨있었다. 다행히 손님은 알아채지 못한 듯했다. 종소리에 묻힌 건지, 그냥 모른 척해주시는 건진 모르겠지만. 고개를 돌려 몰래 헛기침하고, 손님맞이를 이어갔다.

"어떻게 오셨어요?"

무릎 살짝 위까지 내려오는 캐시미어 코트. 어깨에 진눈깨비가 묻어났고, 귀 끝이 빨갛다. 마스크 때문에 확실하진 않았지만, 우물쭈물하는 눈동자를 보아하니 꽃집이 처음인 모양이다. 곧장 용무를 꺼내지 못한다는 건, 바쁜 일로 찾은 건 아니란 말이겠지.

카운터 아래 숨겨둔 온장고에서 수제 뱅쇼를 꺼냈다. 따뜻한 음료를 머그에 따라 내미니, 손님은 차마 거절하지 못하고 받아 들었다. 마스크를 벗으니 그렇게 미남일 수 없었다.

"날씨가 많이 춥죠?"

"그러게요. 참 제멋대로예요."

손님의 입가에 옅은 웃음기가 맺혔다. 벌써 긴장이 풀린 걸까? 달다구리 뱅쇼를 한 모금 마셨을 뿐인데. 두 뺨에 어여쁜 꽃이 피었다.

"가게 안에만 있으니 이건 좋아요. 몸 좀 녹이고 가세요. 어차피 할 일도 없거든요."

"퇴근은 안 하세요?"

"칼퇴도 먹고살 만해야 달달한 거죠."

"하하. 그것도 그러네요."

허리를 살짝 굽히고 웃는 통에 코트 안쪽이 살짝 보였다. 검은 정장. 구두도 검은 구두. 무채색의 남자가 밝게 웃었다. 보는 사람도 덩달아 기분 좋아지는 웃음이었다.

"꽃을 찾고 싶은데, 이름을 몰라서……. 혹시 둘러봐도 될까요?"

"물론요. 이쪽으로 오세요."

손님은 밴쇼를 내려놓고 쇼케이스까지 따라왔다. 손질을 마친 꽃이 꽃다발이나 꽃바구니가 되기 전까지 쉬어가는 장소다. 색색의 꽃들이 유리 화병마다 종류별로 꽂혀있는 쇼케이스는 그 자체로 모던하게 재해석한 꽃밭. 플로리스트가 아니면 쉽게 볼 수 없는 광경이었다.

"예쁘네요."

굽이친 눈가에서 애틋함이 묻어났다. 어느새 마스크를 콧등까지 올려 썼지만, 그 너머의 미소가 눈에 선했다. 예쁘게 웃는 남자가 긴 손가락을 뻗었다. 손가락이 가리킨 끝은 쇼케이스가 아니라, 나?

"저기, 저거요. 색은 좀 다른 것 같은데……."

……도 아니라, 책장 위에 올려둔 화분이었다. 손님이 꽃을 볼 수 있도록, 후다닥 길을 비켜준다.

벨벳 자락처럼 부드럽게 굽이친 꽃잎 다섯 장이 한 송이를 이룬 꽃. 끝은 보드라운 우윳빛인데, 심지는 짙은 적자색이라 소녀와 여왕의 모습이 동시에 엿보였다. 땡그란 구근이 들킬까 겹겹이 둘러친 잎사귀는 또 어떻고.

"시클라멘이네요."

"맞아요. 그거. 시클라멘……."

손님은 그 이름을 몇 번씩 되뇌며 고개를 끄덕였다. 이미 확신하는 듯했지만, 꽃집 사장으로서 전문성을 어필하기 위해, 혹은 근질거리는 입을 참지 못해서 간단한 부연을 곁들였다.

"다른 꽃들처럼 시클라멘도 색상이 여러 가지에요. 흰색부터 보라색까지 주로 붉은 계통이고. 따로 찾는 애가 있으면, 그 색으로 구해드릴 수도 있어요. 그리해 드릴까요?"

손님은 대꾸 없이 꽃을 향해 허리를 기울였다. 누가 봐도 사랑에 빠진 모습이었다. 한눈에 반했다기보다는 오래도록 만나지 못한 첫사랑을 대하듯이.

이름조차 모르는 꽃을 찾은 이유가 무엇일까? 다른 색을 두른 저 아이를 한눈에 알아볼 수 있었던 건, 그만한 무게의 추억을 간직하고 있어서일까? 수줍음이라는 꽃말처럼 시클라멘은 연인 앞에서 솔직하지 못한 여인을 닮았다. 손님의 마음속 어딘가에도 시클라멘처럼 피어난 누군가가 있는 걸까?

그대로 두어야 예쁜 것들이 있다. 호기심도 그렇다. 내면의 참견쟁이에게 꿀밤을 한 대 먹이고, 나는 꽃집 사장으로 돌아온다. 예쁜 것을 보고 예뻐하는 사람을 그저 예쁘게 바라보면 되는 내 일이 나는 너무나도 좋다.

—

자줏빛 바위 가에

잡고 있는 암소 놓게 하시고
나를 아니 부끄럽게 여기신다면
꽃을 꺾어 바치오리다

—

물 끓는 소리와 함께 손님이 문을 열고 들어왔다. 오늘도 마스크를 쓰고 있었는데, 그것을 빼곤 몰라보게 다른 모습이었다. 핑크색 후디에 스키니 진, 하이탑 스니커즈까지. 후드를 푹 눌러쓰고, 마스크로 하관을 가렸음에도 알아보기 어렵지 않았다.

“저…….”

“버찌차 드실래요?”

준비한 머그에 버찌청을 듬뿍 넣고, 끓은 물을 붓는다. 새콤달콤한 봄 내음이 퍼진다. 그렇게 차를 준비하는 동안 손님은 유리 외벽을 거울삼아 얼굴을 살피고 있었다. 후드를 내리고, 눈가를 매만지던 내가 부르고 나서야 이쪽을 돌아보았다.

“다 됐어요.”

다가오는 손님의 눈시울이 붉었다. 손님은 머그로 머쓱한 입가를 가린다. 머그잔에 그려진 분홍색 토끼가 퍽 어울렸다.

“꽃가루 알레르기가 있거든요. 벚꽃 때문에…….”

“오, 예쁘겠다. 요즘은 통 보러 간 기억이 없네요.”

짧게 아쉬움을 토했을 뿐인데.

“왜요?”

반문이 온점을 낚아챘다. 얼마나 빨랐는지 긴장감마저 느껴졌다. 무슨 말실수라도 한 걸까? 아무리 생각해도 걸리는 것이 없어서, 도리어 엉뚱한 생각이 기어올랐다. 요것 봐라? 알면 뭐 하게? 코끝부터 새침함이 퐁퐁 맴돈다.

"먹고 사느라?"

"푭!"

지난번에 봤을 때도 그렇고, 이 남자, 생활감 있는 드립에 약한 편이다. 손님은 어쩔 줄 몰라 하며 티슈로 찻물을 닦아냈다. 별 의미 없는 사과와 용서를 주고받다, 문득 손님 쪽에서 장난스레 입술을 삐죽거렸다.

"먹고 살기 힘들다 한 것 치고는 취미 생활이 아기자기하네요."

그의 시선 끝에는 버찌청이 있었다. 귀여운 유리병에 삐뚜름 붙은 라벨에는 손 글씨로 버찌라 쓰여 있었다. 수제 티가 폴폴 나는 작고 소중한 버찌청. 바쁜 도시인에게 썩 어울리는 취미는 아니다.

하지만 여기서 인정하면 지는 거니까, 얼굴에 철판을 깔기로 했다.

"이거 파는 거예요."

"네?"

"삼천 원이요. 싸죠?"

"진짜요? 진심?"

눈을 가늘게 뜨며 따지는 손님. 뒷주머니에 손이 가는 걸 보니, 당장이라도 내 얼굴에 천 원짜리를 흩뿌릴 눈치였다. 그건 안 되지.

"농담이에요. 마음에 들면 요건 팔아드릴 수 있고요. 만원."

줄 거면 세종대왕님으로 달란 말이야.

주고받다 보니 차가 딱 좋을 만큼 식었다. 과감하게 한 모금을 베어 물고, 시큼달달한 내음에 푹 빠져들었다. 눈을 감으니 벚꽃에 파묻힌 것만 같다.

"버찌가 영어로 체리인 거 알아요?"

"버찌가 우리나라 말인 줄도 몰랐어요."

"하하. 벚나무 열매라서 버찌에요. 그러니까 체리나무도 벚나무인 거죠. 품종은 다르지만."

굳이 따지면 왕벚나무에서 나는 건 버찌라고 부르면 된다. 먹을 게 적고, 신맛도 강해서, 과일로서 가치는 식용으로 길러진 체리에 비할 바는 아니지만, 그래도 그 나름의 감성이 있다.

"버찌가 나는 우리 벚나무 보면 꽃이 정말 탐스럽잖아요. 반대로 서양 벚나무를 보면 열매는 그렇게 맛난데 꽃은 볼품없어요. 그러니까 봄날의 벚꽃이 예쁜 만큼, 버찌 맛이 덜한 거예요. 손님께서는 예쁜 벚꽃을 보았겠지만, 전 그만큼 예쁜 맛을 본 거니까, 서로 쌤쌤인 거죠."

솔직히 먹고 살 걱정 같은 거 하고 있지 않다. 지금이 좋다. 심심한 걸 심심한 대로 즐기고, 내가 따지 못한 체리가 시다고 믿는 것은 식은 차 마시기보다 쉬우니까. 나는 지금이 좋다. 이불 밖은 위험하고, 행복은 냉장고 아니면 온장고, 둘 중 하나에는 있는 법인 걸.

느긋하게 내 궤변을 소화한 손님이 입을 뗐다.

"벚꽃에도 꽃말이 있나요?"

그 많은 꽃말 중 가장 먼저 생각난 것은.

"가장 아름다운 순간."

내가 생각해도 정답에 가까웠다.

"제 이름은 견우예요."

"전 수로요."

손님은 버찌청 한 통을 사 갔다.

—

"응……. 점수로 보면 일 순위인데, 혈액형 때문에……. 희망은 놓지 말라면서, 마음의 준비는 또 해두라는 거야. 그게 말이야, 뭐야? 나는 잘 모르겠다. 우리 애 이렇게는 못 보내겠는데……."

눈 내리는 흡연장. 사돈어른은 휴대폰을 붙잡고 한참을 울먹였다. 나는 그 모습을 끝까지 지켜보지 못하고 기둥에서 멀어졌다. 슬픔이 가셨다. 그녀는 몰라도, 나는 알고 있었다.

"견우야, 어디가?"

어머니를 지나치며 생각했다. 나는 알고 있다. 나는 할 수 있다. 희망을 놓지 않으면서, 마음의 준비를 마치는 것. 오직 나만이…….

—

시클라멘은 겨울꽃이다. 벚꽃은 한창때의 봄을 상징한다. 그렇다면 다음은 여름에 피는 꽃이겠지.

해바라기. 원추리. 카네이션, 아이리스, 맨드라미. 원예 기술의 발달로 이제는 원하는 때라면 언제든 볼 수 있는 꽃이지만, 사나운 햇볕을 길들여 화사한 왈츠를 펼치는 이 정열적인 낙천가들의 무대를, 나는 기대하고 있었다.

"국화요?"

하지만 견우 씨는 국화 한 송이를 말했다. 그 태도가 사뭇 엄숙해서, 처음 만난 날이 떠올랐다. 검은 정장과 검은 코트. 갓 장례식장을 다녀온 듯한 모습. 그에 비해 오늘은 파스텔 톤의 반소매였다. 조화를 사기엔 드레스 코드가 너무 가볍다.

"그냥 집 안이 심심해서요. 깔끔한 걸 좋아해서 처음엔 그리 꾸몄는데 질렸거든요."

견우 씨의 집을 괜히 상상해 보았다. 블랙 앤 화이트로 심플하게 인테리어한 복층형 오피스텔. 그리고 미니바에 놓인 국화 한 송이.

"너무 우중충한데."

소리 없이 웃는다. 얇은 천 너머로 윤곽을 드러낸 쇄골이 가늘게 떨렸다. 시선 처리가 애매해서 차라리 눈을 보았다. 눈을 마주하고서도 어색하지 않은 화제를 꺼낸다.

"빨간 국화는 어떨까요? 한 송이만 놓아둘 거면, 눈에 확 들어오는 거로 하는 게 좋잖아요."

창가엔 시클라멘이 새침을 떨고, 찬장엔 검붉은 버찌청이 향을 부리는 곳. 빨간 국화 한 송이만 더 올리면 과하지도 썰렁하지도 않을 것 같은데.

"인터넷에서 본 것 같은데, 꽃말이 좀 그렇지 않나요?"

"당신을 사랑합니다? 에이, 꽃말이 다 그렇죠. 조금 오글거리는 맛이 있어야지."

"제겐 아직 이른 것 같아서요."

나와 마주하면서도 견우 씨는 어딘가 먼 곳을 바라보는 듯한 눈을 했다. 곧 자신도 그것을 깨달았는지 어색한 웃음을 지었다.

"노란색은 뭐였죠? 그건 기억 안 나네."

"짝사랑이나 실망이요. 그런 느낌. 이것도 이것 나름대로 어둡네요."

빨간 계통이 둘이나 있으면, 노란색을 얹어놓는 것도 예쁠 것 같다. 힘든 일을 마치고 집에 들어오면 햇님 같지 않을까? 그럼 차라리 해바라기가 나을 것 같은데. 생긴 것도, 의미도. 아니, 생각해 보니 그건 좀 과하다.

"그래도 예쁘잖아요."

견우 씨는 눈웃음을 칠 때 애교살이 도드라진다. 마스크를 벗었을 때는 보조개가 파이는 모습도 같이 볼 수 있다. 생긴 건 어여쁜 강아지상인데, 기분이 좋지 않을 때는 품에 안고 달래주기보단, 기운을 차릴 때까지 지켜봐 줘야 할 것 같은 고독한 아우라도 있다.

고작 세 번째 만남인데, 인상이 진하게도 남았다. 작정하고 만난 것도 아닌데, 이 손님은 너무 많은 걸 생각하게 만든다. 예뻐서 그렇다. 이 사람과 같이 있는 시간이 하필, 혹은 기어코.

"하긴…… 뭐, 어때요? 꽃말이야 붙이기 나름인 거니까. 내가 좋으면 그만이죠. 그래도 역시 국화는 그렇잖아? 차라리 이건 어때요? 풀꽃이긴 한데. 내가 좋아하는 거야. 금불초. 이름은 조금 촌스러워도 생긴 건 진짜 산뜻하죠? 꽃말도 상쾌함이에요. 북한에선 여름 국화라고 하니, 이것도 따지고 보면 국화야……?"

허둥지둥, 횡설수설. 들뜬 감정을 숨기려고 마구 주워다 붙인 화제 사이에 파묻혀 자멸하던 중. 그런 나를 견우 씨는 턱까지 괴면서 지켜보다 툭 하고 한마디 던지는 것이다.

"뭐 좀 물어봐도 돼요?"

"뭐, 뭔데요?"

이게 뭐라고 그리 긴장되는 걸까? 주책맞은 누나라고 생각하면 어떡하지?

"제가 버찌차를 산 게 언제죠?"

"그건 갑자기 왜요?"

온갖 걱정이 무색하게도, 견우 씨의 질문은 엉뚱한 것이었다.

"어제잖아?"

—

다 괜찮았다. 괜찮은 거로 했다. 그래도 괜찮아서, 괜찮기로 했다.

괜찮지 않기 전까지만 해도, 나는 괜찮았다.

"견우야. 난 정말 몰랐어."

울 거라고 생각해서. 그런 걸 보기 싫어서. 그래서, 모르길 바랐다. 우는 걸 멈춘 이유도 그랬다. 내가 울면 당신이 외면하지 못할 거란 걸 알았으니까.

그런데. 우는 걸 멈췄는데도, 당신은 기어코 젖은 흔적을 찾아내고 말았다.

“견우야. 미안해. 진짜 미안해.”

뿌리치고 도망쳤다면 차라리 나았을지도 모른다. 상처를 주는 것보다 더 무서운 건, 상처받은 얼굴을 보는 것이다. 당신을 여전히 사랑해요. 당신이 행복하길 바라요. 그러니까 제발 그런 불행한 얼굴 따윈 하지 마요. 그냥, 날 무시하고.

“왜 사과하는 거예요?”

아.

“내가 어떻게든 해야 했는데…….”

“어떻게요? 저한테 선이라도 그었어야 한다고요?”

“……나 순정 씨 사랑해.”

아아.

“알고 있어요. 다 알고 있었다고요. 누난 형이랑 행복했다는 거. 전 그냥……. 괜찮았는데……. 혼자서 어떻게든 할 자신 있었는데……. 모를 거면 끝까지 모르지 그랬어요.”

“어떻게 그래?”

동정하지 말라니까. 당신이 날 사랑할 수 없다 해서, 내 사랑이 의미가 없어지는 게 아니잖아. 나는 지금도 좋아. 견딜 수 있어. 견디고 싶어. 제가 제 사랑을 하게 놔두세요. 책임지려 하지 마. 제발.

“저도, 어떻게 해야 할지 모르겠어요.”

제발, 그런 눈으로 날 바라보지 말아 줘요.

—

곧게 선 줄기 끝에 피어난 꽃은 폭발을 표현하는 것만 같다. 어떤 연인은 불꽃놀이를 닮았다고 할 것이고, 낙심한 혁명가는 그곳에서 참수 장면을 떠올렸을 것이다. 동서양의 불문하고 이 꽃의 독특한 생김새에서 인간은 생사의 몽환적인 경계를 떠올렸다.

이웃 나라에서는 이 꽃을 피안화라고 불렀다.

"예쁘죠? 꽃무릇이에요."

오늘의 견우 씨는 가을 색 트렌치코트로 멋을 냈다. 잘 어울렸지만, 평소처럼 훑어볼 의욕은 나지 않았다. 머릿속이 혼란스러웠다.

견우 씨는 테이블 위의 꽃무릇을 지켜보며 아무 말도 하지 않았다. 그것은 내게 참 다행이었는데, 할 말이 완전히 정돈되지 않았기 때문이다. 이야기할 거리는 분명한데, 어떻게 이야기해야 할지 모르겠다. 더 정확히는, 그의 긍정이 두려웠다.

"생각해 봤거든요. 우리 지금까지 세 번 봤잖아요."

눈 오는 날의 시클라멘과 꽃비 내리던 날의 버찌청. 그리고, 여름날의 국화.

"이상해요. 저는 이걸 다 언제 준비했을까요?"

가게에 몇 개 없는 화분 중 견우 씨가 찾는 시클라멘이 있었다. 나도 시클라멘을 좋아하니까. 그건 이상하지 않은데, 언제 어떻게 저 아이를 들였는지 기억이 없다. 아니, 재뿐만이 아니야.

"이상해요. 왜 저는 밤늦게까지 꽃집을 하고 있을까요?"

꽃집은 다른 소매점과는 달리 접객의 비중이 떨어진다. 종일 꽃을 다듬고, 포장해서 배달을 보내는 게 일이다. 일이 많으면 아침 일찍 일어나서 출근하게 되지, 밤늦게까지 남아있는 이유가 없다.

"이상해요. 왜 저 문밖에는 어둠뿐일 걸까? 가로등 하나 보이지 않는 걸까요?"

왜 나는 나가볼 생각조차 하지 못했을까?

"견우 씨는 어떻게 절 찾아온 거죠?"

당신 말고는 손님을 맞이한 기억이 없어.

"정말 이상해요. 저는 왜 당신이 말하기 전까지 아무것도……."

나는 누구야? 여긴 어디지? 어디로 퇴근해야 해? 올해는 몇 년이고? 온장고에 뱅쇼 어디 갔어? 버찌청은? 꽃무릇은 누가 가져온 건데? 견우 씨는 왜 잔기침 한 번 안 하면서 볼 때마다 마스크를 끼고 있어요?

긴 꿈을 꾸고 있는 것 같다. 꿈속에서는 내가 집중하고 있는 것만 구체적으로 구현되니까, 견우 씨가 있는 시간 외의 모든 것이 뭉뚱그려지고 있다. 지금도 그래. 만남에서 만남으로 넘어가는 게, 마치 영화의 장면이 바뀌는 것 같다. 화면 속에서만 살아가는 애니메이션의 주인공이 된 기분이다.

"말해주세요."

저, 죽은 건가요?

—

형수님이 생겼다. 내가 사랑하는 사람이었다.

그게 전부다.

—

깊은 잠에 빠졌다. 의식에서 의식으로 건너가는 어둡고 긴 통로에서, 나는 파피루스 배에 몸을 맡긴 채 그저 흘렀다. 눈물이 흘렀다. 나는 이 꿈을 기억하지 못할 것이다. 늘 그랬듯이.

|

기껏 꾸며 놓은 카페에 손님이 없다. 그래서 첫 알바는 외모를 보고 뽑기로 했다. 면접을 보러 온 견우는 완전 조문객 패션이었다. 자기도 첫 알바란다. 그런 풋풋함이 마음에 들어서, 다른 손님도 좋아라 할 거 같아서.

"여긴 꽃이 많네요."

"나중에 돈 많이 벌어서 꽃집 차리려고."

"그런데 왜 카페 차리셨어요?"

꽃집 매출은 대형 행사가 대부분인데, 요즘은 시국에는 그게 힘드니까. 그렇게 말하면 TMI로 보일까 싶어서, 나름 쿨하게 답해보았다.

"먹고 살려고."

시클라멘 화분을 들고서, 견우가 웃었다.

|

퇴근한다는 아이가 못 보던 핑크색 후드티를 뒤집어썼다. 그러고 미팅 갈 거라면서 으스대는 꼴이 귀여워서 조금 골려주고 싶었다. 커피 한 잔을 내려준다고 하고 몰래 깔루아를 조금 부은 것이다.

"으엑! 맛이 왜 이래요?"

"술을 탔으니까?"

"누나!"

빽 소리를 지르는 녀석의 것을 빼앗아 살짝 맛을 봤는데, 그리 질색할 정도는 아니다. 어느새 견우의 얼굴은 홍조가 가득했다.

"너 술 디게 약한가 보다."

"아니거든요."

빨대를 낚아채 쓰레기통에 버리고는 견우는 도망치듯 떠났다.

느릿하게 닫히는 유리문 틈으로 벚꽃 몇 송이가 말려들어 왔다.

|

상견례를 갔는데 맞은편에 견우가 앉아있었다. 놀란 티를 내지 않으려 했는데, 그건 견우도 마찬가지였다. 갑자기 불려 나온 듯 하늘색 티셔츠에 캐주얼한 목장이었다.

실수로 쏟은 차가 소매에 묻어서 화장실에 다녀오는 길, 비상구에서 익숙한 목소리가 들렸다. 시어머니와 견우다.

"애 인상이 좀 사나워 보이더라. 너희 형이 지금껏 말 못 한 것도 수상하고."

"형 그런 거 하루 이틀이야? 넘겨짚지 좀 마. 이쁘기만 한데, 뭘."

"아니야. 엄마 친구 중에 관상 보는 애 있다고 했잖아……."

"나 저 누나 알아. 이상한 사람 아니야."

딸꾹질이 나올 뻔했다.

"사실 건너 건너 아는 누나야. 평판 완전 좋거든. 엄마 괜히 그러다 형 좋은 사람 놓치면 책임질 거야?"

짜아식.

돌아오니 찻잔이 채워져 있었다. 아까는 맛도 향도 몰랐는데. 금불초 꽃차. 이거 쌉싸름하니 마음에 든다.

|

"왜 왔어요?"

"견우야. 난 정말 몰랐어."

나는 견우가 좋았다.

"견우야. 미안해. 진짜 미안해."

잘생겨서 좋았고, 풋풋해서 좋았고, 귀여워서 좋았고, 늘 내 편이 되어주어서 좋았고. 견우 덕분에 인생의 난이도가 조금 낮아졌다고 생각한다. 나는 정말 견우를 좋아했다.

"왜 사과하는 거예요?"

하지만 견우는 잘생기고, 풋풋하고, 귀엽고, 상냥하고, 남들을 행복하게 만들어 줄 수 있는 애니까. 내가 아닌 그 누구에게라도 사랑받을 수 있는 애고.

"내가 어떻게든 해야 했는데……."

정말 좋은 애니까, 더 행복할 자격이 있으니까. 내가 그 아이에게 손을 대는 건 옳지 않으니까.

"어떻게요? 저한테 선이라도 그었어야 한다고요?"

그래서 딱 이 정도로 만족하기로 했다. 내 인생의 길목에 핀 아름다운 꽃. 오래도록 함께하고픈 친구. 널 꺾지 않는 이유는, 네 향긋함만을 사랑하기로 했으니까.

"……나 순정 씨 사랑해."

순정 씨와 만나기 전에 너를 만났다면 어땠을까? 그래도 너를 가만히 두고 봤을지는 잘 모르겠다. 그러나 현실은 돌이킬 수 없기에 현실이다. 너를 사랑하기 위해 누군가에게 상처를 줘야 한다는 말은, 이미 더럽혀진 손으로 네 손을 잡아야 한다는 뜻이었기에.

나는 김순정을 사랑하기로 했다.

"알고 있어요. 다 알고 있었다고요. 누난 형이랑 행복했다는 거. 전 그냥……. 괜찮았는데……. 혼자서 어떻게든 할 자신 있었는데……. 모를 거면 끝까지 모르지, 그랬어요."

그래서 괜찮은 거로 했다. 지금도 괜찮은 것으로. 괜찮다고. 너한테 웃어줄 수 있으니까. 널 웃게 할 수 있으니까. 너는 내 소중한 동생이라고. 그렇게, 그렇게 생각했는데. 그렇게 다 정해 놨는데.

"어떻게 그래?"

이젠 진짜 나 어떡해야 해?

"저도, 어떻게 해야 할지 모르겠어요."

견우가 돌아섰다. 눈을 내리깔고, 고개를 숙이고, 다시 몸이 돌아가는, 그 아이의 얼굴이 내게서 사라지는 일련의 과정이 느릿하게 재생되었다. 타일 틈새로 눈물 한 방울이 떨어졌다. 견우가 울었다. 울음을 내게서 숨기려고, 그 아이가 돌아선다.

이런 게 싫어서 바라보지조차 않은 건데. 내 속에서 억울함을 찾는데, 미안함밖에 보이지 않는다. 견우. 우리 견우, 저렇게 보내면 안 되는데. 아프면 안 되는데. 내가 어떻게든 해야 하는데.

눈물이 앞을 가려서, 주변을 잘 살피지 못했던 것 같다. 바닥이 훅 꺼졌고, 타이어 마찰음이 길게 울렸다. 그리고.

"누나!"

밤하늘에 꽃무릇이 피었다.

|

이것은 주마등일까?

—

"우와, 누나. Rh-에요? 혈액형도 AB네. 사고 한 번 나면, 진짜 큰일이겠다."

"그러니 알아서 모시라고, 짜샤."

상견례 이후로 수로 누나는 장난이 더 심해졌다. 어쩌면, 변한 쪽은 나일지도 모른다. 목에 가시가 박힌 듯, 작은 장난에도 더 앓아야 했으니까. 전처럼 설레면 안 되는 거였으니까.

헌혈증을 꺼내니, 누나가 눈을 동그랗게 떴다.

"오, 나랑 같은 사람 처음 봐."

"원래 우리 같은 사람은 끼리끼리 뭉쳐야 한다고요."

"흐흐, 이제 가족이니까 든든하네."

나와 누나는 곧 가족이 된다. 언젠가 어렴풋이 그렸던 것보다 훨씬 선명한 색으로, 그리고 전혀 다른 스케치로.

"혹시나 사고 나도 걱정 마요. 저 장기기증서약도 했으니까."

"무슨 말을 그렇게 해?"

누나가 쌍심지를 켰다. 아차, 싶었다. 그러니까, 나는 누나 앞에서 내가 먼저 죽겠다는 걸 농담이랍시고 한 것이다. 아무 말에는 언제나 대가가 따른다. 괜한 소리를 했다가 맥이 끊기게 생긴 것이다. 사고 드립은 1절로 끝냈어야 했는데.

"좋아. 그럼 나도 서약하러 간다."

다행히도 누나는 별로 깊게 생각하지 않은 듯했다. 팔뚝을 걷어붙이며 씩씩하게 걸어 나가는 누나의 뒤에 대고 외쳤다.

"퇴근하고 가라고, 이 형수님아!"

햐. 집에 가기 싫다.

—

움트는 순간, 이슬이 구슬처럼 쏟아졌다. 햇살은 다독이고, 바람이 속삭이고. 이쪽의 언덕은 따스했다. 경쾌한 온기였다. 내게는 허락

되지 않은 온기. 그래서 외면하기로 했다. 잊기로 했다. 느끼지 않기로 했다.

"다시 볼 수 있길 바랐어요. 예전으로 돌아갈 수만 있다면……. 아니, 그냥 다른 세상. 내가 우리 형 동생 아니고, 누나도 우리 형수님이 아닌 그런 곳에서. 그런 세상이니까, 잘할 수 있다고 생각했는데, 아니더라고요."

제각각의 빛과 모양과 향과 말을 품었어도, 꽃은 다 꽃이다. 열매가 아니라도 꽃은 아름답다. 열매가 아니라서 아름답다. 열매가 아니었기에, 그러나 열매를 위하기에 아름다울 수 있었다. 한 송이 사랑이 늘 그렇듯이.

"나는 여전히 누나를 좋아하지만, 누날 좋아하던 나는 그런 아픈 것들은 모두 감수하고 나서 좋아한 거잖아요. 그런 것들을 모두 포함해서 꽃이 되는 거잖아요. 그러니까요. 저는요. 세상도 속이고, 누나도 속일 수 있는데, 정말 저 자신은 못 속이겠더라고요."

견우는 내게 자신의 심장을 주었다. 그렇게 그 아이는 자신의 사랑을 완성했다. 그게 너무 부러웠다. 견디기 어려울 만큼 부러웠다. 내가 오직 맺음만을 생각할 때, 그 아이는 피어났다. 오직 피어나고자 했다. 그 아이는 그렇게 내 안에서 영원을 피워냈다.

"미안해요, 누나. 그때 그렇게 돌아서서. 정말 미안해요, 누나. 미안하게 해서. 이렇게라도 함께할 수 있어서, 만족해요. 이제 누가 곁에 있지 않아도 괜찮을 만큼. 아니, 이제 괜찮지 않아요. 전 좋아요. 행복해요. 누나를 알 수 있어서, 전 정말."

"견우……!"

어둠이 산산이 부서졌다. 내 이름을 부르는 목소리들이 가까워졌다. 견우가 멀어졌다. 내가 견우에게서 멀어지고 있다. 악을 쓰며 외쳤다. 나조차도 뭐라고 하는지 모를 만큼, 소리 질렀다. 그러나 저쪽 언덕에 닿지 않는다. 나는 그렇게 눈을 떴다. 아주 긴 꿈이었다.

|

산책로에 꽃무릇이 피었다. 곧은 대가 마늘 줄기 같다고 돌마늘이라고도 부르는 꽃이다. 하지만 마늘과 달리 돌마늘의 줄기엔 독이 있다. 그래서 옛사람들은 이 꽃에서 죽음의 향기를 곧잘 맡았다. 저승화, 유령화, 지옥화, 장례화……, 그리고 피안화.

그냥 지나칠 수 없는 꽃이 있다. 실바람에 휘청거리는 꽃대를 붙들고, 부적을 닮은 꽃잎의 궤적을 읽다 보면, 꿈에 다시 네가 나타나 안부라도 물을까 기대해 버리니까. 안녕, 난 잘 지내. 재활 훈련 열심히 하고 있고, 매일 매일 기분도 좋아. 그렇게 답하고 싶어서.

하지만, 오래 머물지는 않았다. 그럴 때면, 알아달라는 듯이 콩닥거리는 심장 때문이다. 한때 너의 것이었던 심장이 이제는 내 안에서 박동하고 있다. 손바닥으로 가슴을 누르며 꽃대와 이별했다. 정겨운 인사였다. 피안화는 고왔다.

검 아래 춤추는 무지개

버들가지가 나비를 희롱하는 광경은 꽤 진기한 구경거리인지라, 이진현은 걸음을 멈추고 그것을 지켜보았다. 잡초가 무성한 길을 따라 가파른 고개를 넘어 기어코 익숙한 대숲에 마주한 참이었다.

열 살은 되었을까 싶은 아이가 나비를 쫓아다니는데, 가만 보니 아무렇게나 휘적거리는 손짓에 따라 가지가 절묘하게 휘면서, 나비가 달아나지 못하게 가두어 놓는 것이다.

한참을 지켜보던 이진현은 제 용무를 상기했다. 그는 옷매무새를 정돈하며 속세에서 벼린 살기를 털어냈다. 그가 다가가자 아 이 또한 그를 올려다보았다. 방금까지 괴롭힘을 당하던 나비가 아이의 정수리에 내려앉는다.

"사마 거사의 부름을 받고 왔다만."

아이는 배시시 웃으며 이진현의 소맷단을 잡아끌었다. 그에게도 익숙한 방향이었다. 역시 사부의 심부름을 나온 아이였던 것이리라.

이진현의 아이의 작고 까만 머리통, 그리고 그 위에서 날개를 접고 쉬고 있는 나비를 바라보았다. 신기한 아이였다. 그렇기에 불안했다.

다신 볼 일이 없을 거라고 했던 사부가 자신을 불러서 할 말이라는 것과 저 아이의 존재와 연관 지어 생각한다면 나올 수 있는 가짓수가 많지 않았고, 모두 이진현에게는 탐탁지 않은 종류의 것이기 때문이다.

예컨대 재능이 출중한 아이를 거두었으나 가르칠 형편이 되지 않으니 네게 부탁하마, 같은. 이진현은 마음을 굳게 먹었다. 형편이 어려운 것은 그 또한 마찬가지였으니.

"왔느냐?"

그러나 병상에 누워 그를 올려다보는 사부의 노쇠한 눈빛 앞에서 이진현은 한없이 여려지는 자신을 발견했다. 새삼 허전한 사부의 왼편을 그는 애써 외면해야만 했다.

이진현의 예상은 절반만 맞았다. 아이는 사부가 새로 거둔 제자 따위가 아니었다.

"사숙이란 말씀이십니까?"

사마창은 힘없이 고개를 끄덕였다. 오늘 밤에 숨을 거두어도 이상하지 않을 것 같은 사부의 모습에 이진현은 다시금 마음 한구석이 저렸지만, 지금은 감상에 젖을 때가 아니었다.

사숙(師叔)이라 함은 사부(師父)의 사제(師弟), 즉, 사조(師祖)의 또 다른 제자를 의미했다. 그러나 사마창과 이진현의 사문(師門)인 비호등선문(飛虎登仙門)은 일인전승(一人傳承)의 문파였다. 한 세대에 단 한 명의 전인만이 존재한다는 뜻이다.

"헷갈릴 것 없다. 그 아이는 본문의 제자가 아니니. 사조께서 말년에 연이 닿았을 뿐이다."

문파의 어른이 아니라, 그저 개인적인 인연일 뿐이라는 말이다. 굳이 관계로 따지면 사숙이 될지언정, 문파로 보았을 때는 외인이라는 뜻이다.

"그렇다면 제게 책임이 없다는 말씀이군요."

"그렇다."

떠보는 듯이 던진 말에 사부는 간결하게 답했다. 그렇기에 이진현은 혼란에 빠졌다.

사마창이 거둔 제자라는 예상은 틀렸지만, 그 아이를 부탁한다는 나머지 절반은 맞았기 때문이다.

"사부께서도 제게 개인적인 의리로 청한다는 것입니까? 죄송하지만, 제겐 군식구를 떠안을 여력이 없습니다. 강호행이 뜻하지 않은 방향으로 흘러간 터라 뜻을 받들기 곤란합니다."

"의리로 청하는 것이 아니니라."

"그러하오면?"

"네게 의리를 다하는 것이다."

사마창은 긴 한숨을 뱉었다. 이진현을 생각할 때면 오래전에 잃어버린 왼팔이 쑤셔왔다. 익숙한 표정에 이진현은 눈을 감았다.

“내 천하의 기재를 품에 안아 길렀으니, 소인으로 태어나 군자의 즐거움을 조금이라도 맛보았느니라. 허나, 전부터 이 속에 응어리진 것이 있었다. 바로 네게 벽이 되어주지 못함이다.”

비호등선문 전인의 가장 큰 의무는 자질이 출중한 제자를 들여 그 무공을 영세토록 이어가는 것이다. 입문한 제자가 사부의 실력을 넘어서면, 문주의 자리를 이어받고 강호로 나아가 다시금 새로운 제자를 찾아 나선다. 패배한 사부가 그 의무에서 벗어나는 대신 말이다.

사마창의 여한은 거기에 있다.

“젊은 날의 객기로 이 팔을 잃었으니, 네게 내린 가르침에는 필시 부족함이 있었을 것이다. 이 몸이 온전했다면 네 하산은 다섯 해는 미뤄졌을 터. 네가 겪고 있다는 어려움 역시 결국 무가 부족한 탓이 아니더냐.”

이진현은 사부의 말에 동의할 수 없었다. 오히려 뛰어난 무위 탓에 불필요한 눈길을 산 탓이었으니까.

하지만 입을 열어 부정할 수도 없었다. 무림인은 무공으로 자신의 의지를 관철하는 법. 그 모든 것을 압도하는 무공을 손에 넣는다면…….

‘그래도 무리다. 그자는 격이 달라.’

결국 이진현은 불편한 국면을 벗어나 본래의 화제를 꺼내었다.

“하면, 사숙께서 제 벽이 되어줄 거란 말씀이십니까?”

남다르다는 생각은 했다. 버들가지로 나비를 가두다니. 하려면 흉내는 낼 수 있을 것이다. 나비를 멀쩡하게 살려두는 것만 포기한다면 말이다.

그러나 그것은 익힌 무공의 차이다. 이진현은 도객(刀客)이다. 빠르고 강맹한 칼질에 있어서는 강호에 비견할 자가 많지 않은 고수. 사숙의 무공이 제 연배에서 가능한 것을 훌쩍 넘어섰다곤 하지만 자신보다 고수라 할 수 있을까?

"네 벽은 이미 허물어진 지 오래다. 그 아이는 그 너머에 있지. 네가 갈 길을 가리키는 별이 되어줄 게야."

이진현은 하루의 말미를 청했다. 고민해 보겠다고는 말했지만, 기실 핑계를 떠올릴 시간이 필요한 것뿐이었다. 그러나 이진현은 제 뜻을 이룰 수 없었다. 머리를 굴릴 필요가 없어졌다고 할 수도 있다.

사마창이 결국 그날 밤을 넘기지 못하고 숨을 거두었기 때문이다.

이진현은 사흘이 지나서야 자리를 떴다. 양지바른 곳에 시신을 묻고, 얼마 없는 세간을 정리하는 데는 하루로 족했으나, 새 짐을 처리할 방도를 찾는데 이틀이나 소요한 탓이다.

"잘 들으시오, 사숙. 사부께선 사숙을 이 몸에게 맡겼으나, 불민한 사질은 그럴 깜냥이 되지 않소이다. 그러니 저 아래 태원(太原)까지만 동행하는 게요. 내 빚을 지워둔 자가 있으니 섭섭하게 대하진 않을 것이오. 이보시오, 사숙. 듣고 있소?”

버들가지를 들고 나비와 노느라 저만치 앞서가던 어린 사숙이 이진현을 돌아보고 배시시 웃었다. 천진한 그 모습이 한 폭의 그림 같아서 이진현은 다시금 그 미소에 빠져들었다.

‘네가 갈 길을 가리키는 별이 되어줄 게야.’

비호등선. 호랑이가 날아 신선이 된다. 그것이 문파의 가르침이다.

우선은 호랑이처럼 강인해져야 하고, 다음은 날개와 같은 특별함을 더한다. 거기서 상승의 깨달음을 통해 신선의 경지에 이르는 것이 바로 이진현이 나아갈 길이었다.

사마창을 쓰러트리고 문주의 자리에 오른 이진현은 비호의 단계에 섰다고 할 수 있다. 사부가 말하고 싶었던 것이라면 역시 저 아이를 통해 신선의 경지를 엿보라는 것이겠지.

“태만 놓고 보면, 선동(仙童)이 따로 없지만 말이지.”

아이답다는 것은 그만큼 세파에 물들지 않았다는 뜻이다. 신선이란 속세의 연을 초월한 존재니, 어쩌면 둘은 통하는 바가 있다고 할 수 있겠다.

생각이 거기에 이르러서야 이진현은 새로운 화두와 마주할 수 있었다. 자신이 사숙을 통해 신선의 경지를 엿볼 수 있다면, 사숙은 자신을 통해 무엇을 얻을 수 있단 말인가?

그때 주위로 상당한 기척이 느껴졌다. 엄한 상념 탓인지 이진현은 한발 늦게 반응했다. 이미 포위망이 형성된 다음이었지만 말이다.

“이진현인가?”

흉터투성이의 장한이 수풀 틈에서 몸을 드러냈다. 짐승 가죽을 엮어 만든 엉성한 피복과 두텁고 투박한 박도(朴刀). 차림새야 닳고 닳은 산적의 그것이었으나, 절도 있는 몸가짐과 심유한 눈빛만큼은 백전노장의 그것이다.

"녹림(綠林)이 아니군."

산적을 가장한 자객 무리를 보며 이진현은 숨겨두었던 살기를 방출했다.

"유감은 없다."

장한이 박도를 머리 위로 들어 올리자, 일견 서른에 이르는 인원이 모습을 드러낸다. 여전히 기척을 숨긴 채 기회를 노리는 자도 남아있을 테니, 실제론 마흔 이상이라고 보아야 했다.

이진현은 도에 손을 가져다 대며, 슬쩍 사숙의 위치를 파악했다. 사숙은 포위망 바깥에서 이곳을 빤히 바라보고 있었다. 같이 놀던 나비를 이번엔 귓가에 붙여둔 채로 말이다.

이진현은 사숙에게 전음입밀(傳音入密)의 수법으로 몸을 피하라고 전할까 고민했지만 이내 포기했다.

이 가짜 산적 패거리가 어린아이라고 두고만 보진 않을 터. 괜히 저들을 자극하기보단, 자신의 시야가 닿는 곳에 사숙을 남겨두는 것이 나을 터. 기회를 엿보다 함께 도주하는 것이 맞을 것이다.

이진현이 그럴 심산으로 발도세(發刀勢)를 취하는 순간, 사숙이 양팔을 번쩍 든 채로 포위망 안으로 난입했다.

"아하하!"

맑은 목소리로 까르륵 웃으면서 사숙은 버들가지를 휘둘렀다. 그 하찮은 몸짓은 상상 이상의 여파를 불러왔다. 경악 섞인 비명이 사위를 잠식한 것이다.

버들가지가 도낏자루를 휘감아 날리면, 그것이 동료의 오금을 후려치고, 넘어지면서 내지른 창이 동료의 옷깃 둘을 동시에 꿰었다. 서로를 떼어내려 분투하는 사내들의 머리를 딛고 사숙은 공중제비를 돌았다. 흰나비가 그 주위를 맴돌며 커져만 가는 난장판을 지켜본다.

아수라장이 펼쳐졌다. 이진현은 놀란 가슴을 억지로 진정시키고 신나게 날뛰는 사숙의 허리를 잡아챘다. 자신을 올려다보는 까만 눈동자 앞에서 이진현은 어설프게 변명했다.

"이 정도면 충분하니 어서 도망칩시다. 이 자들이 끝일 리 없소."

그렇게 휘젓고 다니면서도 피 한 방울 보지 않았다. 그만큼 무위가 대단하다는 뜻이지만, 결국은 아무도 다치지 않았다는 게 중요하다. 이러는 동안 증원이라도 오면, 도망칠 기회조차 사라진다.

이 틈에 자신이 나서서 저들의 숨통을 끊어놓는다면 더 확실한 활로가 열리겠지만, 그러고 싶지 않았다. 매사 사숙의 몸짓에는 순수한 기쁨이 담겨있었다. 세계와의 만남을 기쁨 하나로 받아들이는 것이다.

이진현은 그것을 지키고 싶었다. 사숙에게 피를 보여주고 싶지 않았다. 그는 사숙을 옆구리에 낀 채로 산적의 틈바구니를 빠져나갔다. 누구 하나 다치지 않게 조심해서.

그것은 살인술에 익숙한 그에게는 낯선 몸놀림이었기에, 작은 대가를 치러야만 했다. 뒤에서 날아온 화살이 어깨를 스친 것이다. 이진현에게는 별거 아닌 생채기였으나, 처음으로 피를 본 사숙은 생각이 달랐던 모양이다.

흐르는 피를 손바닥으로 닦아낸 아이가 미간을 찌푸렸다. 아이는 이진현의 팔에서 미끄러지듯 빠져나와 바닥에 내려섰다. 그리고 나무줄기에 박힌 화살을 뽑아 들었다. 차가운 시선이 이쪽으로 달려오는 무리를 향한다.

이진현은 저도 모르게 손을 뻗었다. 그 위로 나비가 내려앉았으며.

이진현은 침음을 흘렸다. 화살을 잡아채느라 손아귀가 찢어지는 고통은 대단하지 않았지만, 이 조그마한 사숙의 완력을 이겨내는 것이 쉽지 않았다. 그렇다고 포기하면 한 사람의 목숨이 사라진다.

사숙이 기절한 궁수의 목에 화살을 박아 넣으려는 것을 가까스로 막아냈다는 말이다.

누군가를 살리는 것은 적어도 그에게 익숙하지 않은 일이었다. 상대가 적이라면 말할 것도 없다. 그렇기에 이진현이 구하려는 대상은 사숙이라고 할 수 있었다.

“노기(怒氣)를 다스리시오. 한 번 저지르고 나면 돌이킬 수 없소. 아직은 아껴두는 것이 낫지.”

아무리 대단하다고 한들 사숙은 아직 애였다. 속없이 웃으며 나비나 쫓아다니는 애. 어린아이가 제 손에 피를 묻히려는 것을 방조해서야 어른으로서 자격이 없다.

화살에 가해진 힘이 풀렸다. 사숙은 이진현의 손을 붙잡고 상처를 들여다보았다. 제 얼굴만 한 손바닥에 코를 박다시피 하면서. 이내 고개를 들어 이진현을 응시하는 아이가 입을 뻐끔거린다. 눈가에 눈물이 그렁그렁 맺혔다.

"괜찮소. 이 정도면 침 바르면 금방 나아."

이진현이 보란 듯이 상처를 핥았으나, 고장 그 정도로 아이를 진정시킬 수는 없었다. 아이는 두리번거리다, 기절한 장정을 발견했다. 정확히는 그의 허리춤에 매달린 단검을.

"자, 잠깐! 무슨 짓을 하려고!"

아이가 스스럼없이 단검을 빼 들자, 이진현이 기함했다. 혹 치기에 쓰러진 작자들을 다 죽여 버릴까 걱정한 것이다. 그러나 그런 우려가 무색하게도 아이는 제자리에서 춤을 출 뿐이었다.

처연한 검무(劍舞)였다.

노니는 듯, 서성이는 듯, 부르는 듯, 기다리는 듯. 소담한 걸음에 온갖 정회가 휘몰아쳤다. 저 작은 몸에서 쏟아지는 감정이 마치 바다와 같아서, 이진현은 치유 받았다.

불안도, 염려도, 걱정도, 아픔도, 그리움과 두려움조차도. 그 파도에 휩쓸려 없는 것이 된다.

동시에 이진현은 깨닫는다.

나비를 쫓으니, 그것은 기쁨[喜]이다. 산적과 싸우니, 그것은 노여움[怒]이다. 이제 상처를 앞에 두고서 춤사위를 펼치니, 이것이야말로 슬픔[哀]이었다.

천고의 재능을 가진 이 아이는 날 때부터 신선이었다. 그렇기에 인간의 감정을 순차로 배우지 못했으니, 사조와 사부가 사숙에게 주고 싶은 것이 있다면 바로 그것이리라.

칠정(七情)이라 했다. 불자들은 칠기(七氣)라고도 한다. 희노애락(喜怒哀樂)과 애오욕(愛惡慾)을 의미하니, 인간의 마음은 기쁨, 노여움, 슬픔, 즐거움, 사랑, 미움, 욕심으로 이루어진 무지개와도 같다는 것이다.

오직 희(喜)의 한 빛깔로 빛나던 사숙은 신비함으로 점철된 아이였다. 그러나 노(怒)와 애(哀)의 색이 더해지니 한층 인간에 가깝게 느껴졌다. 이진현은 침을 꿀꺽 삼켰다. 과연 자신이 저 아이를 완성할 수 있을까?

아니, 그래도 되는 걸까? 이 누추한 세상에 검선을 모셔도.

이진현은 경로를 수정했다. 본래는 태행산맥(太行山脈)의 거친 산세에 의존하여 세간의 눈을 속일 작정이었으나, 이미 상대의 손길이 코앞까지 다가온 시점이다. 차라리 인파에 스며들어 저들이 경거망동하지 못하게 하는 것이 나았다.

"선양현(鄯陽縣)이구려."

이진현은 저 아래 내려다보이는 작은 고을을 보며 중얼거렸다. 마음에 찰 만큼 번화한 곳은 아니었지만, 한숨을 돌리고 가기엔 충분하다.

장성(長城)의 끝자락이 가까운 곳이라 새외(塞外)의 무인이 넘어오는 것을 경계한답시고 무림맹(武林盟)의 지부가 들어섰기 때문이다. 그자도 생각이 있다면 저곳에서 싸움을 걸어오진 않을 것이다.

이진현은 걸음을 서둘렀지만 그것은 마음뿐이었다. 사숙에게 소매를 붙들린 터라 움직이지 못한 것이다.

“또? 시간이 얼마나 지났다고.”

사숙은 마냥 웃을 뿐이다. 이렇게 웃으면 결국 이기지 못하고 대련해 임해준다는 것을 깨달은 며칠이었다.

“알았소. 오늘은 이게 마지막이요.”

사숙은 기운차게 고개를 끄덕이고는 목검을 붕붕 휘두르며 달려왔다. 장한에게서 뺏은 단검에 애착을 보이기에, 위험한 날붙이로부터 분리하고자 궁여지책으로 만들어 준 물건이다.

이진현은 호흡을 가라앉힌다. 무척이나 빠른 움직임이다. 보다 상승의 경지에 오르기 위한 단초를 얻을 생각으로 몇 차례 손을 섞었건만, 오히려 득을 본 쪽은 낙(樂)의 결(訣)을 얻은 사숙 쪽이었다.

나비를 상대할 때의 나긋함과는 달리 발정 난 잔나비처럼 날뛰니 감당하기가 힘들다. 그 탓에 몰골도 짐승과 다름없어졌지만 말이다.

칼집 채로 휘두르는 도와 날렵한 목검이 부딪치며 경쾌한 소리를 낸다. 사숙은 바닥을 구르고 나무 위를 기어오르며 쉼 없이 공격을 쏟아낸다. 겨우 빈틈을 찾아 공격해 들어가기라도 한다면, 기다렸다는 듯이 도신을 밟고 저 멀리까지 솟구치곤 했다. 환호성이 아련해질 때까지.

사숙이 만족할 때까지 어울려준 이진현은 그를 데리고 마을로 내려갔다. 가장 번듯한 객잔에 들른 그는 칼을 보고 긴장한 점소이에게 은자를 던져주며 말했다.

"우선 따뜻한 물부터 준비해 주게. 씻는 동안, 이 아이와 내가 입을 의복을 구해주고. 식사는 그 이후로 하겠네."

대련할 때의 사숙 못지않게 신이 난 점소이의 안내를 받아 별채로 이동한 이진현은 잠시 후 중대한 사고와 마주하게 되었다.

"맙소사. 사숙(師叔)이 아니라, 사고(師姑)셨군."

불경을 무릅쓰고 어린 사고를 씻긴 보람은 적지 않았다. 여주인을 불러 새로이 단장시키고 새 옷까지 두른 사고는 어떻게 봐도 어여쁜 소녀였으니까. 처음 봤을 때보다 두어 살은 더 들어 보였다. 몇 해만 흐르면 혼례도 올려도 이상하지 않을 법한.

"저걸 먹고 싶다고?"

하는 짓은 댓 살 먹은 애와 다름없었지만 말이다. 이진현은 사고에게 빨갛고 노란 탕호로를 하나씩 집어주었다. 산시나무 열매와 명자나무 열매를 대나무 꼬치에 꿰고는 설탕물을 입힌 간식이다.

"대신 이제 이 사질의 말을 잘 들어주셔야 하오."

대꾸는 돌아오지 않았다. 부정의 의미가 아니라 생전 처음 보는 탕호로의 자태에 넋이 나간 탓이다. 사고는 조심스럽게 빨간 탕호로를 베어 물었다. 바작. 잠시 멈추었던 입술이 오물거린다. 사고의 얼굴이 창백하게 변했다. 마치 시간이 멈춘 듯했다.

"왜 그러시오? 맛이 이상한가?"

사고는 고개를 저었다. 뺨을 타고 흐르는 눈물을 본 이진현은 기가 막혔다. 눈물 나게 맛있다고. 그 정도란 말인가?

애정의 눈빛을 담아 탕호로를 바라보던 사고는 다시 이진현을 올려다보았다. 그녀는 아직 입을 대지 않은 노란 탕호로를 내밀었다. 표정은 의연했지만, 손이 가늘게 떨리고 있었다. 이진현이 짓궂게 웃으며 손을 내미니 살짝 멀어지기까지.

이진현은 퍽 상황이 유쾌하다고 느꼈다. 웃음이 터질 것만 같았다. 짧은 순간이었지만, 자신의 처지를 잊어버릴 만큼 행복감에 젖어 들었다. 무림인이 되지 않고 민초로 살아갔다면, 이만한 딸과 함께 이런 삶을 살아가지 않았을까.

당치도 않은 꿈이었다.

"그만하면 충분하지 않았나? 이제 미몽에서 깨어나시게, 광명좌사(光明左使)."

지붕 위에 한 남자가 서 있었다. 긴 머리를 휘날리는 절세의 미남자. 금실로 용을 수놓은 장포가 바람에 휘날렸다.

천둥소리가 들렸다.

정신을 차렸을 때, 이진현은 무릎을 꿇고 있었다. 기억이 끊기기 전과 같은 장소였다. 그는 고개를 들려고 했지만, 전신을 내리누르는 압박감에 미동조차 하기 어려웠다.

'물렸다. 내가 물렸어.'

자책감이 밀려왔다. 사람들의 시선? 무림맹 지부? 그가 직접 움직인다면 아무런 의미가 없는 것이다. 그는 자연재해와 같은 존재다. 인력으로 막을 수 없는 재앙 그 자체.

유일하게 자유로운 눈을 움직인다. 시야의 저 끝에 익숙한 옷자락이 보였다. 사고다. 사고가 바닥에 누워있었다. 점멸하는 기억의 일부가 돌아왔다. 남자의 목소리가 들리고, 사고가 그를 향해 쇄도했다. 그리고, 천둥.

"끄으으!"

이진현은 힘을 주어 몸을 일으키려 들었다. 사고가 당했다. 사고. 신선으로 태어나 사람의 마음을 배워가는 사고. 내 작은 사고. 눈알의 실핏줄이 터지며 시야가 흐릿해진다. 기어코 상체를 세워 사고가 있는 방향을 바라보았지만, 어느새 다가온 사내가 시야를 가리고 있다.

"교주!"

천마(天魔) 구양학. 자타가 공인하는 무림제일인(武林第一人)이자, 하늘 아래 가장 강력한 집단이라는 일월신교(日月神敎)의 주인. 무림맹의 척살대상 일호.

"그래. 이 몸이 직접 납시었네. 광명좌사, 자네 하나를 챙기려고 말이야."

더불어 이진현의 옛 주군이자, 그를 쫓는 무리의 배후였다. 이젠 탄식조차 나오지 않는다.

"왜 저입니까? 무공은 광명우사(光明右使)에 미치지 못하고, 명망은 호교법왕(護敎法王)조차 따르지 못하건만."

구양학은 유독 이진현에게 아꼈다. 중원의 떠돌이 무사에 불과하던 그를 대우하여 자신의 왼편에 두고, 이를 질시하는 수하로부터 이진현을 지켰다.

거기서 끝나지 않고, 제 발로 떠난 이진현을 데리러 삼십 년 만에 중원에 친히 나섰으니, 집착이란 말도 과언이 아니다.

"자네 말대로야. 백 세가 넘은 노괴(老怪)와 비교해도 고작 한 발짝 못 미치는 무위는 본교의 젊은이들에게 좋은 자극이 되어주었지. 실지로 본교에서 나고 자란 법왕의 영향력 위협할 지경에 이르지 않았던가. 자네의 가치는 자네가 제일 잘 알고 있을 텐데."

구양학의 말이 맞았다.

이진현은 걸출한 실력에도 불구하고 무림맹이 주도하는 중원의 무림에서는 명성을 날리지 못했다. 소위 명문을 자처하는 방파는 이진현과 무예를 견주지 아니하였고, 오히려 그를 배척했다.

그러나 일월신교는 달랐다. 외지에서 들어온 이진현을 경계하긴 했으나, 그의 무공만큼은 인정한 것이다. 광명좌사에 오를 수 있었던 것은 교주인 구양학의 신망이 두터운 덕이었지만, 그의 눈에 들 수 있었던 것은 실력이라는 바탕이 있었기 때문이리라.

이진현은 일월신교에 충실한 자였다. 얼마 전까지만 해도 말이다.

"전 돌아가지 않을 겁니다. 비록 교주를 막을 수 없다 해도, 나서서 손을 보탤 수는 없습니다."

이진현이 일월신교를 나선 것은 구양학이 무림맹을 멸할 생각임을 알게 되었기 때문이었다. 무림맹과 일월신교, 둘 중 어느 곳을 더 가까이 여기냐고 한다면 역시나 일월신교다. 그러나 족히 수천

이 피를 마셔야 끝을 볼 수 있는 정사대전(正邪對戰)을 감수할 정도는 아니었다.

“그건 자네가 정할 것이 아닐세.”

절대자는 무심하게 답했다. 그의 새하얀 손이 이진현의 얼굴을 덮어왔다. 이진현은 공포를 느꼈다. 이제 세상은 전화에 휩쓸릴 것이다. 그를 통해 괴로워질 사람 중에는 분명 그 아이도…….

“안 돼요.”

맑은 목소리. 뺨을 간질이는 바람에 향긋한 향기가 실려 있다. 이진현은 고개를 돌려 사고를 바라보았다. 해져버린 옷과 봉두난발이 되어 버린 머리. 그러나 한번 되찾은 미색은 사라지지 않았다. 사고는 양손으로 목검을 잡고 구양학을 겨누었다.

구양학은 아랑곳하지 않고 제 소매를 살폈다. 미풍에 섞인 기운이 호신강기(護身罡氣)를 뚫고 옷자락을 넝마로 만들어버렸다. 입가에 절로 미소가 서린다.

“내 꺼예요.”

고집스러운 표정으로 또박또박 말하는 사고. 무사한 모습에 안도감도 잠시였다. 이진현은 망연히 중얼거렸다.

“말을 할 수 있어?”

그에 구양학이 대신 답하였다.

“천무지체(天武之體)다. 타고 나기를 무(武)의 화신인 게지. 무는 모든 것을 갈음한다. 원하는 것을 손에 넣는데 방해되는 것 모두 배제할 수 있다는 것이야.”

이진현의 뇌리에 어린 시절의 한 편린이 스쳤다.

'말보다 빠르면 말이 필요 없고, 검보다 예리하면 검이 필요 없지. 하여 신선은 말을 하지 않고 도구를 탓하지도 아니한다. 이를 두고 여의지경(如意之境)이라고 한다.'

뜻과 현상이 같으므로 여의(如意)다.

자신을 만나기 전 사고는 신선과 같았다. 놀고 싶으면 놀았고, 먹고 싶으면 먹었다. 생각해 보면 사부가 사고를 챙긴 것이 아니다. 병색이 완연한 사부의 곁을 사고가 챙긴 것이다. 사부는 사고가 여자인 것도 모르지 않았던가? 초면의 사고가 그렇게 단정할 수 있었던 것은 스스로 그러하였기[自然] 때문이다.

이진현은 눈을 감았다. 그저 나비나 쫓던 사고가 자신과 만나 피를 보고, 눈물을 흘렸으며, 흙바닥을 굴렀다. 사부의 유언으로 시작되었지만, 저지른 자는 자신이었다. 신선에게 때를 묻혔다.

"못 줘. 싫어. 그러지 마."

사고는 나날이 인간이 되어간다. 좋아하는 것이 생기고 그것을 자신과 나눈다. 인간(人間)의 정(情)마저 품고 말았다. 이번엔 애(愛)다. 이진현을 더 이상 궁금하지 않았다. 저 어여쁜 아이가 미움[惡]을 품고, 집착[慾]을 배울 거라 생각하니…….

"사고. 그러지 마시오."

굳이 차갑게 내뱉은 목소리에 사고의 눈동자가 흔들렸다. 이진현은 마음을 굳게 먹었다. 그러니까 초옥에 들어설 때보다 배는 강하게. 실수해서는 안 된다. 그러면, 다친다.

"사질이 생각을 잘못했소. 나는 교주를 따라갈 것이외다."

"시, 싫어."

도리질 치는 사고로부터 눈을 돌린다.

"어차피 사고는 지금 교주를 이길 수 없소. 그리고 교주는 사질을 필요로 하니, 불필요한 다툼은 피하는 게 낫지. 그, 탕호로도 사주면서 말하지 않았소? 이번에만 이 사질의 청을 들어주시오."

"미워!"

사고가 빽 소리를 질렀다. 이진현은 시큰한 속내를 숨기며 웃었다.

"잘 됐구먼. 나중에 화 풀리면 그때 다시 만납시다."

고작 며칠이었건만. 그게 뭐라고 이렇게까지 정이 깊이 들었을까? 이진현은 물러터진 자신을 탓한다. 물렀다. 너무 물러서, 지금 이 지경에 이르렀다. 그러니 대가를 치를 수밖에.

"면목이 없습니다. 따르겠으니, 이만 가시지요."

구양학은 오히려 몸을 돌렸다. 사고가 있는 곳을 향해서였다. 이진현은 한발 늦게 깨달았다. 사고에게서 기운이 피어오르고 있었다. 드리운 노을을 뚫고서 흘러나오는 찐득한 기운. 검고 푸른 그것은 광명좌사로서도 목도한 적 없을 정도로 짙고도 어두운 마기(魔氣)였다.

"설마, 오(惡)!"

"하하하! 해보자는 거구나."

구양학의 장포가 사정없이 펄럭였다. 바로 앞에서 그 기세를 맞은 이진현이 저 멀리 튕겨 나갔다. 담벼락에 부딪혀 겨우 멈춘 그는 피를 한 사발이나 토했다. 말리고 싶었지만, 말이 나오지 않았다.

"천무지체라. 참으로 큰 그릇이지. 그곳에 무엇을 채우든 너는 네 우주를 가지게 될 것이다. 지금도 알록달록하니, 제법 즐겼던 모양인데."

"싫어. 주기 싫어. 밉다. 미워. 미워 죽겠어. 죽어. 죽일 거야."

검푸른 기운 목검을 압착했다. 표면이 반들반들하게 변하고 날을 세운다. 제힘을 과시하듯 기운이 더 세차게 날뛰었다. 이진현은 강호를 주유하던 시절 해남도(海南島)에서 보았던 광경을 떠올렸다. 폭풍우 치는 밤바다.

"아, 안 돼."

이진현은 닿지 않을 것을 알면서도 손을 뻗었다. 그때 깨달은 것은 자연에 대한 두려움이 아니었다. 일신의 힘으로 그 모든 것을 잠재운 절대자에 대한 동경이었다. 천마와 처음 만난 곳이 바로 해남도였다. 그곳에서 구양학은 바다를 향해 손바닥을 내질렀고, 그 파천황(破天荒)의 일격에 모든 것이 끝났다.

"안 돼애애!"

백색의 섬광. 목검을 든 채로 둥실 떠오른 팔 한쪽. 바스러지는 나비. 굽이치는 거짓 속에서 이진현은 까무룩 혼절하고 말았다.

이진현은 꿈을 꾸었다. 꿈속에서 그는 고집쟁이 딸을 둔 농군이었다가, 정혼자와 서신을 주고받는 젊은 유생이었다. 가끔은 자신을 쫓는 악동을 희롱하는 나비가 되기도 했고, 구름 위에서 속세의 일을 돌이키는 신선이 되었다.

드물게 깨어서 빠르게 스치는 산천을 바라보면서도 이진현은 현실감을 느끼지 못했다. 어쩌면 외면한 걸지도 모른다. 그가 의식을 되찾을 때마다 구양학은 솜씨도 좋게 수혈(睡穴)을 눌러 재워버렸다는 사실을 지금의 이진현이 알게 되면 작게나마 감사를 표할지도 모른다.

그 순간을 잊게 해준 것에 대해 말이다.

그러나 현실은 벼락과 같아서 고개를 돌리고, 눈을 감는다고 해서 피할 수 있는 것이 아니었다. 이진현이 눈을 뜨자마자 마주한 밤하늘은 그때 사고가 내뿜은 마기와 똑 닮아있어서, 다시금 뜨거운 눈물이 흘렀다.

"지독하군."

곁에는 구양학이 털썩 주저앉아 있었다. 평소의 말끔한 모습과는 달리 지금의 그는 상당히 추레했다. 이진현은 그를 향해 입을 열었다. 자신이 생각했던 것보다 훨씬 차분한 목소리로.

"어떻게 된 겁니까?"

알아야 했다. 얼마나 시간이 지났는지. 이곳은 어디인지. 왜 이번에는 수혈을 짚지 않았는지. 여력이 없는 건지, 필요가 없던 건지.

구양학은 물끄러미 이진현의 눈을 바라보다 맥이 풀린 듯 답했다.

"천산(天山)으로 가는 길일세. 여긴 기련산(祁連山) 어디쯤 되고, 선양현에서 보름을 달렸지."

이진현은 빠르게 계산을 마쳤다. 선양현에서 기련산까지 거리는 말로 달리면 보름 정도 걸린다. 다시 말해, 평소의 천마라면 닷새 정도에 돌파할 정도의 거리였다.

"무림맹입니까?"

경로에 놓인 무림맹 소속 문파를 헤아린다. 서안(西安)의 화산파(華山派)와 종남파(終南派)나, 마교라면 치를 떠는 공동파(崆峒派). 어느 곳 하나 만만한 곳이 없었지만, 그래도 천마의 발목을 잡기엔 부족함이 있다.

목이 메었다.

"아니. 사고가 아직……."

구양학은 쓴웃음을 지었다.

"맞아. 자네 사고와 무림맹이 손을 잡았어. 정확히는 무림맹이 그 외팔이 꼬마를 태사(太師)로 삼았네."

무림맹의 태사(太師)는 당대에 가장 명성이 높은 무인에게 주어지는 명예직이었다. 중원의 명문 출신이 아니면 기회조차 주어지지 않고, 한 명을 선출하기 위해서는 십 년이 넘도록 암중에서 투쟁해야 하는 정치적인 자리.

그 자리를 사고가 차지했다는 것이 의미하는 바는 분명하다.

"이번 기회에 어떻게든 본좌의 목을 취하겠다는 게지."

구양학은 도망치고, 사고는 그 뒤를 쫓는다. 따라잡은 사고가 구양학을 붙들고 늘어지면, 그 뒤를 따라온 수많은 무림맹의 고수들이 합류한다. 천하제일인도 인간은 인간인지라 조금씩 체력이 깎여나갔다는 것이다.

"그래서 결단을 내리신 거군요."

이진현은 주변을 둘러본다. 병풍처럼 둘러친 수려한 산세에서 기묘한 위화감이 느껴졌다. 진법(陣法)의 흔적이다. 일월신교의 비술을 가미하였으니, 평범한 사람은 진입하지도 못할 터. 그러나 불세출의 천재인 사고라면 뚫을 수 있다. 오직 그녀만이.

"따라잡았다."

그 증거가 코앞에 있었다. 숲길을 헤치고 나온 사고가 서늘한 눈으로 구양학을 노려본다.

곱게 땋은 머리끝에 황금색 댕기와 매화꽃을 수놓은 아름다운 무복. 그리고 복마(伏魔)란 문자가 새긴 검까지. 각기 종남과 화산, 공동의 신물이었다.

"이르다."

구양학은 자리에서 일어나 여유로운 태도로 말을 이어갔다.

"못해도 이십 년. 좋은 스승을 만난다면 십 년. 네 그릇을 다 채우려면 그 정도는 필요하다."

"재능이 없는 녀석들이나 그렇지."

"천하에 천무지체가 너 하나라고 생각하나?"

구양학은 환하게 웃었다. 반백 년 동안 제 그릇을 착실하게 채워온 그로서는 눈앞의 후배가 가소로울 뿐이다. 아이가 첫날처럼 죽기 살기로 덤볐으면, 지금까지 올 것도 없었다.

"아집의 대가를 치를 때가 왔다. 마지막 자비로 네가 그렇게 바라던 사질과 이야기할 시간을 주마."

사고는 그제야 이진현을 바라보았다. 이진현은 그 눈을 피했으나 멀리 도망가지는 못했다. 허전한 오른팔. 죄책감이 그의 고개를 들어 올렸다.

"시집은 다 갔구려."

농으로 시작한 말에 사고는 피식 웃음을 터트렸다. 그 표정만 놓고 보면 일찍 철이 든 여염집 소녀와 다를 바가 없어서, 이진현은 또다시 마음이 무거워졌다.

"그러게 왜 쫓아왔소?"

"보고 싶어서."

"그게 다요?"

사고는 고개를 저었다.

"보여주고 싶어서."

소녀는 가슴을 쭉 편다. 팔 하나가 없어도 당당하고 멋이 있다. 신선이 아닌 한 명의 인간으로서도 그녀는 아름다운 존재였다.

이진현은 마지막이 될지도 모르는 그 모습을 눈에 담으려 했으나, 곧 차오른 눈물 탓에 그 시도는 허사가 되고 말았다.

"사질. 싸움이 끝나면 말이야. 그게 어떤 식이 되더라도. 부탁 하나만 들어줄래?"

"말하시오."

이진현은 눈에 힘을 주고 사고를 노려본다. 일렁이는 인영이었으나, 어쩐지 미소가 전해지는 듯하다.

"그땐, 네가, 내 이름을 지어주라."

보름 동안 꿈속에서 무수히 지나친 장면이 떠오른다. 그날, 버들가지[流]를 들고서 흰 나비[素]를 좇던 어린아이[兒].

약간은 조급한 대꾸에 류소아는 미소로 화답했다.

류소아는 살고 싶었다. 살아서 이루고 싶은 것들이 많았다. 소용돌이치는 상념이 이윽고 실체를 이뤄서는 검을 타고 피어오른다. 복마검 위로 피어오르는 보라색 불길은 그녀의 욕망을 투영한다.

“어려서 그런지 뭐든 빠르게 습득하는군. 하지만 가볍다.”

구양학의 손 위로 하얀 불꽃이 피어올랐다. 삼매진화(三昧眞火). 홍진 세상을 무위로 돌리는 성스러운 불. 그것은 이내 수백 개로 분화하여 사위를 대낮처럼 밝힌다.

“대의를 품고 외길을 달려온 나다. 무림맹과 황실을 불사르고 천하의 도를 바로 잡기 위해서야. 고작 인정에 휩쓸려 맨발로 뛰어온 계집 따위와는 짊어진 것이 다르다는 말이다.”

천마는 손가락을 튕겼다. 딱 소리와 함께 류소아의 검이 하얀 불꽃에 휩쓸렸다. 보랏빛 검기는 물론이요, 복마검 자체에도 균열이 일었다. 천마는 인상을 찌푸리며 물러서는 소녀에게 턱을 치들었다.

“본좌야말로 정화(淨化)의 현신(現身)이니라.”

류소아는 검을 몇 번이고 고쳐잡다가 결국 바닥에 내팽개쳤다. 그리고 그 위에 침을 뱉었다.

“뭐라는 거야, 꼰대 자식이.”

“뭐?”

“힘 좀 세다고 막 그렇게 가르치려고 들면 ‘아, 네 그러십니까? 대단한 분이셨군요. 알아서 모실게요. 제가 분수를 몰랐습니다.’ 이럴 줄 알았어? 결국 당신이나 나나 남 생각 안 하고 내키는 대로 하는 것뿐이잖아. 똑같이 억지 부리는 주제에 혼자 잰 체하지 마.”

"무슨……!"

"나는 내 마음대로 할 거야. 당신은 당신 마음대로 해. 하지만 누가 이기던 그건 힘의 차이일 뿐이지, 옳고 그름의 문제가 아니야."

구양학은 말을 이어갈 수 없었다. 고작 열두세 살 먹은 여아의 논변에 당한 것은 아니었다. 기세에 눌린 것도 아니다. 그저 한 무인이 빚어낸 현상에 경악을 참을 수 없던 것이다.

류소아는 투명한 검이 빚고 이어 그것에 색을 더했다. 흥겨운 홍(紅). 끓어오르는 주(朱). 쓸쓸한 황(黃). 신나는 녹(綠). 애틋한 청(靑). 끈적한 남(藍). 엮어 드는 자(紫). 그 모든 감정이 섞이고 섞여 무형검(無形劍)은 삼라만상(森羅萬象)을 품고, 또한 초월한다.

"현천(玄天)의 검?"

당대(唐代)의 검선(劍仙)의 손을 통해 단 한 번 펼쳐졌다는 전설의 무공. 구양학은 눈을 의심하면서도 삼매진화를 점으로 압축했다. 폭풍조차 잠재우는 파천황의 일격이 그의 손에서 재현되었다.

반발 앞서 쏘아진 파천도룡포(波天屠龍砲)에 맞서 당대(當代)의 검선이 춤을 춘다.

한없이 드넓은 우주에 홀로 나서 한없이 외롭게 걸어갔으나, 어둠에 가려진 것들과 마주하며 자신의 윤곽을 찾아가는 여정이 그리 나쁘지만은 않았기에.

류소아는 이것을 검하칠정무(劍下七情舞)라 이르기로 했다.

외팔이 노인이 지팡이를 잡은 채 길가에 서 있었다. 인기척을 느껴 고개를 드니 익숙한 얼굴이 그를 바라보고 있었다. 노인은 슬며시 미소를 지었다.

"그래, 별이지 않더냐?"

사내는 고개를 끄덕였다. 그러고는 아주 많은 말을 했다. 사마창은 고개를 끄덕이고 때론 말을 보태며 한참을 그와 어울렸다.

"네 말이 맞다. 나도 말년에서야 깨달았지. 선현의 말씀을 받아들이고 무공을 전승하는 것도 중요하지만, 결국 죽을 때가 되어서야 생각나는 건 사람이었다. 사람을 잊어선 안 돼. 사람을 향한 마음을 말이다. 그걸 잃고서 신선이 되어봐야, 제자리일 뿐이니라. 하날 얻고 하날 잃은 셈이니 말이다."

사마충은 굽은 허리를 펴고 사내를 끌어안는다. 그의 등을 토닥이며 그는 속삭인다. 그에게, 또는 그에게, 혹은 당신에게 말하듯이.

"세상사 죄 마음의 문제니라. 마음이 곧 품어야 할 별이란다."

이것은 아주 먼 훗날의 이야기, 혹은 꿈속에서 지나쳐 누구도 기억하지 못할, 그런 이야기다. 실체가 없다 한들 어쩌랴. 사람을 잇는 무지개는 뉘 알아주길 바라여 그곳에 있는 것이 아닐지니.

終

이삭의 왕과 숲속의 마법사

옛날, 이 땅은 오늘과 다름없이 평화로웠습니다. 사람들은 대지의 어머니께서 내린 가르침을 가슴속 깊이 새기며 순박하게 살아갔지요.

이웃과 더불어 살아라. 타인을 해치지 말라. 네 영혼의 순수를 갈고 닦아라. 당장은 더디 가는 것 같아도 끝내 열매를 맺을 것이다.

풍족함에 감사하라. 궁핍함에 지지 말라. 정령이 늘 우리와 함께 함을 기억하라. 이 세상은 그대의 공과를 잊지 않을 것이다.

그러던 어느 날. 한 남자가 바다를 넘어왔습니다.

그에게는 새로운 생각이 있었고, 그것은 사람들을 놀라게 했습니다. 어떤 사람들은 그를 비웃거나 두려워하며 멀리했지만, 그렇지 않은 사람 또한 많았지요.

시간이 흐를수록 남자를 따르는 무리는 커져만 갔습니다. 추종자들은 입을 모아 말했습니다.

- 이삭의 왕이시여. 어리석은 우리를 이끌어 주세요.

남자는 몇 번이고 사양했지만, 끝내 그들의 뜻을 받아들였습니다. 결국 대지의 어머니를 반려로 맞아들임으로써 이 땅의 진정한 왕이 된 것이지요.

이삭의 왕은 말했습니다.

- 이 세상에는 정령도, 영혼도 없다.

- 볼 수 없고, 들을 수 없는 것에 관해 이야기하는 것을 그만둘지어다.

- 그리고 고개를 돌려 내 아이를 보라.

- 그 아이는 자라나 다시 아이를 낳을 것이니, 일생의 가장 큰 보람은 건강한 몸으로 손주를 품에 안는 데 있을지어다.

- 두려움의 숲을 함께 헤쳐 나가자.

- 그대, 나의 백성아.

- 오늘, 밀알을 심어라.

그로부터 사십 년이 흘렀습니다.

이삭의 왕은 현명하게 백성들을 다스렸습니다. 백성들 또한 그의 가르침을 따랐습니다.

힘을 모아 가꾼 밀밭은 가을마다 황금빛으로 출렁였고, 마을과 마을을 잇는 큰길에는 매일 같이 마차가 오갔습니다.

마을에 고작 한둘이나 있었을 노인도 늘어났습니다. 젊은 부부가 일하는 동안 조손이 함께 산책하는 것도 이제는 드문 일이 아닙니다.

세상은 그렇게 바뀌었지요.

그날도 촌로는 손녀의 손을 잡고 밀밭 길을 걷고 있었습니다.

"할아버지는 왕을 본 적이 있나요?"

"물론이지. 할아버지가 우리 강아지만 할 적에 이 마을을 지나간 적이 있단다."

촌로의 주름진 얼굴이 밉지 않게 구겨졌다.

그땐 믿지 않았다. 자신처럼 평범한 소년이 이 나이까지 건강하게 살아서 손주를 보게 될 줄은.

세상 물정 모르는 도련님의 허울 좋은 지껄임이라 여겼더랬지.

"밀밭 같은 머리카락. 그리고 새파란 하늘을 닮은 눈. 참으로 아름다운 분이셨어."

"어쩌면 천사일지도 몰라요."

"누가 그러디?"

"할머니가요."

촌로는 한숨을 쉬었다. 나이를 먹으면서 누구보다 왕의 열렬한 추종자가 된 그와는 달리 아내는 어릴 때와 그리 달라진 것이 없었다.

촌로는 손녀와 눈을 맞추었다.

"세상에 천사는 없단다. 이삭의 왕께서도 말씀하시지 않았니? 보이지 않고, 들을 수 없는 것에 관해 이야기하지 말라고."

"하지만 할머니가 그랬어요. 이삭의 왕께선 하늘의 계시를 받은 게 분명하다고요. 그렇지 않으면 어떻게 세상을 바꿀 수 있겠냐고요."

"그분 또한 누군가에게 배운 것을 전했을 뿐이야. 이 땅에서 함께 살아가는 것은 오직 사람과 사람뿐이니까. 그러니까 우리는 사는 동안 서로에게 최선을 다해야 하는 거란다."

촌로는 아버지에 대한 기억이 없다. 그가 너무 어렸을 때 죽었기 때문이다.

이삭의 왕이 이 땅에 오지 않았다면, 대지의 어머니가 그를 반려로 맞이하지 않고, 이 땅의 사람들이 그를 따르지 않았다면, 촌로에게도 그의 아버지와 다르지 않은 운명이 주어졌을 것이다.

이렇게 좋은 세상을 보지도 못하고 말이다.

"천사는 없단다. 정령도, 영혼도 없어. 본 적도 들은 적도 없는 대해 떠들 시간에 사랑하는 사람들의 손을 잡아주려무나. 그것만이 우리가 웃으며 살아갈 수 있는 길이야."

말문이 막힌 손녀가 두 뺨을 부풀렸다. 촌로는 흐뭇하게 그 모습을 지켜보다, 누군가를 떠올렸다. 왕을 앞에 두고 뚱한 표정으로 말대꾸하던 소년의 얼굴을.

- 보이지 않고, 들리지 않아도, 없다고 할 수는 없어요.

- 그래, 알 수 없지. 그것이 있다고 밝혀지기 전까지는 내게 소중한 것을 사랑하며 살아가는 것이 낫다는 말이란다.

- 그래도, 누군가는 찾아 나서야 한다고 생각해요.

이삭의 왕이 답했다.

- 그래, 그것이 마법사의 몫이지.

촌로는 황급히 회상에서 깨어났다. 손녀가 옷자락을 잡아당긴 탓이다.

"어? 할아버지. 저기! 저기 보세요!"

손녀가 가리킨 길 저 끝에는 노을을 등지고 다가오는 인영이 있었다.

"여행자인 모양이구나."

근방에 마을은 이곳뿐이니 묵을 곳이 필요할 것이다. 식사와 잠자리를 내어주고 바깥소식을 들으면 그 또한 소소한 즐거움이겠지.

"할아버지?"

손녀의 손을 잡고 다가가던 촌로의 걸음이 점차 느려졌다. 그는 침침한 눈을 비볐다. 그러고 다시 봐도, 달라지지 않은 것이 있었다.

변치 않고 반짝이는 다갈색 눈동자가 그랬다.

숲속에는 공주님이 살았습니다. 대화는커녕, 눈인사조차 나눈 적도 없지만 알 수 있었지요. 공주님께서는 지켜보고 계신다고요.

배고픈 날에 머리 위에 똑 하고 떨어지는 도토리. 막다른 곳에서 마주쳤음에도 입맛만 다시다 결국 돌아서는 늑대.

그 모든 것이 공주님의 손길이라는 것을 소년은 아주 잘 알고 있었습니다.

그리고 바랐어요. 언젠가 당신을 만나고 말겠다고.

"그래도, 누군가는 찾아 나서야 한다고 생각해요."

어쩌면 반항심 때문이었을지도 모르겠습니다.

고아인 소년에겐 이 땅에 소중한 사람이 남아있지 않았으니까요. 적어도 공주님보다는요.

"그래, 그것이 마법사의 몫이지."

왕은 그런 소년의 등을 떠밀어주었습니다.

소년은 자라나 청년이 되었고, 자신이 살던 마을 떠났습니다.

그는 만물을 탐구하여 그 속에서 진리를 찾았습니다. 동류의 사람들과 만나, 때론 토론하고, 때로는 싸우면서 끊임없이 성장했지요.

멈추지 않고 한 걸음씩 그는 공주님을 향해 다가갔습니다. 그러던 어느 날 왕궁에서 초대장이 도착했습니다.

"아직도 이 땅에 마법사가 남았을 줄이야."

대지의 어머니는 청년을 반갑게 맞이했습니다. 병약해진 몸이었지만, 여왕의 눈은 소녀처럼 빛났습니다.

여왕은 청년에게 여러 가지 질문을 했습니다. 청년은 자신의 연구와 자신이 만난 현자, 그리고 이 세상에 대한 이야기를 나누었습니다.

수십 밤이 흘렀습니다. 대지의 어머니는 물론이요, 청년에게도 매우 뜻깊은 시간이었습니다. 그때부터 어렴풋이 깨닫기 시작했거든요. 왜 저들이 자신을 마법사라고 부르는지 말이죠.

"덕분에 아주 즐거운 시간이었어. 포상을 내리고 싶은데 말이지.

다행스럽게도 적당한 것이 있더구나."

둘이 만난 지도 백 일째 되던 날. 여왕은 마법사에게 비약을 선물했습니다. 목욕재계를 하고 이 약을 들이마시면 공주님을 만날 수 있을 거라면서요.

"중요한 건 마음이야. 들여다보아야 보이고, 귀를 기울여야 들리는 것이 있는 법이지. 네가 스스로 마법사임을 잊지 않는다면, 그 아이의 목소리를 들을 수 있을 거야."

날 듯이 기뻐하는 마법사를 보며, 대지의 어머니는 마지막으로 당부했습니다.

"또한 잊지 말아야 해. 만남이 있으면 이별도 뒤따르기 마련이란 걸, 그것을 뒤집으려 한다면, 만남조차 없던 것이 될 테니까."

"오, 헨리. 너는 헨리가 맞지?"

촌로는 입을 다물지 못했다. 젊은 날 마을을 떠났던 동무. 이삭의 왕에게 맹랑하게도 대들었던 그가 마지막으로 보았던 그 모습에서 조금도 달라지지 않은 채 그의 앞에 서 있었다.

"제이크. 많이 늙었구나."

촌로는 마법사를 집으로 데려갔다. 뜨개질하던 부인이 게슴츠레 눈을 뜨더니 촌로를 노려보았다.

"귀신을 데려온 거예요?"

"떼끼. 세상에 귀신이 어디 있다고."

"그럼 헨리는 제 눈에만 보이는 거군요. 맙소사! 영감, 지금까지 속여서 미안해요. 사실 우리 에밀리의 아빠는……."

돌이킬 수 없는 참사가 벌어지려는 순간 마법사가 손을 흔들며 끼어들었다.

"벌써 유언 남길 필요 없어, 안나. 넌 건강하니까."

"헨리? 정말 헨리구나?"

부인은 자리에서 벌떡 일어나 마법사와 포옹했다. 멍하기 그 모습을 지켜보던 촌로가 외쳤다.

"에밀리의 아빠가 뭐? 무슨 말을 하려는 거야?"

"영감! 그게 중요해요? 헨리가 살아 돌아왔는데. 이 탱탱한 피부 좀 봐!"

"이 여편네가 미쳤나? 어디서 외간 남자의 얼굴을……! 아니! 그보다 에밀리가 뭐?"

이어 마을의 노인들이 촌로의 집에 모여들었다. 모두 마법사를 알아보고 탄성을 질렀다.

"이보게, 제이크. 내 살날이 얼마 남지 않은 것 같아 고백하는 건데, 자네 딸 말일세……."

"폴. 진짜 헨리야. 헛것이 아니라고요."

"오, 헨리! 이게 얼마 만인가?"

"내 딸 누구? 에밀리 말하려는 거지! 도대체 무슨 일이냐고!"

노인들은 입을 모아 마을의 번영에 대해 떠들었다. 살아서 손주를 볼 수 있는 세상을 연 것은 그들에게도 자랑스러운 업적이었다.

의심 많은 노인은 일부러 함정이 섞인 질문을 던지곤 했지만, 슬기로운 마법사가 넘어가는 일은 없었다.

“숲의 요정을 그렇게 쫓아다니더니. 그러다 젊음의 샘이라도 발견한 겐가?”

“요정이 아니라 공주님이었지.”

마법사는 천천히 자신의 이야기를 풀기 시작했다. 세상을 돌아다니며 하고 싶은 공부에 매진하고, 다양한 사람들과 교류한 것에 대해서.

그 이야기는 매우 길고, 지루하며, 어려운 것이었기에 노인들은 하나둘씩 지쳐 가기 시작했다.

그들이 가장 궁금했던 것은 젊음의 비밀이었지만, 혹은 그것이었기 때문에 감히 마법사의 말을 끊음으로써 그의 심기를 어지럽힐 엄두를 내지는 못했다.

그렇게 모든 노인이 잠들고, 마법사의 이야기를 듣는 이라곤 이불에서 고개만 빼꼼 내민 손녀밖에 남지 않았을 때, 마법사의 이야기는 절정으로 치달았다.

“그렇게 나는 공주님을 만났어.”

마법사는 아주 깊은 숲속으로 들어갔습니다. 그리고 공주님의 손길이 느껴지는 그곳에서 비약을 마셨지요.

마법사의 영혼은 정수리를 뚫고 구름 위로 올라 천국에 닿았고, 불칼을 휘두르는 천사들에게 쫓겨 바닥으로 떨어졌습니다.

마법사의 영혼은 땅을 뚫고 조그만 정령들의 나라를 배회하다가, 그들의 원성을 이기지 못하고 다시 지상으로 치솟았습니다.

공주님은 그곳에 있었습니다.

과연 아름다운 공주님이었습니다. 이마에는 수사슴처럼 커다란 뿔이 자라고 있었고, 알록달록한 나뭇잎 드레스에서 청량한 향기가 났습니다.

다만 표정은 무척이나 슬펐대요.

"결국 여기까지 왔군요."

"제가 온 것이 싫으신가요?"

"아니요, 좋아요. 그래서 너무 슬퍼요."

공주님은 마법사의 손을 잡고 숲속을 거닐었습니다. 그들은 바람을, 때론 가느다란 가지를 딛고, 볼 수 없는 것을 듣고, 들을 수 없는 것을 보았습니다.

"저는 영원한 존재예요. 나이 들지 않고, 죽지 않고, 변하지 않지요."

"그렇다면 저도 나이 들지 않고, 죽지 않고, 변하지 않겠어요."

"그건 당신이 제가 된다는 뜻이에요. 저는 사랑했던 당신을 잃게 되는 거죠."

둘은 연리지 위에 앉았습니다. 다른 뿌리에서 자라나 하나로 합쳐진 나무. 마법사는 또다시 깨달았습니다.

누군가를 사랑한다는 것은 그 끝이 정해져 있기에 아름답다는 것을요.

둘이 하나가 된다는 것은 하나가 사라진다는 뜻입니다. 본래 그들을 이어주던 것은 의미를 잃고, 따뜻하되 새로울 수 없는 유대감만 이 남아 그들을 품게 되는 것이지요.

마법사는 공주님을 사랑했습니다. 그 거대한 설렘은 순풍이 되어 영혼의 돛을 줄기차게 밀어냈고, 그로써 마법사는 이곳에 도달한 것입니다.

그러나 이렇게 둘이 만나고 말았으니 설렘은 익숙함으로 변해가겠지요. 그 과정은 그에게 새로운 기쁨을 안겨줄 테지만, 지금의 자신은 더 이상 남지 않게 되는 것입니다.

"제가 실수를 한 걸까요?"

"아뇨. 저는 당신을 꼭 만나고 싶었어요."

"몰랐어요. 당신과 만난다는 건, 이제 당신과 헤어지기 시작한다는 뜻이란 걸."

"후회하시나요?"

후회할 리가요.

끝내 지금의 이 마음이 변하고, 예전과 같이 당신으로 바라보지 못할지라도, 그것이 못내 괴로움으로 남게 될지라도, 지금, 이 순간의 벅참은 그 모든 것을 감내하기에 충분하니까.

마법사는 기꺼이 공주님의 입술에 입을 맞추었습니다. 그는 사랑하는 공주님께 든든한 연인이 되고 싶었습니다. 그래서 그가 아는 가장 근사한 사람의 모습을 연기했습니다.

"두려움의 숲을 헤쳐나가요."

그는 잠깐의 주저 후, 수줍게 덧붙였습니다.

"그대, 나의 공주님. 오늘은 영원히 기억해 줘요."

닭이 울기도 전, 깜깜한 새벽. 마법사는 옷매무새를 고쳤다. 그는 손녀가 덮고 있는 이불을 들춰 약병을 밀어 넣었다. 이야기를 끝까지 들어준 보답이었다.

마법사는 길을 나섰다. 그의 걸음은 고요하고, 그림자는 흐릿하여 혹여 이 시간에 깨어있는 사람이 있어도 그를 알아보지 못했을 것이다.

밀밭 길을 지나고, 다시 강을 따라 걸어서 마법사는 끝내 왕성에 닿았다.

"왕께 전해주세요. 마법사가 돌아왔다고."

마법사가 문지기에게 말을 전하고 그리 오래지 않아 왕의 시종들이 나타났다. 그들은 마법사를 왕의 침소로 안내했다.

"아내가 말했네. 자네가 오기까지 죽으면 안 된다고. 너무 오래 기다렸어."

한때 세상을 호령하던 왕은 푸석푸석한 백발의 깡마른 노인이 되어있었다.

그의 아내인 대지의 어머니가 세상을 뜬 지도 벌써 서른 해가 지났으니, 참으로 긴 기다림이었다.

"어쩔 수 없었습니다."

마법사는 씁쓸하게 답했다. 왕이 그를 기다린 만큼, 마법사는 공주님과 행복한 시간을 보내고 있었다.

공주는 아름다웠고, 선량했으며, 그를 있는 그대로 바라봐주었다. 그가 공주를 그리 대했듯이 말이다.

“만났군.”

“헤어졌지요.”

서로를 자기 자신처럼 여겼기에 설렘은 이어지지 않았다. 서로에게 섭섭함이 없었기에, 기대함도 없었기에 설렘은 이어지지 않았다.

소중하지 않은 것은 아니었다. 그 또한 사랑이라고 부를 수 있었다. 그러나 처음의 그 사랑은 아니었다.

모두가 예견한 대로.

마법사와 공주는 그렇게 이별했다. 서로의 아름다움을 기억한 채로 동시에 한 걸음씩. 설렘이 공백을 애틋함이 서서히 채워가며.

“만남이 있으면 이별 또한 따르는 법이라네.”

왕이 그리 이르자, 마법사는 고개를 저었다.

“이별이야말로 만남의 의의입니다.”

“그게 무슨 말인가?”

왕은 기대감을 담아 되물었다. 낡은 생각의 덩어리 속에 오래도록 파묻혀 있던, 젊은 날의 총기가 옅게 빛났다.

그의 긴 기다림의 이유는 이 문답을 통해 밝혀질 것이다.

“삶의 시작과 끝은 이별로 되어 있습니다. 자궁 속의 세계와 결별하고, 다시 익숙해진 이 세상과 헤어지기까지가 사람의 일생입니다.”

“반대로 말할 수도 있지 않나? 우리의 삶은 새로운 세상과 만남으로 시작되고, 우리의 죽음은…….”

왕은 말끝을 흐렸다. 사후와의 만남이라니. 사후는 보이지도 않고, 들리지도 않는 세계. 그가 일생을 바쳐 부정해 온 것이었다.

그것은 만남의 대상이 될 수 없다.

"우리가 이삭을 심는 이유는 그것을 베기 위함입니다. 우리는 어린 자식이 한 명의 어엿한 어른으로 자라나길 기도합니다. 내 도움이 없이도 살아갈 수 있는."

"빵을 얻기 위해 밀을 심고, 어른이 될 수 있도록 아이를 돌본다. 어떤 일을 시작하는 것은 그 이후 무언가를 기대하기 때문이라는 말인가."

"그렇습니다. 삶이란 끊임없이 무언가를 만들어 냄으로써 유지됩니다. 일생은 과거로부터 결별의 연속이며, 매 순간의 결별을 위해 우리는 새로운 만남을 시작하고 그것에 익숙해지는 것이지요."

왕은 큰 배를 타고 정든 고향을 떠난 그날을 떠올렸다.

자신에게 당연한 것이 이곳에서는 당연하지 않았다. 그 차이를 줄여가는 과정에서 이 땅의 많은 것들이 변해갔다.

아이가 병에 걸리면 부적을 태우는 대신 의사에게 데려간다. 빈 땅에 아무 작물이나 심는 대신, 농경지와 휴경지를 나눠 계획적으로 농사를 짓는다. 때로는 사람을 모아 물길을 내고, 도로를 다진다. 영혼의 순결을 좇는 대신, 현실의 과제를 해결한다.

이 모든 변화는 한 참주의 서자가 고향에서 추방당하는 것에서부터 시작되었다.

"왕국은 번영하고 있네. 그것은 나와 백성들의 만남 덕분이라고 생각했어. 자네 말을 들으니 반대였을지도 모르겠군. 저들이 나를 통해 과거와 결별함으로써 이루어 낸 일인 게야."

그것이 의미하는 바는 분명했다. 정령도 영혼도 없다는 왕의 주장 또한 언제까지고 통용될 수는 없다는 뜻이다.

"왕국은 이미 새롭게 태어났어. 그러나 모든 새로움은 옛것이 되기 마련이지. 더는 백성들을 옭아매어서는 안 되겠군."

왕은 다시 여왕을 떠올렸다. 그가 오기 전까지 이 땅을 다스렸던 젊은 군주. 그녀는 그를 만나 한 치의 주저도 없이 왕국을 넘겼다.

- 만남이 있으면 이별도 뒤따르기 마련인걸요. 그 사실을 외면한다면 이 만남의 의미조차 퇴색해 버릴 거예요.

왕은 진정으로 여왕의 심정을 이해했다. 오랫동안 신비로 남았던 그 말이 이제는 그의 것이 되어버렸다. 왕은 비로소 만족했다. 여왕과 하나 됨을 느꼈다.

"아니, 굳이 나설 필요도 없겠구먼."

푸근하게 웃으며 눈을 감는 왕. 안절부절못하는 시종들을 뒤로하고 마법사는 그대로 돌아섰다.

늙은 시종장이 마법사를 붙잡으려다 멈추어 섰다. 정오의 햇살을 받으며 걸어가는 마법사의 뒷모습에서 누군가를 보고 말았기 때문이다.

해진 옷자락에서 청량한 향기가 흘러나왔다.

별빛이 가득한 하늘 아래, 마법사는 숲길을 걷습니다. 그는 이미 공주와 다르지 않았기에, 어디 있어도 그녀의 존재를 느낄 수 있었습니다.

그녀의 생각과 그녀의 몸짓, 그리고 그녀의 살내음까지.

그러나 그 모든 것에 설렘은 없습니다.

마법사는 작은 옹달샘 앞에 섰습니다. 달빛 아래 샘물에 비춰본 얼굴이 몹시도 젖어있었습니다. 그는 두 손을 모아 샘물을 뜹니다.

그리고 그것을 비약처럼 들이켜요.

마법사는 긴 한숨을 내뱉습니다. 아무것도 변하지 않았어요. 알고 있습니다. 그의 사랑은 이미 끝났다는 것을.

이제 남은 건, 이야기뿐이네요. 발길 닿는 곳을 죄 돌아다니며, 내가 이렇게도 사랑했었다고 떠들면서, 그렇게 돌아오는 눈길을 거울 삼아, 잃어버린 설렘이 반짝이는 걸 지켜보는 것만이.

소년에게 남은 전부일 것입니다.

후에

후야.

애달픈 입김이 흩어진다.

옥음玉音이 어린 짐승의 숨처럼 가냘팠다.

허나, 후의 억센 거죽에 닿기로는 창칼보다 예리하였으니.

예, 전하.

잠시 쉬어가는 게 어떻겠느냐?

임금은 조금 주저한 후 말을 붙였다.

고孤가 힘들어서 그런단다.

거짓말이다.

방금까지만 해도 업혀 가는 줄도 모르고 고로롱 코까지 골지 않았던가.

필시 호위가 힘들까 배려한 것일 터.

후는 성은을 감사히 받잡고는, 고개를 젓는다.

아뢰옵기 황공하오나, 아직 역도의 추적이 매섭사옵니다. 옥체를 보중하고자 하니 통촉하여주시옵소서.

어깨를 붙든 손이 꼬물거린다.

임금이 고민하는 동안에도 후는 표범처럼 달렸다.

하여 새끼는 시름하길 그만두었으니.

네 뜻대로 하자꾸나.

용포龍袍의 붉은 소맷단이 목을 휘감는다.

지존께서 의탁하시매 이는 천하를 등에 짐과 다름없다.

더 굳세게 땅을 박찬다.

대군이 궐을 범한 지 사흘째 되는 날이었다.

전하.

창을 열어젖히듯 아침을 고하는 소리.

그로써 임금은 처소가 아님을 되새긴다.

무반武班의 음성은 궁녀나 내시의 것과는 달랐다.

갈대처럼 흔들리고, 벌과 나비처럼 꼬여 들지 아니하고, 우뚝 선 나무와 같이 곧다.

그늘과 흙냄새가 좋았다.

조반을 대령했사옵니다.

수라간은 차마 따라올 수 없는 몽진蒙塵이었다.

아껴먹던 약과도 중전이 좋아하던 빙떡도 바랄 수 없다.

도리어 개울을 찾아 깨끗하게 씻어 온 것이 용함이다.

임금은 이름 모를 나무 열매를 집어 들었다.

오냐, 마침 시장한 참이었다.

열매는 떫었다.

나물은 매웠고, 얇게 포를 뜬 살덩이는 비렸다.

임금은 애써 그걸 씹어 삼켰다.

산해진미가 따로 없구나.

하지만 호위의 표정은 어두웠다.

숫제 바닥에 머리를 묻는 모습에 심장이 덜컥 내려앉았다.

난리 통에 차마 말로 다 하지 못할 수모를 겪으시면서도 신의 불민함을 탓하지 않으시니, 성은이 실로 하해와 같아 몸 둘 바를 모르겠나이다.

머리 옆에 드러난 손등엔 물기가 가시지 않았다.

아귀에서부터 손목을 가르고 소매 틈으로 길게 이어진 상처.

흙먼지를 뒤집어썼을 땐 보지 못했던 것이다.

아니, 아니다. 후야, 그것이 아니니라. 고가 아직 철이 없어 그런지, 궐 밖에서 보고 듣고 먹는 것 모두가 새롭고 재미나구나. 그래서 그런 것이니라.

보란 듯이 조반을 해치운 임금은 일각一刻도 지나지 않아 먹은 것을 죄 토해내었다.

후야.

임금은 손가락을 뻗어 저 아래를 가리켰다.

봇짐을 든 무리가 산길을 오르고 있었다.

저기 사람들이 오가는구나.

장터가 열린 모양입니다.

난리가 일어난 지 벌써 이레.

쉬지 않고 움직였으니, 방향이 틀리지 않았다면 지금쯤 함길도 끄트머리엔 다다랐을 것이다.

추적의 기세도 슬슬 누그러진 듯하고.

다시금 정세를 살핌이 마땅할진대.

그렇다면 한성의 소식이 돌지 않겠더냐?

임금의 생각도 후와 다르지 않은 듯했다.

다만, 그리하려면 임금을 이곳에 두고 가야 한다.

해질대로 해졌음에도, 대홍라大紅羅로 지은 용포에는 무지렁이 정도는 무릎을 꿇게 할 위엄이 있었다.

역도는 뿌리친 듯하나, 산짐승이 날뛸까 저어됩니다.

고를 나무 위에 올려다오.

임금의 태도가 결연했기에, 결국 후는 장터로 향했다.

들려오는 소식은 딱 예상한 만큼만 암담하였다.

외척이 국정을 좌지우지하니, 보다 못한 대군이 군을 일으켰다.

이에 놀란 권신權臣들이 임금을 볼모로 삼았으나, 조숙한 임금은 그 뜻에 따르지 아니하였다.

구국의 결단을 내린 대가는 바로 교살이었으니, 대군은 대노하여 그들의 삼족을 멸했다.

그렇게 어그러진 사직을 바로 세우려는 노고를 두고, 어리석은 자들은 역심이라 일렀다.

하여, 아리수 큰물리 붉게 물드니, 이내 모든 것은 제자리를 되찾았다.

참람한 일이지. 허나, 대군께서 중심을 지키시니 이제 모두 순리대로 흘러가지 않겠나?

욕지기가 올랐다.

귀를 씻어내고 싶었다.

그러나 후는 격정을 가라앉힌다.

어리지만 의젓한 주군을 본받으려 함이다.

후는 장터에서 옷가지와 주전부리를 구해 돌아왔다.

길에서 그리 떨어지지 않은 사각지대.

둥그런 바위를 굴리니, 아이 하나가 몸을 누일만한 굴이 나왔다.

임금은 그곳에서 잠들어있었다.

후야. 후야.

잠꼬대인지 한숨인지 모를 소릴 뱉으면서.

후는 하늘을 우러렀다.

위장이 헛헛했다.

전하.

피난길에 오른 지도 보름.

불씨佛氏가 이르길 염화미소拈華微笑라.

이제는 제 호위의 뜻을 곧잘 헤아리는 임금이었다.

다 쓰러져가는 초가 앞에서 아이는 해맑게 웃는다.

좋구나, 후야. 비를 막을 지붕과 몸을 덮을 지푸라기가 있으니, 구중궁궐이 이보다 낫겠느냐?

허나, 임금의 진심을 헤아리기에는 여지껏 배우고 익힌 도리가 눈을 가리는 후였다.

닭똥 같은 눈물에 회한이 맺혔다.

하늘은 성군聖君을 버리지 않는 법입니다. 은인자중隱忍自重하며 때를 기다린다면, 권토중래捲土重來의 길이 열릴 터. 그때는 소신을 선봉에 세워주시옵소서.

그래, 후야. 고는 너를 믿을 것이다.

임금은 말에 무게를 실지 아니하였다.

구레나룻을 쓰는 바람은 서늘한 듯 보드라웠으며, 뜨거운 충심은 델 듯 부담스러웠으나 체온이 고픈 탓이었다.

헌데, 후야. 그날이 오기까지는 고가 이 나라의 지존임을 눈치채는 이가 없어야 마땅치 않겠느냐?

그렇사옵니다.

임금은 고개를 숙인 신하의 거친 손을 붙잡았다.

사농공상士農工商을 불문하고 사람은 혼자 살 수 없는 법이라 배웠노라. 이 틈바구니에서 군신의 예까지 지켜가며 정체를 숨긴다는 건 과욕이니라. 병가兵家에서도 만천과해瞞天過海라 이르지 않았더냐?

하늘을 속이고 바다를 건넌다.

삼십육계 중 첫 번째 계책.

한성의 이목耳目을 속이고, 민초 사이에서 위난危難을 지나간다.

지당하신 말씀입니다만…….

임금은 설렘을 숨기며 은근히 말했다.

아버지라 불러도 되겠느냐?

아버지.

아직 후는 그 말이 어색했다.

눈이 이렇게까지 오는데, 오늘은 쉬어감이 낫지 않겠습니까.

그러나 이 또한 어명이다.

애써 눈을 피하며 제 역할을 수행한다.

이런 겨울일수록 속에 기름진 걸 채워둬야 한다. 더 추워지면 이조차도 어렵지. 내 덫만 확인하고 금방 돌아올 테니 기다리거라.

알겠습니다. 몸 조심히 다녀오십시오.

말투에는 아직 지체 높은 반가의 격조가 남았다.

깊은 산골에서 아버지와 단둘이 지내는 아해라기에는 용모도 행동거지도 범상치 않다.

그러나 후는 그것을 꼬집지 않았다.

차차 익혀가면 될 것이라 자신을 속였으나, 차마 임금의 행실을 지적할 수 없다는 것이 진심이었다.

얌전히 있거라.

서리 내린 바위와 얼어붙은 개울을 건너며 고민한다.

자신이 잘하고 있는 것인지를.

이런 생활을 시작한 지도 달포가 지났다.

올해가 지난들 임금은 고작 열 살이다.

옳게 된 선비들을 모으고, 충의로운 장졸들을 이끌어 한성으로 돌아갈 길은 요원했다.

역도들이 몰려오던 그날 밤, 임금을 업은 것이 자신이 아니라 다른 이였다면, 무언가 달랐을지도 모르겠다.

하아. 잡념이로다.

한낱 잡념인데도 떨쳐내기 힘들었다.

이런 와중에 내놓은 덫에도 걸리는 게 없다.

눈앞에 몰두할 것이라도 있으면 좀 달랐을까.

그러나 곧 후는 괜한 생각을 했다는 걸 깨달았다.

등골을 오싹하게 죄어오는 살기 탓이었다.

범? 아니, 곰인가.

아직 눈에 보이지는 않았다.

그러나 코끝을 찌르는 노린내가 꽤 가깝다.

겨울이라 체취가 덜 퍼지는 걸 이용해 신중하게 접근한 것이리라.

후는 느릿하게 퇴로를 살핀다.

먼저 발견했다면 모를까, 쫓기는 입장에서는 승산이 없다.

그렇게 한걸음.

크르르.

놈은 굳이 소리를 냈다.

이미 몰이를 시작한 것이다.

후는 곁눈질로 다른 곳을 살폈다.

좁은 바위 틈새로 난 길.

저곳이라면 놈이 쫓아오더라도 타격을 가할 수 있다.

후는 단창을 고쳐 쥐고, 달렸다.

어흥!

산군山君이다.

소리만 들어도 대호였다.

후의 선택은 잘못되지 않았다.

개활지로 도망쳤으면 사지가 찢어졌을 터.

길목에 들어서고, 돌아서서 샛노란 눈을 찌른 후, 뒷걸음질 치며 간격을 조절하던 후는 중심을 잃고 말았다.

낡은 올무가 그의 발을 잡아챈 것이다.

곧 성난 대호의 앞발이 그를 덮쳤다.

석아.

얼굴에 열꽃을 피운 아버지가 신음한다.

그것이 저를 부르는 말이 아님을 석은 알았다.

태중에서 제 어미와 함께 숨을 거둔 자식.

손수 지어준 이름은 거기서 온 것이었다.

미안하구나.

아버지가 정신을 차린 것은 사흘이 지나서였다.

타고난 강골이었기에 망정이지, 범인이었다면 그 자리에서 창귀倀鬼가 되었을 거라고.

의원은 혀를 차며 지껄였다.

꺽꺽 울면서도 혹 나중에 쓸 일이 있을까 그의 말을 토씨 하나까지 기억한 석이었다.

그걸 말이라고 하십니까? 저만 아니었으면……!

석은 말문이 막혔다.

문제는 자신이었다.

아버지가 변을 당한 것은 모두 자신의 탓이다.

애초에 전도유망한 무관이 이런 곳에서 허송세월하는 일부터가.

어찌 그러느냐. 나는 괜찮다.

아버지의 위로에도 석은 고개를 저었다.

괜찮을 리가 없지 않은가?

괜찮은 건 늘 자신이었지, 아버지가 아니었다.

도망치는 건 힘들었지만, 든든한 아버지가 있어서 버틸만했다.

정착한 이후로는 도리어 행복했다.

더는 칼날 위를 걷지 않아도 되니까.

우러름도 질시도 없는 곳에서 새처럼 살아갈 수 있었으니까.

하지만, 이 사내의 인생은 뭐란 말인가?

자신이 괜찮아질수록, 아버지는, 후는.

제가, 제가 모실 겁니다.

석은 다짐했다.

아버지를 봉양하는 것은 자식의 도리다.

비록 천륜으로 이어지진 않았으나, 지성至性과 의리를 다하다 보면, 그보다 더 단단하게 엮일 터.

다 갚을 수 없는 은혜라 하여, 포기해서는 아니 된다.

전하.

후는 유언처럼 지껄였다.

죄송합니다. 소신이 불민한 탓입니다. 죽여주시옵소서.

임금은 오늘도 울음을 터트렸다.

아버지.

목소리가 제법 굵어졌다.

지학志學에 이르러, 임금은 명장名將의 혈통임을 증명하듯 헌헌장부가 되어있었다.

쿨럭. 오냐. 들어오거라.

열린 문틈으로 보이는 지게 위로 장작이 산더미다.

걸어둔 약초 주머니는 축국蹴鞠에 쓰는 돼지오줌보처럼 빵빵하다.

세숫물을 가져왔습니다.

쉼 없이 일하느라 그을린 얼굴임에도 윤기가 흐른다.

먹는 게 자신과 다르지 않음에도 건장한 몸이다.

실로 뛰어난 혈통이 아닌가.

반면.

어찌 그러시는 지요?

세숫물에 비친 후의 얼굴은 볼품없었다.

하루의 절반 이상을 누워서 보낸 탓이다.

저승에 간 별운검別雲劍께서 이 모습을 보면 불호령을 내리시겠지.

후는 피식 웃었다.

아무것도 아니다.

세월이 참으로 무상하구나.

불혹不惑도 되지 않은 나이건만, 후는 벌써 쓸모를 다 하였다.

지위도, 재산도, 하다못해 건강한 몸뚱이도.

이제 그에게 남은 것이라곤.

전하.

무릎을 꿇는다.

이젠 일개 무부조차 되지 못하는 후였다.

그러나 초라한 충심만을 알아주시길.

가진 것을 모두 내려놓고서, 간언을 올린다.

어찌 그러느냐.

착잡한 음성이 귓가를 적셨다.

의원이 전하기로 근자에 한성이 시끄럽다 합니다.

함길도 안렴사가 군세를 모은다지.

종친이 얽혀있다는 소문.

다시 말해 반정反正이다.

제 조카를 죽인 왕을 끌어내리겠다는.

가담항설街談巷說일지 모르나, 살펴볼 가치는 있사옵니다. 소문대로라면 이런 호기가 없사옵나이다. 한원군은 신의가 있는 자이니, 전하께서 무사함을 아신다면…….

못 들은 것으로 하겠다.

임금은 말을 끊었다.

그러나 후는 멈추지 않았다.

처음 이 초가에 자리를 잡았을 때를 기억하십니까? 지금껏 전하께서 은인자중함은 권토중래를 위함입니다. 비록 선봉에 서겠다는 약속은 지킬 수 없겠으나, 소신이 전하 곁을 보좌하겠습니다. 그러니 두려워 마시고…….

시끄럽다하지 않느냐!

임금은 자리를 박차고 일어났다.

성큼성큼 밖으로 나가던 그는 다시 몸을 돌리고는 소리쳤다.

지금 와서 어찌 돌아가라는 말인가? 햇수로 육 년이다. 그간 출사한 선비는 기백이며, 칠도의 군세가 숙부의 명을 따른다. 여기에 고가 뛰어든다는 것은 불 난데 기름을 붓는 것과 다름없음이야.

전하께서는 민초와 더불어 살며 덕을 깨우친 성군이십니다. 어찌 약한 말씀을 하십니까.

고가 두려운 것은……!

차마 말을 잇지 못하는 임금 앞에서 후는 머리를 조아렸다.

자신이 놓친 것이 있을지 모른다.

그러나, 대의는 명백하다.

임금은 이런 곳에 있어서는 안 된다.

모름지기 신하라면 이럴 때야말로 제 역할을 다해야 하는 것이다.

아버지.

나지막한 말에 심장이 덜컥 내려앉았다.

어찌 자신 따위가 임금의 아비가 될 수 있다는 말인가.

피곤해 보이십니다. 소자는 이만 물러나겠습니다.

전하! 전하!

후는 바닥에 머리를 묻고서 외쳤다.

임금이 저만치 멀어진 후에도 고개를 들지 못했다.

두려운 것은 변해버렸을지도 모르는 자신이었다.

혹 다시 마주한 소년의 얼굴이 아들로 보일까.

지금껏 그를 지탱하던 한 가닥 충의조차 잃어버릴까.

통촉하여주시옵소서, 전하!

후는 목놓아 통곡했다.

석아.

석은 한숨을 쉬었다

이어질 말을 예측한 탓이다.

석아, 술이 떨어졌구나.

과음하셨습니다. 몸도 성치 않으시면서.

흐흐. 살아서 네 족쇄가 되느니 내 일찍 죽는 것이 낫지 않겠느냐.

그날 이후로 아버지는 계속 술을 찾았다.

혹 어명을 내리면 들을까 싶었지만, 그야말로 노림수일 거란 의심에 되려 입을 닫았다.

그 또한 신하로서 간언할 수 있게 되니까.

조금만입니다.

석은 지금이 좋았다.

싸우고 싶지 않았다.

가장 어린 시절의 기억에서조차도 석은 세상과 싸우고 있었다.

왕가 장손이 삶이 그랬다.

이제야 벗어났건만.

그러나, 아버지는 자신과 다르다.

그는 모든 것을 되돌리고 싶어 한다.

더할 나위 없이 완벽한 이 순간조차도 아버지에겐 와신상담臥薪嘗膽의 시간이었다.

애초에 아버지가 아니었다면, 누릴 수 없는 즐거움이었다. 후는 나를 위해 헌신했는데, 계속 내 욕심을 차리는 것은 도리가 아니다.

후에겐 마땅한 자리가 있지 않은가.

칼끝, 다시 그 위를 걸어야 할지도.

안 살 거면 얼른 돌아가거라, 이눔아. 장사도 안 되는데 산만한 놈이 길목을 막고 지랄이야.

어의는 명을 받들라.

……네, 전하.

의원은 곰방대를 휘두르다 말고 두 손을 공손하게 모았다.

임금은 하늘을 우러르며 말했다.

천명을 가늠하기라도 하듯.

한원군께 기별하게. 그리하겠다고.

어명이 이지러졌다.

하 수상殊常한 시절時節이었다.

외척을 징치하고 조카에 이어 왕위에 오른 구산대군이 치세에 임한 지 고작 육 년.

구산대군의 이복형제이자, 마찬가지로 선왕의 삼촌인 한원군이 난을 일으키자, 함길도와 평안도, 황해도 삼도가 그에 호응했다.

여진과 맞닿은 북방의 정예를 빼버린 강수였다.

민심은 동요하였고, 선비들은 나라 걱정에 잠을 이루지 못했다.

대체 이게 무슨 난리람.

이놈아, 눈 마주치지 않게 조심해.

함길도와 강원도의 경계에 자리한 작은 산골 마을.

별안간 그곳에 들이닥친 무리도 작금의 난리와 무관하지 않을 터.

두정갑頭釘甲에 운검雲劍을 찬 장수가 눈매가 사나운 군관과 건

장한 병졸들을 이끌고 나타났다.

아주 커다란 가마를 들고서 말이다.

구경하는 것까지 막지는 않았으나, 가까이 다가가면 경고도 없이 벨 기세였다.

저긴 석이네 집 아니야?

아이고, 무슨 사달이 나려고 그러나.

석이 아범, 필시 그 작자가 큰 사고를 쳤음이야. 그런 관상이라고 내 말하지 않았나.

조용히 좀 하게, 이 친구야.

무리는 초가 앞에 멈춰 섰다.

마루에 앉아 조용히 새끼를 꼬고 있던 석이 그 모습을 보고 자리에서 일어났다.

동시에 수십에 달하는 무리가 한목소리로 외친다.

주상 전하를 뵙습니다!

산이 흔들리는 듯했다.

마을 사람들은 죄 얼이 빠졌으나, 임금의 신색은 고요했다.

담담히 뒷짐을 쥐는 그 모습에서 여느 양반님에게서도 볼 수 없는 위엄이 느껴졌다.

고에게, 조금 시간을 줄 수 있겠소?

지존의 등은 고적孤寂했다.

방에서 후가 부복한 채 기다리고 있었다.

오래도록 꺼내입은 적 없는 무복은 수선을 마쳐 말끔했지만, 체격이 쪼그라든 터라 헐거운 감이 있었다.

후야.

하문하시옵소서, 전하.

어의에게 말을 전한지 고작 하루가 지났을 뿐이다. 헌데, 저들이 벌써 이곳에 당도하였으니, 너는 그 이유를 알고 있느냐?

소신의 독단이옵나이다.

그랬구나. 그랬을지도 모르겠다고 생각했다.

죽여주시옵소서, 전하.

내 어찌 만고의 충신을 벌하겠느냐.

임금은 고개를 저었다.

화가 나지는 않았다.

원망스럽지도 않았다.

그저, 조금 궁금할 뿐이었다.

후야. 알고 있느냐? 고가 널 아버지로 모심은 진심이었다. 넌 내 총신寵臣이 아니라 아비였느니라.

후가 고개를 들었다.

주군의 눈을 바라보니, 신하로서는 무례였다.

무릎을 꿇은 채로 아들과 마주하니, 한 명의 아버지로 선 것 또한 아니었다.

그 사이 어딘가에서 후가 답했다.

소신이 어리석은지라 이해하지 못했사옵니다. 아들을 주군으로 삼는 법도는 있어도, 주군을 아들로 삼는 법도는 없사옵니다.

후는 끝까지 주군을 버릴 수 없었다.

충은 칼과도 같다.

부러질지언정 휘지 않는다.

언제든 주군이 마음 놓고 휘두를 수 있도록.

후는 그렇게 자신을 벼려왔다.

소싯적에 무예를 연마할 때, 소신의 스승은 벽에 등을 기대지 못하게 했습니다. 지쳤다는 것을 드러내는 것은 무인의 도리가 아니라는 가르침이었지요.

그랬더냐.

그러던 어느 날에 사제가 꾀를 내었습니다. 서로 등을 기대면, 벽에 기댄 것과 다르지 않을 거라면서요.

그리하니 좀 낫더냐.

불편했습니다.

숙인 쪽은 상대의 무게를 온전히 감내해야 한다.

누운 쪽은 미안한 마음에 충분히 쉴 수 없다.

결국 서로 맞추기 위해 들썩거리다 보면, 휴식이 더는 휴식이 아니었다.

소신의 아내는 살을 맞대는 걸 좋아했지요. 툭 하면 팔베개를 해달라고 졸랐습니다.

네가 좋아 그런 것이 아니더냐.

저 또한 아내를 아꼈습니다만, 팔베개는, 불편합니다.

팔은 머리를 지탱하기 위한 기물이 아니다.

베개보다 편할래야 편할 수 없는 것이다.

그러니 아내가 청한 것은 편한 잠자리가 아닐 것이다.

아내도, 사제도 실상 외로웠던 겁니다. 등과 팔을 달라 하였으나,

실상 그들이 원한 건 품이었지요. 소신은 그것을 알고 있었습니다.
알고 있었더냐.
아니요. 모릅니다.
후는 눈물을 흘렸다.
소신은 모릅니다. 아직도 모르겠습니다. 영민하고 후덕하신 전하와는 달리 소신은 어리석기 짝이 없으니, 그런 것을 알 수가 없었습니다. 팔을 달라고 하는 아내에게 소신은 어찌했어야 합니까? 등을 내달라는 사제에게 소신은 무어라 답해야 합니까? 어찌했어야 그들을 구할 수 있었겠습니까? 영문 모를 그 외로움을 달랠려면, 어떻게 했어야 하는 걸까요?
몸이 약한 아내는 산고로 죽었다.
사제는 난리 통에 후 대신 목숨을 버렸다.
무엇을 잘못했기에 저들을 잃어야 했던가.
후도 당최 이해할 수가 없었다.
그들이 바라는 것이 무엇인지는 알았지만, 왜 그것을 바라는지, 그것을 내주려면 어떻게 해야 하는지.
후는 알 수 없었다.
전하는 아버지를 바라셨지요. 그런데 그것이 전하께 왜 필요한 것입니까? 아버지 노릇은 어떻게 하는 겁니까? 제겐 그 가여운 석이 말고는 아들이 없는데, 어찌 그러한 명을 내리시나이까.
임금은 차마 입을 열 수가 없었다.
할 말이 없는 게 아니라, 대답이 두려워서였다.
이 나와 함께 하면서, 정말 단 한 순간도 부정父情을 느낀 적이 없냐고.

혹은, 매 순간이 그토록 끔찍했냐고.

전하, 소신을 놓아주시옵소서.

그리, 하겠다.

전하, 성군이 되어주시옵소서.

알겠느니라.

전하.

후는 고개를 숙였다.

손등 흉터 위로 눈물이 뚝뚝 떨어졌다.

임금은 그날의 나무 열매가 떠올랐다.

이제는 속 편히 잘만 먹는 산머루.

성은이 망극하옵나이다.

임금은 돌아선 그날도 날은 저물었고, 다음날엔 해가 떴다.

그리고 한 사내가 사립문을 열었다.

커다란 지팡이에 만들다 만 새끼를 돌돌 감은 채.

누구의 시선도 미치지 않는 그곳에서.

나그네는 북을 향해 나아갔다.

첫눈 내리는 날, 너 혹은 우리에 대하여

네게 돌아선 날, 밤새 흰 바다가 내렸다. 그것은, 어쩌면 아물 수도 있었던 균열을 파고들어 기어코 한 시대를 와해하였다. 돌이켜보면 이별의 이유로 부족했다. 그러나 그때는 그랬다. 그걸로 충분했다.

함께 걷고 걸어, 맞잡은 두 손 위로 첫눈이 내리던 그날. 나는 너 혹은 우리에 대하여 생각했다. 내겐 현명함에 대한 열망이 있었고, 그것은 종종 나를 일상으로부터 유리시켰다. 마치 열기구처럼.

행복하다면 행복했지. 네 말씨도, 네 품도 모두 따뜻해서, 참 많이도 웃었다. 나의 봄. 나의 여름. 나의 가을. 모두 줘도 아깝지 않았다. 그러나 겨울만큼은 이 찬 가슴에 덩그러니 남아서.

첫눈 오던 그날, 나는 너를 떠났고, 그것이 잘한 것일지는 아직 모르겠으나, 너를 사랑하지 않기로 한 것은 나의 선택이었으므로, 여전히 나는 네가 없는 우리를 감내하고 있다.

모든 것은 그렇게, 그저 그런 이야기일 뿐.

"바람피웠어."

안주를 깨작거리면서 괜히 말만 빙빙 돌리는 꼴이 볼썽사나워서 그냥 그렇게 말했다. 후배는 눈을 동그랗게 떴다.

"형이요?"

"그럼 내 이야기겠어?"

"누구랑?"

"몰라. 그게 다야."

굳이 파고들지 않았다. 그를 온전히 가질 수 없다는 것. 그런 걸 내가 버틸 수 있을지만. 그 외의 것은 깊게 생각하지 않기로 했다. 비참해지지 않는 것만 궁리하기에도 벅찼다.

"그렇게 안 봤는데 나쁜 새끼였네. 내가 콱 쥐어박고 올까요?"

"그러던가. 난 모르는 일이다."

"아니, 선배가 그럼 안 되죠. 저 잡혀가면 증언해줘야지."

"그럼 하지 마. 귀찮아."

낄낄거리면서 맥주잔을 부딪쳤다. 이미 내 안에서 결론이 난 이야기를 다시 들추는 게 무슨 의미가 있냐 싶지만. 뜻하지 않은 2차에서 배부를 일 없는 안주로써는 짭짤하니 씹는 맛이 있었다.

"너는 어때?"

"저요?"

"요즘 썸 탄다는 소문이 있던데."

후배는 고개를 갸웃거리다 허공을 바라보곤 두 눈을 깜빡였다. 그러고는 눈썹을 꾹 누른 채로 날 노려봤다.

"그게 무슨 소리예요?"

"아니야? 학식에서 애들이 말하는 거 들었어. 누군지는 말 못한다."

"아니, 그게 아니라요."

한숨을 폭 쉬고는 맥주를 벌컥벌컥 들이켰다.

"입장 바꿔 생각해봐요. 따로 만나는 사람이 있는데, 열두 시 넘어까지 선배랑 둘이서 이러고 있겠어요?"

"어. 음, 생각 안 해봤네. 그럼 헛소문이란 거지?"

"아, 자존심 상해. 그건 또 아니죠."

"알아듣게 좀 설명해 봐."

"선배잖아요."

내뱉고는 데인 듯 시선을 피했다가, 다시 목에 힘을 주고 마주한다. 나는 후배를 가만히 바라보았다. 농담은 아닌 눈치다. 요즘 계속 붙어 다니기도 했고. 마침 혼자가 되기도 했으니까.

"그랬구나."

"끝이에요?"

"고마워."

"그럼 됐……."

"미안."

"에라이!"

순식간에 울상이 된다. 공기가 어색해지는 감이 있었기에 나도 술을 마셨다. 시간은 자정이 넘었고, 술자리에서 오간 이야기였다. 그렇게 마무리할 수 있는 이야기다. 괜한 의미만 더하지 않으면 말이다.

창밖에는 여전히 눈이 내렸다. 크리스마스까지 한 달도 남지 않은 어느 날이었다.

기말고사를 치고 나오는데, 맞은 편에서 후배가 다가왔다. 옆구리에 귀여운 여자애 하나를 따땃하게 붙이고서.

"선배, 안녕하세요?"

"응. 여자친구?"

"네, 그렇게 됐어요."

쑥스럽게 웃어 보이는 후배. 여친은 친절한 웃음 속에 의심을 담아 인사했다. 한동안 얘도 못 보겠네. 이제 방학이라 다행이다.

갈라서서 집으로 향하는데 또 눈이 내렸다. 올해는 눈이 자주 내린다. 반갑지는 않았다. 첫눈 내리던 그날이 자꾸만 생각나서. 이 계절을 다 떠나보내고 나면 또 다를까? 아니면, 내년 첫눈부터는 또 무언가가 다를까?

방학은 원격강의를 들으며 집에서 콕 박혀서 지냈다. 가족들이 가끔 눈 이야기를 했지만, 눈으로 보질 않으니 실감 나지 않았다. 자주 마주하면서 닮아버리는 것과 거리를 두고 낯선 관계로 회귀하는 것. 둘 중 어느 쪽이 더 현명한지는 모르겠지만.

"선배. 술 좀 사줘요."

판단을 내리기도 전에 걸려 온 전화가 선득하다.

"선배는 제가 싫지 않아요?"

"왜?"

"그냥 싫을 거 같아서요."

만나서 헤어지기까지 과정을 반쯤은 짜증으로 반쯤은 울음으로 풀어낸 녀석은 갑자기 풀이 죽어선 그렇게 말했다. 영문을 알 수 없다.

"안 싫은데."

"왜요?"

"그냥. 너도 그냥이라며?"

후배는 실실 웃더니 얼굴을 쓱 들이민다. 코끝을 간질이는 술 냄새. 고작 주먹 하나 들어갈 간격. 눈웃음치며 말하려는 입에 감자튀김을 넣어주었다.

"에이, 다 넘어왔는데."

"웃기시네."

"솔직히 이 밤에 술 사주러 와놓고 아무 흑심도 없다고 하면 이상하잖아요. 나만 그런가?"

"그런 사람도 있지. 아닌 사람도 있고."

"그럼 왜 왔는데요?"

"심심해서."

전화를 받았는데 조금 노이즈가 섞여서. 나도 모르게 창문을 여니까 하필 눈이 내리고 있어서. 이런 이야기를 구구절절하게 말하고 싶지 않았다. 심심해서. 집에서만 있으려니까 심심해서. 그래서 나온 거라고.

"저는 선배한테 마음 있거든요."

"그런 거 같네."

"그런데 연애는 할 거 다 했잖아요. 고백하고 바로 딴 애랑."

"그랬지."

"그때 무슨 생각 했어요?"

"인싸들이 다 그렇지, 뭐."

"크리스마스를 혼자 보내기 싫었어요."

"응."

"선배한테 고백한 것도 그래서 그런 걸지도 모르고요."

"왜 몰라? 그거 맞아."

"저 싫어하죠."

"별로?"

"왜요?"

귀여워서. 입가에 맴도는 말을 되새김질한다. 왜 이런 생각이 든 것일까? 귀엽다는 건 뭘까? 소크라테스가 되어서 마음을 향해 물었다. 대답이 금방 나왔다.

"네가 날 다치게 할 수 없다는 걸 알거든."

후배는 입술을 삐죽였다.

“저 완전 짐승남이거든요.”

“하지 말라는 거 안 하잖아. 그거면 됐어. 거기다 말도 재미있게 하고. 술 사달라고 불러놓고 화장실 가면서 몰래 계산하는 것도 좋고.”

“안 그럼 2차 가자고 할 명분이 없으니까?”

“주량도 비슷하고.”

“와! 그 정도면 한 번 만나볼 만한 거 아닌가?”

“난 좋아야 만나.”

좋아할 수 있을 거 같아서 만나는 거. 나는 잘 안돼. 좋아한다는 건 무서운 거거든. 그 사람의 마음과 내 마음이 달라붙어서, 따로 움직이면 찢어질 듯 아파. 그러니까, 누군갈 만날 거라면, 어쩔 수 없게 되었을 때 만날래.

후배는 입을 우물거렸다.

“솔직히, 솔직히! 그냥, 저 싫다 해주셨으면 좋겠어요. 안 그랬으면 좋겠는데, 그랬으면 좋겠어요.”

“그럼 포기할 수 있을 거 같으니까?”

“네. 그럼 딴 사람이라도 찾죠.”

“그런데 어떡해. 안 싫은데.”

“좋아하는 것도 아니잖아요.”

“그렇지.”

“우와! 완전 어장!”

“그럼 이만 제 욕조에서 나가주실래요?”

“진짜, 선배는 모르겠어요. 자발적 아싸는 진짜 어렵네요. 그래서 좋은 건가? 모르겠다, 진짜. 선배는 이상형이 어떻게 돼요?"

이상형. 평소 그런 걸 생각하는 편은 아니지만, 무슨 일인지 바로 대답이 떠올랐다.

"날, 너무 행복하게 만들지는 않을 남자."

그럴 생각은 아니었는데, 그렇게 되는 것들이 있다. 또 그렇게 되고 나서야, 내심 그럴 생각이었다는 걸 깨닫는 것이 있다. 너와의 만남이 그랬다.

내심으론 나도 네가 필요했던 것일 줄은 모르겠다. 네가 크리스마스를 함께 보낼 사람을 찾았듯, 나도 이듬해 첫눈을 함께 맞아줄 사람을 찾은 것일지도. 넌 내가 네 가벼움을 혐오할 것이라 여겼지만, 내가 그러지 못했던 것은, 너의 생각과 달리 나와 네가 본질적으로 다르지 않았기 때문이리라.

아니, 사람은 다 그렇다. 다들 외롭고, 추워.

"선배, 피곤하죠?"

너는 따뜻한 캔커피를 내밀었다. 편의점까지 코앞이었는데, 그 잠깐 사이에 코끝이 빨갛게 익었다. 11월의 바닷바람이 할퀸 탓이었다.

"달다. 좋다."

"미안해요. 필기만 붙었어도, 제가……."

"붙었어도 안 돼. 면허증에 잉크도 안 마른 애한테 운전대를 어떻게 맡기니?"

"제 딴엔 로망이었다고요. 주차권 입술에 물고 후진하고, 조수석에 벨트 매어주고."

투정을 부리는 네게 대신 벨트를 채워주었다. 턱 끝에 살짝 입술을 맞추니, 금방 화사해지는 것이 세상 하찮아서, 혹시나 첫눈이 내리지 않을까 하는 걱정이 눈 녹듯 사라졌다. 달았다.

"아, 좋다."

"나도."

"제가 더 좋을걸요?"

"그러시던가."

"어쩜 한마디도 안 이겨요?"

"진 적도 없는 것 같은데."

"그럼 확실하게 승부를 냅시다."

"뭘로?"

키스는 좋다. 입술은 쉽게 떨어지니까. 떨어지고 나서도 쉽게 달라붙으니까. 모나지 않고, 따뜻하니까. 하나가 되어버리는 마음과는 달리 이것은 떨어지면서도 상처가 나지 않는다. 그래서 애써 현명해지지 않아도 된다.

차를 몰아 펜션으로 향했다. 빠져나가는 차가 있었다. 교차할 때, 언뜻 눈이 닿고 말았다. 착한 말씨를 담은 입술과 성곽과 같았던 어깨가. 어쩌면 아닐 수도 있었지만, 그것은 중요하지 않았다. 결국은 떠올라버렸으니까.

아직 첫눈도 내리기 전이었는데.

다치기 싫어서 울타리를 쳤다. 울타리를 쳤더니 외로워졌다. 믿을 수 있는 사람을 찾아서 사랑을 했다. 집을 합쳤고, 우리의 영지는 더 넓어졌다.

그러던 어느 날 그가 떠나갔다. 내가 떠난 거라도 상관없다. 마음속에 친 울타리는 그대로였으니까. 그가 있을 참 좋았는데, 이젠 그 넓은 곳에 혼자 남아버려서, 다 가꿀 수가 없게 되었어.

잔디가 무성하고, 연못은 썩었다. 처음이었을 때보다, 살 수 있는 곳은 오히려 좁아졌다. 그랬다면 만나지 않는 것이 좋았을까? 헤어지지 않는 게 좋았을까? 만남과 이별 중 어느 것이 더 무거운 죄였을까?

새로운 사람을 만났다. 그와도 나와도 다른 사람이었다. 늘 밝고 무해한 남자다. 너무 행복하게 하지는 말아 달라는 부탁을 들어준 사람이다. 나는 너를 사랑한다. 그보다 더 사랑하게 될지도 모르겠다. 이미 그러고 있을지도 모른다.

그렇다면 나는 또 잘못을 저지르고 있는 걸까?

"선배는 늘 생각이 많아요."

"아, 미안."

"그런 게 좋다는 말이었어요. 우주인 같아서, 설레."

너는 뒤에서 날 끌어안았다. 지난겨울, 크리스마스를 앞두고 네 옆구리를 데우던 그 아이. 지금은 또 누구 곁에 붙어있을까? 어쨌거나 너는 지금 내 곁에 있다. 외투처럼 온몸을 감싸 안고서.

"외롭지는 않아?"

"아뇨?"

"왜?"

"선배가 내 옆에 있으니까. 날 사랑하고 있잖아."

그와 헤어진 이유는 그를 온전히 가질 수 없기 때문이었다. 만약 그날 내가 따져 물었다면, 날 사랑해달라고 말했다면, 지금과 달랐을 수도 있었겠지. 그러나 그럴 수 없었다. 날 사랑하지 않는다고 말할까 봐. 그게 겁나서. 나는 현명해지고 만 것이다.

"네 곁에 있을게. 널 사랑하고 있어."

입김이 덧없이 퍼진다. 말이란 늘 어렵다. 어려워서, 내뱉을 때마다 자위하게 된다. 듣지 못했다고 해도, 이해하지 못했다고 해도 괜히 다칠 필요는 없어. 사람과 사람은 늘 같을 수가 없으니까.

너는 맑은 소리로 웃었다.

"막상 들으니까 오글거리네."

"싫어?"

"조금요?"

"왜?"

"달아서요."

너는 내 어깨에 얼굴을 묻었다. 바람이 뺨에 닿았다. 바람에서 짠내가 났다. 하늘이 울멍울멍거렸다. 문득 내던져진 느낌이었다. 그런데 무섭지 않았다. 내게는 외투가 있으니까. 내가 전부인 사람이 곁에 있으니까.

"너무 달아서요. 행복해서요. 나만 그러는 게 억울해요. 그래서, 나와 같아 달라고 조르고 싶은데, 그러면 안 되잖아요. 선배는 그런 거 싫다고 했으니까요."

"나는……."

너와 함께는 동안 내가 두고 온 말들. 빵부스러기처럼 흘린 그것을 너는 동화 속 주인공처럼 주웠다. 나는 그런 너를 좋아했다. 어느새 행복해져 버렸다. 아니, 행복에 대한 두려움이 사라지고 있었다. 그걸 알게 되었다.

"그런데요. 싫은 건 조금이고, 많이 좋아요."

"왜?"

목이 잠긴다. 하지만 힘을 내서 고개를 돌렸다. 내 어깨에 입을 맞춘 네가 날 바라보고 있었다. 눈길이 닿는 곳 전부가 뜨겁다.

"그냥."

속눈썹 위로 첫눈이 내리 앉는다. 그 순간, 나는 너 혹은 우리에 대해 생각하고 있었다. 내겐 현명함에 대한 열망이 있었다. 그것은 열기구처럼 이 마음을 붕 띄워버렸으나, 나는 키스하기로 했다.

이유를 묻는다면, 그냥. 그러고 싶어서.

Away

—

가을이 우산을 두드린다. 빗줄기로 일그러진 풍경을 더듬었다. 아포페니아. 인간은 무작위성 속에서 규칙과 의미를 찾으려는 경향이 있다. 별자리. 운명론. 도박사의 오류. 오늘 본 비문학 지문에서 그랬다. 내가 찾는 것은 음악이다. 귀를 기울였다.

가녀리게, 또한 곧게. 바람은 불지 않았다. 빗물은 신사적인 노크만 남기고 물러난다. 발등이 촉촉해진 것은 무심코 길가의 잡초를 밟아버린 탓일 뿐. 왈츠는 어떨까? 아니, 그건 너무 봄 같잖아.

피아노보다 기타. 무대 위가 아닌 골방. 과할 정도로 진지하지는 않게. 손가락마다 숨을 담아서, 아르페지오.

찰박, 흙탕물을 밟았다. 차갑고 찐득한 무언가가 맨살에 닿았다. 현실감이 깨어난다. 운동화, 여벌이 없다. 아버지 신발을 빌리는 수밖에. 조금 볼이 좁긴 해도 아직 신을만할 것이다. 다만 어떻게 말을 붙일지가 문제다. 그때.

너를 발견했다.

논길이 끝나는 그곳, 여름이면 어르신들이 더위를 피하는 느티나무 아래. 얼굴이 보일 만큼 가깝지는 않았다. 그래도 네가 이정이라는 것 정도는 알아볼 수 있었다.

전교생 일흔두 명 중 이 논길로 통학하는 사람은 내가 유일했다. 모의고사가 끝나자마자 학교를 나선 참이다. 나를 앞질러 나온 사람은 없다. 그렇다면 저곳에, 우리 학교 교복을 입고 서 있을 수 있는 여고생은 오늘 결석한 너밖에 남지 않는다.

너는 잔뜩 젖어있다. 머리와 옷뿐만이 아니라, 더 깊은 곳까지 흠뻑. 비가 아닌 다른 것으로부터, 오히려 속에서부터 물기가 배어 나온 것처럼.

새삼 자각한다. 너에 대해 아는 것이 없다고. 서울에서 전학해 왔다는 거. 건강하지 못하다는 거. 나서는 편은 아니었다는 거. 얼굴조차 뚜렷하게 떠오르지 않았다. 눈에 살짝 힘이 들어갔다. 그러다.

너와 눈이 마주쳤다.

내가 너를 본 것은 변덕에 불과하다. 비가 내렸으니까. 하필 얌전한 비라 방심했고, 그러다 신발이 젖어버려서. 시험을 봤으니 오늘 하루를 보상할 게 필요했다고 느꼈을지도 모르고, 때마침 너를 발견해서. 네가 있는 그곳에 영감이 있을지도 모른다는 생각에. 그래서 바라봤고, 하필 네가 그때 날 발견한 것뿐이다.

지나쳤어야 했다. 이어폰을 고쳐 쥐는 정도면 충분했을 것이다. 눈을 마주치면 인사를 해야 하고, 인사를 한다는 것은 대화의 물꼬를 튼다는 것이다. 그런 상황을 만들고 싶지 않았다. 잘할 자신이 없다.

그러나 우린 서로를 보고 있었다.

눈동자에 내가 담긴다. 파리한 뺨이 흔들린다. 사실은 아니다. 그걸 알아볼 정도로 가깝지 않았다. 표정을 읽을 수 있는 거리가 아니었다. 비가 내렸다. 우리는 서로 마주 볼 수 있는 거리가 아니다.

찰나가 확장된다. 오선이 내달린다. 정지된 시간 속에서 왈츠도, 포크도 아닌, 가을비를 닮은 음악이 들렸다. 그것은 그립고, 따뜻하며, 음울한 빛깔을 가지고 있었다. 심장이 거칠게 뛰었다. 다가가라고, 말을 걸어보라고. 물어보라고. 지금 무슨 생각을 하고 있냐고. 어디에 있느냐고.

나는 우산을 내려썼다. 얼굴을 가리고 집으로 향했다. 물웅덩이를 밟았다. 불쾌감이 올라올 틈도 없다. 얼굴에 열이 오른다.

뛰면서 소리를 떠올렸다. 되새기면 되새길수록 처음의 그것과 멀어졌지만, 돌아볼 수가 없다. 멈출 수도 없다. 바람이 분다, 젖은 교복이 등에 달라붙는다. 터진 입김이 맵다.

아포페니아. 무관한 대상 사이에서 연관성을 찾아내고자 하는 심리적 경향. 그저 눈이 마주친 것뿐이다. 아무 일도 일어나지 않았다. 나는, 너를.

— Away

—

베개 아래서 진동이 울렸다. 5시 15분. 억지로 몸을 일으킨다. 문고리를 들어 올리듯 돌리면 소리가 거의 나지 않았다. 발소리를 죽인 채 마당으로 나섰다. 아침 바람이 쨍하게 등골에 스민다. 지금보다 더 추워지면 어떻게 해야 할지 생각했다.

얼음장 같은 지하수에 이가 딱딱 부딪힌다. 수건을 부러 더 거칠게 문지른다. 현관 앞에서 또 호흡을 고른다. 교복으로 갈아입고, 아침을 준비했다. 속을 데우고 싶었다. 하지만 전자기기 소음이 겁났다. 그는 잠귀가 밝은 편이다.

김이 오르는 쌀밥에 식은 반찬을 올린다. 두 숟갈이나 먹었을까? 안방 문이 열리는 소리가 났다. 걸음 소리가 느리게 다가왔다. 어색해하게 굴면 안 돼. 애써 밝은 척해도 안 된다. 그러는 동안 주름진 하관이 이쪽을 향한다.

"밥 먹니?"

고개를 끄덕였다. 시선을 한층 더 떨어트렸다. 눈이 마주칠까 겁난다. 멍한 기분이 들었다. 잠이 부족한 탓이다. 이렇게 될 줄 알았다면 차라리 두 시간이라도 더 잤을 것이다.

"요즘 일찍 일어나네. 안 피곤해?"

"괜찮아요."

"된장찌개 해 놨는데. 같이 먹지."

"데우기 귀찮아서……."

"그래도 골고루 먹어야지."

아버지는 냉장고에서 냄비를 꺼낸다. 한 국자씩 국그릇에 담는다. 랩을 씌워 전자레인지를 돌린다. 그동안 자기 밥과 수저를 챙겨 식탁 위에 올린다. 쨍 소리가 들리고 김이 오르는 된장찌개 한 그릇이 내 앞으로 배달되었다. 숨쉬기가 불편했다.

"한길아."

아버지는 식사를 마치고 나서야 입을 열었다. 나는 그의 얼굴을 바라보았다. 환갑을 넘긴 나이에도 나보다 건장한 아버지였는데, 못 보던 새 쪼그라든 느낌이었다.

무서웠다. 내가 잘못하고 있는 걸까 봐. 당신을 피해 다니는 매일 매일에도 아버지는 늙어가고 있었다. 언젠가 이 앙금을 훌훌 털어 버릴 쯤이면, 전처럼 함께 무엇인가를 할 수 없을 정도로 노인이 되어있을 것이다.

화가 났다. 나는 어른이 아니었다. 이 감정을 감당하기에 어리고 부족했다. 하지만 아버지는 어른이잖아. 그러니, 애초에 날 이렇게 두지 말았어야지.

추하다. 마주하기 힘들다. 이런 게 무서웠다.

"아버지가 생각해 봤는데……."

"걱정하지 마세요. 저는 괜찮아요."

그릇을 챙겨 들고 싱크대로 돌아섰다. 설거지에 대한 책임감과 도망치고 싶은 욕망이 싸웠다. 결국 물에만 담갔다.

"요즘 아침 공부가 잘돼서요. 학교……. 저 진짜 괜찮아요. 다녀오겠습니다."

"그래. 무리하지 말고."

집을 나선다. 의연한 척했지만, 결국은 도망치는 결말이다. 이어폰 하나를 귀에 꽂는다. 아스팔트 길로 4분. 논길로 접어들면서 두 귀를 모두 틀어막았다. 뛰는 가슴을 익숙한 플리로 진정시킨다. 갈림길에 접어들었다.

느티나무 아래로 힐끗 너의 환상이 깜빡인다. 그날로부터 사흘이 지났다. 너는 학교에 오지 않았다. 몸이 좋지 않단다. 그날 비를 맞은 게 잘못된 게 아닐까, 조금 곱씹었다. 내 잘못이 아니다.

노래가 자꾸 어딘가로 새어 나간다. 이어폰을 고쳐 끼워도 마찬가지다. 생각하기 싫다는 생각에 사로잡힌다. 불쾌한 등굣길이었다. 답답함에 이어폰을 뺀다. 귓구멍으로 찬 바람이 스민다. 낡은 색감이 고막을 적셨다.

기타 소리였다.

아직 어둑한 교정에서 나는 소리다. 교실이었다. 1학년 교실. 벌써 불이 켜져 있다. 낯선 멜로디다. 나쁘지 않았다. 좋았다. 다만 핑거스타일 연주는 묘했다. 조금 어색한데, 자신감 같은 게 느껴졌다. 오래도록 쉬다가 다시 기타를 잡았다는 느낌이다. 그리고 그게 너였다.

창가에 걸터앉은 채 너는 기타를 치고 있었다. 서글픈 웃음은 덤이었다. 느릿한 손길은 줄이 아닌 무언가를 더듬는 듯했다. 나는 네 안에 무언가가 있다는 것을 깨닫는다. 그리고 그게 내가 찾던 것이란 것도.

네가 고개를 들었다. 모른 척 지나쳤다. 이번엔 자연스러웠다. 이어폰을 다시 꺼냈다. 노래가 들리지 않는다. 머릿속은 이미 너의 연주로 가득 차버렸다. 불쾌했다. 그러나 그 불쾌함이, 그렇게 나쁘지만은 않아서.

—

"미안."

조례가 끝나자마자 네가 다가왔다.

"기타, 허락도 안 맡고 쳐서 미안하다고. 비품인 줄 알았어."

반 애들 시선이 몰렸다. 너나 나나 있는 듯 없는 듯 살아가는 캐릭터였다. 대화를 나눈 것도 처음이다. 흥미와 기대가 뒤섞여 소음을 이룬다. 시선을 책에 고정한다.

"이제 아니야."

"응?"

"마음대로 쓰라고. 상관없어."

이어폰으로 귀를 막았다. 키득거리는 소리나 혀를 차는 소리 모두 환청이다. 공부를 해야 했다. 피곤해도 성적은 유지해야 했다. 내일을 생각해야 했다. 딱히 설레지 않는 미래라도 말이다.

너는 머뭇거리다가 돌아섰다. 그것이 끝은 아니었다.

늘 혼자였던 하굣길. 그림자가 자꾸 겹친다. 2학기 들어서 없었던 일이다. 돌아보니 역시나 너였다. 넌 입을 뻐끔거리더니 손가락으로 귀를 가리켰다. 이어폰을 빼라는 뜻이다. 한숨이 나왔다.

“그럼 내가 가져가도 돼? 집에 둘 건 아니고, 스트링이 좀 낡았더라. 새 걸로 갈고 조율도 하게.”

“알아서 하라니까.”

“진짜지? 오늘 바로 주문한다?”

방긋 웃는 걸 보니 속이 좋지 않았다. 별거 아닌 대화 탓이다. 흐르는 대화에 사흘 전과 오늘 아침의 영감이 희석된다. 좋지 않다. 사람을 너무 필요로 보는 것 같아 양심이 조금 찔렸다. 어쨌거나 지금의 나는 이런 것을 감당할 그릇이 되지 않는다.

다시 귀를 틀어막았다. 하지만 백 걸음도 못가 돌아서야 했다.

“너 왜 자꾸 따라오냐?”

“이쪽 길인데?”

“장난쳐?”

“오늘 약 받으러 가는 날이야. 근데 엄마가 서울 가서 마을버스 타고 가야 하거든.”

“아.”

너는 피식 웃었다. 그게 타박의 전부였다. 다시 귀를 막는 것도 우스워 보일 것 같아서 어깨를 나란히 하고 걸었다. 네 입이 다시 열린 것은 그 갈림길, 길게 늘어진 느티나무 그늘의 경계에서였다.

“병원 가기 싫다.”

그걸 왜 나한테 말해? 따지고 싶다. 그러는 게 맞았다. 침묵하는 것도 나쁘지 않았다. 반사적으로 대꾸가 나오지만 않았어도 그렇게 했을 것이다.

"가지 마."

"그럴까?"

오른쪽은 버스 정류장으로 왼쪽은 우리 집으로 이어진다. 너는 성큼성큼 왼쪽으로 걸음을 옮겼다.

"아, 뭐!"

"여기로는 안 가봐서 그래. 너희 집도 이쪽이지?"

알면서도 하는 말이다. 비 오는 날 너는 이미 나를 보았다. 우산도 없이 서 있던 너를 무심히 지나쳐 가는 것도 말이다. 내 잘못이 아니다. 알아서 뭐 하게? 그런데 정체를 모를 부채감 때문에 또 받아칠 기회를 놓쳤다.

"몸도 약한 애가 아무 데나 막 쏘아 다니네?"

"넌 뭐 처음부터 다 알았니?"

말문이 막혔다.

어떤 길도 처음은 있다. 모든 길에는 첫발이 있다. 그것이 필요에 의해서든, 어떤 모험심의 발로이든, 일시의 유흥이든, 누군가는 위험을 감수하고 첫발을 내디뎠기에 그곳에 길이 생긴 것이다.

나도 그랬다. 노래를 만드는 사람이 되고 싶다고, 그런 꿈을 꾸고 확신을 세웠을 때, 나름의 벅참이랄게 있었다. 여러 고난이 있겠지만, 그래도 해낼 수 있을 거라고. 첫발부터 발목이 꺾일 수도 있다는 건 생각도 못 하고.

처음부터 다 알지는 못했다. 그러나 단 한 가지만 알았다면, 응원받지 못할 것만 알았다면, 그런 식으로 기대가 꺾일 줄 알았다면, 만약 그랬다면, 아예 시작하지도 않았을 것이다.

"너 그러다 다쳐."

너를 앞질러 빠르게 걷는다. 뛰지 않고서는 따라오지 못할 정도로. 몸이 울릴 정도로 바닥을 세게 디뎠다. 성난 걸음 소리를 들었다. 어쩌면 심장 소리일지도 모른다.

시선을 떨어트렸다. 그림자는 내 것뿐이다. 뒤를 돌아보았다. 노을 속에 파묻힌 그림자가 보였다. 표정은 보이지 않았다. 너는 손을 흔든다. 나는 이를 악물었다.

불쾌하다. 네가 아닌 내가.

—

마당에 잡동사니가 가득하다. 인기척을 느낀 걸까? 창고에서 아버지가 나왔다. 그는 어색한 미소를 지었다.

"일찍 왔네?"

야자를 꼬박꼬박 챙기는 편이었다. 집에 일찍 와봐야, 아버지와 있는 시간만 늘어나니까. 하지만 오늘은 그 불편을 감수해야만 했다. 오늘 해야만 하는 일이 있다.

"집에서 하려고요."

"그래."

조금은 우스웠다. 아버지가 일어나기 전에 등교를 시도했던 내 모습이, 내가 오기 전에 창고 정리를 마치려던 아버지의 모습과 겹쳐 보인다.

"그냥 청소만 할 거야. 아무것도 안 버릴 거다."

우리가 이렇게 된 날을 떠올린다. 내 방의 기타가 창고에 있던 것이란 걸 알게 된 아버지는 창고를 싹 뒤집어엎었다. 손때 묻은 교본과 존재조차 몰랐던 옷가지가 마당에서 불타올랐다. 나는 그것이 의미하는 바를 헤아릴 수 없었다. 아무것도 듣지 못한 탓에, 나는 돌아서서 상처를 핥는 것 말고는 아무것도.

도와주면, 그걸로 끝일 거 같아서 방으로 들어갔다. 컴퓨터를 켜고, 인강을 재생한다. 이어 시크릿창에서 사운드 클라우드에 접속했다.

작년부터 올리기 시작한 곡 다섯 개. 여전히 반응은 휑하다. 습작 수준이니 어쩔 수 없다고 생각한다. 평소라면 바로 창을 닫고 미디 프로그램을 켰겠지만, 오늘은 어쩐지 들어보고 싶었다. 아, 역시 별로다.

서툰 것은 문제가 아니다. 무언가 중요한 게 빠진 것 같다. 콘셉트? 테마? 심상? 중심이 되는 무언가가 빠진 채, 형식을 갖추는 데 급급하다. 그래서는 안 된다는 걸 알지만, 어느 순간부터 영감을 갈구하게 된다. 스파크 튀는 영감만 있다면, 난잡하게 흩어진 조각들이 하나로 맞춰질 것만 같다.

눈을 감았다. 그날을 떠올렸다.

빗소리 속에서 박자를 찾는다. 그것을 808로 비트를 찍었다. 너무 많이들 써서 도리어 손이 가지 않았던 악기다. 그러나 이 곡은 이게 맞다. 더할 소리를 찾는다. 냉각팬 소리가 거칠다. 슬쩍 눈치를 본다. 괜찮다.

더하고 뺀다. 고친다. 박에 맞춰 음표를 배열하고, 다시 깎아낸다. 그리면 그릴수록 원래의 이미지와 멀어진다. 그래도 무언가가 만들어지고 있으니 괜찮다. 신나기까지 했다. 생각보다 잘 이어졌다. 여기서 아예 다른 것이 되지는 않게, 줄을 타듯 작업을 이어간다.

막히는 구간에 도달했다. 너무 많은 것을 더한 탓일까? 부스러트리고 다시금 쌓아 올려야 하나? 아니다. 과해서가 아니야. 지금은 부족한 거다.

'넌 뭐 처음부터 다 알았니?'

화두가 떠올랐다. 머리뼈 속에서 냉각팬이 돈다. 갈림길. 가지 않은 길. 로버트 프로스트. Two roads diverged in a wood, and I—. 영어 영역 기출 문제. 4번이었나? 아니, 이건 아니고. 여하간에, 사람은 누구나.

상처 입을 것을 알면서도 그런 선택을 해야만 할 때가 있다.

다시 키보드에 손을 올라가는 순간.

"한길아. 저녁 먹었니?"

마우스를 잡았다. 반사적으로 프로그램을 꺼버렸다. 다시 인강을 키고 샤프를 잡고 나서야 깨달았다. 저장하는 걸 잊었다.

—

너는 내게 말을 걸지 않았다. 그럴 만도 했다. 그런 식으로 헤어졌으니까. 애초에 별 관계도 아니었고. 섭섭하지도 않았다. 너는 그저 영감의 원천일 뿐이다. 관찰엔 거리감이 중요하다. 꼭 친구가 될 필요는 없다. 내 뮤즈는 부담스러운 감이 있었다.

하지만 또 하루가 지나고는.

"안녕."

등굣길, 느티나무 아래에서 너는 나를 향해 손을 흔들었다. 날도 어둑한데 겁도 없이. 한숨을 눌러 삼키고 그냥 지나치려는데, 등에 멘 기타 케이스가 눈에 들어와 버렸다. 멈칫하는 사이에 네가 눈을 맞춰온다.

"인사."

지나쳤지만, 따라붙는다. 귀찮았지만, 물리칠 수 없다.

"스트링 빼고는 다 괜찮더라. 오래된 거 같은데 관리 잘했네. 나 얘 너무 마음에 들어."

"잘됐네."

"왜 이제 기타 안 쳐?"

"그냥."

"어떤 그냥? 그냥 실력이 안 늘어? 아니면 그냥 질린 거야?"

"그냥 공부하려고."

너는 눈을 반짝였다. 그랬다. 어느새 난 너를 돌아보고 있었다. 말려버린 것이다. 짜증 나. 하지만, 화까지 낼 수는 없다. 그러기엔 그제 그렇게 지나친 것이 마음에 걸렸다.

"공부 좋지. 잘해?"

"조금."

"기타보다 더?"

"응."

"좋아해?"

"좋은 것만 하며 살 수는 없잖아?"

"그래도 행복한 쪽이 나으니까."

"머릿속에 꽃밭만 들었나?"

"그런 소리 많이 들었어."

뱉고 보니 아차 싶었던 말조차, 너는 자연스럽게 받아주었다. 너는 지나칠 정도로 성격이 좋았다. 말을 나눈 지 며칠 되지도 않았는데, 확연히 느껴질 정도로. 이상하다. 이렇게까지 붙임성이 좋은 아이는 아니던 걸로 기억한다.

학교가 보였다. 어째서인지 벌써 등교한 애들이 보인다. 어제도 여자애들 몇몇이 평소보다 일찍 나타났다. 네게 신청곡을 제출했다.

"범인이 여기 있었네."

"응? 범인?"

"먼저 간다."

너의 존재는 자꾸만 나를 흔든다. 내겐 네가 필요하지만, 너는 내게 다가오지 않았으면 좋겠다. 거리감을 정하는 게 나이길 바랐다. 흔들리고 싶지 않다. 기대하고 싶지 않다. 다치고 싶지 않다. 나아가지 못한다고 해도. 차라리.

이어폰을 꽂는다. 보폭을 키운다. 이번엔 돌아보지 않을 것이다. 이대로 교실까지 가서, 아니, 오늘은 바로 자습실로 갈 거다. 그래서. 그런데.

"같이 가."

손목이 잡혔다. 이어폰 때문에 목소리가 들리지 않았다. 그런데도 들어 버렸다. 입 모양이 그랬고, 커진 동공 너머로 보이는 친밀감이, 가는 눈썹과 처진 눈꼬리가, 네 목소리를 보이게 만들었다.

거기서 말을 잃었다.

—

1학년은 총 스물네 명. 모두 한 학급이다. 해마다 신입생이 줄었다고 하지만, 정작 우리는 체감하지 못했다. 어차피 대부분 같은 초등학교와 중학교를 나왔기 때문이다. 시골 분위기가 그랬다.

"너 이정이랑 친해?"

"별로. 왜?"

"걔 요즘 네 기타 들고 다니잖아. 오늘은 학교도 같이 왔다며?"

"그게 뭐?"

최주영은 유치원부터 쭉 같은 반이었다. 절친일 때도 있었고, 적당히 인사하는 사이일 때도 있는데, 지금은 후자 쪽이다. 오지랖을 부리는 편은 아니다. 뒷담화도 싫어했다.

"하, 씨."

그런 애가 머리를 쥐어뜯는다. 시선을 엉뚱한 데로 둔 채로 말한다.

"너 빵지 기억나지. 재작년에 서울로 이사 갔잖아."

"어, 박영지."

"걔가 이정이랑 같은 학교였대."

이정은 전학생이다. 2학기에 서울에서 전학을 왔다. 박영지와 같은 학교였다는 건, 나름대로 신기한 우연인 셈. 하지만 그것만으로 이렇게 무게를 잡진 않을 것이다.

"같은 반은 아닌데 소문이 이상하더란다. 귀신을 본대나? 사람을 찔렀다는 말도 있고, 무슨, 그, 뭐냐, 그거, 낙태도 했다고……. 자꾸 그런 말이 나오던 상황에서 갑자기 전학을 간 거지."

그저 뜬소문이다. 진위를 확인하기도 어렵고, 누군가에게 변명하기도 어렵다. 따돌림 같은 걸 당한 걸까? 만약에 그 모든 게 사실이라 해도, 나와는 상관없는 일이다. 나는 그 아이가 아니라, 그 아이가 주는 영감이 좋은 거니까. 분명히.

"나도 안다고. 소심하긴 해도 이상한 애는 아니라는 거. 그래도 두 달은 같이 지냈잖아. 그런데 요즘 태도가 갑자기 달라져서 그래. 모르던 모습이 막 나온다니까? 이런 타이밍에 하필 너랑 갑자기 가까워지니까……."

기분이 이상했다. 날 걱정한다는 건 느낄 수 있었다. 고마웠다. 무엇을 걱정하는지도 알 것 같았다. 위험할 수도 있겠다는 생각이 들었다. 약간은 조심해야 할지도. 그런 생각이 전부, 다 새어 나갔다.

빈자리에 남은 것은 오롯이 너다. 또는 나와 너의 관계였다. 내가 너를 바라보는 방식이 궁금해진다. 내가 너를 소비하는 방식을 알고 싶었다. 그 의문이 안에서부터 부풀어 올라서 유스타키오관을 타고 중이로 올라가 고막을 바깥으로 밀어내더니 반고리관을 꽉 채웠다.

"너한테만 하는 말이다. 딴 애들한테는 비밀로 했어. 괜한 사람 잡는 걸 수도 있으니까. 빵지도 입단속 시켜 놨으니, 너만 조심하면 돼. 알았지."

"그래, 뭐."

"너 이 새끼, 지금까지 말 안 들었지?"

붕 뜨는 기분이 들었다. 이어폰도 없는데 어제 만들다 만 곡이 들리기 시작했다. 스크래치를 넣어볼까? 과하다. 백색소음 정도가 괜찮겠다. 로파이 감성으로.

벌써 손가락이 들썩였다.

—

네게 말을 걸었다. 한 가지 부탁을 했다.

"기타?"

"응."

전자악기엔 한계가 있다. 내 깜냥에 모든 악기를 다 생으로 넣을 수는 없지만, 중심 악기만큼은 제대로 녹음하고 싶었다. 네 연주가 필요했다.

너는 대꾸 없이 내 얼굴만 멀거니 바라보았다. 무언가를 찾는 듯한 기색이다. 괜히 눈을 피한다.

"공부도 안 하잖아, 너."

"넌 하잖아."

"스트레스 해소도 필요해. 가끔은."

궁색한 변명에 너는 미소로 답했다.

"녹음실은 있고?"

"읍내에."

"좋아. 그런데 조건이 있어."

"뭔데?"

"나 혼자 두지 마."

"어?"

갑작스러운 일격에 숨이 멎었다. 맥락을 따라갈 수가 없다. 애써 머리를 굴리는 내게 너는 웃음기 섞인 목소리로 부연했다.

"길치거든."

"아."

지난번, 네가 병원에 가겠다며 향했던 그 정류장에서 마을버스를 탔다. 읍내까지 걸리는 시간은 이십 분 정도.

"여기?"

"어."

"무슨, 우리가 들어가면 불법이잖아?"

너는 손가락으로 간판을 가리켰다. 신명동캬바레. 그렇군. 제대로 설명한다는 걸 깜빡했다. 마을버스에서 어르신들에게 치인 탓이다. 둘이 사귀냐는 것부터, 케이스 안에 뭐가 들었냐느니, 한 곡조 뽑을 수 있겠냐느니. 기빨리는 화제에 시달렸다. 두 시간 거리 정도는 걸어서 가는 게 더 낫지 않나 싶어질 정도였다.

"그게……."

"도한길?"

입에 담배를 물고 나오던 남자가 아는 척을 했다. 오랜만에 보는 얼굴이다. 김창수. 신명동 카바레의 월급 사장이었다.

"안녕하세요."

"장사 안돼서 뒤지겠는데 안녕은 무슨. 너 언제 어른 되냐? 우리 가게 술 좀 팔아줘라. 예쁜 누나들 팍팍 꽂아줄게, 는 장난이지요. 이쪽은 누구?"

"같은 반 친구요. 녹음실 쓰려고요."

"녹음실? 아아, 청소 안 해서 먼지 좀 쌓였을 거다."

너는 표정이 영 좋지 않았다. 역시나 설명이 필요할 거 같다. 돌아서서 담배에 불을 붙이는 형을 뒤로하고 건물 안으로 들어갔다. 2층 창고 옆자리 17번 룸. 가는 길에 냉장고에서 캔 녹차 두 개도 챙겼다. 녹음실 문을 열자, 방치된 공간 특유의 퀴퀴한 냄새가 우릴 반겼다.

"걸레질 좀 할까?"

먼지가 좀 쌓이긴 했지만, 마지막으로 본 모습 그대로다. 길쭉한 방 안쪽에 벽을 쳐서 레코딩 부스를 만들고, 테이블을 벽면에 붙인 후, 컴퓨터와 각종 음향 장비를 올려뒀다. 코드도 잘 꽂혀있고. 이 정도면 나쁘지 않다.

"그건 됐고, 너 뭐야?"

"어?"

"여긴 어른들 오는 곳이잖아. 그리고 아까 그 아저씬 뭔데? 이상한 사람 만나고 다니고 그러면 안 돼."

평소보다 낮고 빠르게 쏘아붙이는 목소리다. 나는 빤히 네 얼굴을 바라보았다. 화를 낼 수도 있다고 생각했다. 그런데 막상 마주하니 예상과 다르다. 네가 아니라, 내가.

"아니……. 걱정돼서 하는 소리지. 화낸 거 아니야."

"엄마 같아."

"뭐?"

"기분 안 상했다고."

물티슈로 소파와 빠르게 닦았다. 자리에 앉아서 녹차 캔을 깐다. 내가 마시려다가 팔짱을 끼고 있는 네게 내밀었다. 너는 마지못해 녹차를 받는다.

"창수 형 이상한 사람 아니야. 서울에서 음대 다니다가 어머니가 아파서 내려왔거든."

"……어머니가?"

"지금은 돌아가셨어. 생전에 인심을 잘 쌓으셔서 장례는 어렵지 않게 치렀는데. 끝나고 보니 빚더미에 앉은 거야. 여기도 형 사정이 너무 딱하다고, 어머니 지인이었던 채권자가 월급 사장으로 불러준 거고."

세차게 솟았던 눈초리가 뚝 하고 떨어진다. 죄책감이 느껴지는 눈빛이다. 그러나 입매에 아직 고집이 남아있다. 감정 변화에서 리듬감을 느낀다.

"우리 아버지도 창수 형 좋아해. 내가 여기 왔다갔다하는 건 모르시지만."

"그래! 사정은 안 됐는데, 그래도 네가 여기 오면 안 되지."

"나 창수 형한테 기타 배웠어."

와락 일그러지는 미간. 신기하다. 사람 얼굴을 이렇게 주의 깊게 바라본 건 처음인 것 같다.

"기타랑 작곡이랑 다 창수 형한테 배웠거든. 노래도 조금 배웠는데, 재능 없다고 해서 포기했어. 나한텐 사부님이야. 이렇게 말하면 이해가 좀 돼?"

"이해야, 뭐……."

"더 궁금한 건 없고?"

"됐어. 그냥, 너에 대해서는 하나도 몰랐구나 싶어서 기분이 이상해."

멋쩍게 웃는 네 주변으로 빗소리가 들렸다. 그날 빗속에서 날 바라볼 때, 그때도 이런 표정을 이었을까? 그럴 리가 없는 데도 기억의 부스러기에서 규칙성을 찾게 된다.

"뭐래? 말 몇 번이나 해봤다고."

"그러게."

가방에서 악보를 꺼냈다. 집에 프린터가 없어서 손으로 그렸는데, 새삼 모양이 예쁘지 않다. 학교에서 뽑아올 걸 그랬나 싶기도 하고. 하지만 넌 아무 말 없이 그것을 눈으로 곱씹었다. 얼굴을 보기 민망해 시선을 돌리는데 네 손가락이 눈에 들어왔다.

발갛게 부은 손끝이 조금 갈라져 있다. 처음 기타를 배웠을 때 내 손과 같은 모양이다. 나는 네 연주를 떠올린다. 머리로는 아는데 손이 따라가지 못하는. 아주 오랜만에 기타를 잡은 사람의 연주였다.

"좋은데?"

"뭐?"

"곡 좋다고. 연습 조금만 하고 녹음 들어가자."

"아, 어."

네가 손가락을 푸는 동안, 나는 녹음 장비를 확인했다. 방은 퀴퀴한데 장비는 유독 반딱거린다. 비싼 기기라 가끔은 돌려본 모양이다. 오 분 정도 훑으니 점검할 게 남지 않았다. 그동안 너는 삼매경에 빠졌다.

뚫어져라 악보를 보다가, 가끔 미소도 짓는다. 역시 민망하다. 새로 뽑는 게 나을 거 같다. 카운터에 프린터가 있다는 사실이 떠올랐다. 구형 잉크젯이었지만, 괴발개발 손 글씨보단 나을 거다. 문고리를 위로 들었다.

"여자친구는 어쩌고?"

"아니라니까."

"그럼 썸녀하고 하자."

"됐어요. 프린터 좀 쓸게요."

음흉한 눈빛을 뒤로하고 클라우드에 접속했다. 지난번에 날려 먹은 이후로 파일 관리에 조금 더 철저해졌다.

"진짜 오랜만이네. 언제 봤더라?"

"일 년은 안 됐고, 반년은 좀 넘었죠."

불편한 기억이 떠올랐다. 이곳에 발걸음을 끊었던 이유 말이다. 창수 형 탓은 아니다. 결국 집안 문제다.

"네가 이해해."

"이해해요."

"선생님이 그러는 거, 다 이유가 있는 거야. 있겠지."

"안 다고요. 그래서 공부하잖아요."

그러지 않으려고 했는데 목소리에 짜증이 배어 나왔다. 다 안다. 알고 있다. 아버지는 좋은 사람이다. 아무 이유 없이 그럴 사람이 아니다. 분명 이유가 있다. 내가 모르는, 내가 아직 어리기 때문에 털어놓을 수 없는 종류의, 그런 이유가.

하지만, 모르는 채로도 알고 싶다. 이해하지 못하더라도 듣고 싶다. 그런 생각마저도 치기라고 해야 할까? 사고가 버벅거렸다.

"아씨! 용지 걸렸다. 야! 취소, 취소! 인쇄 취소 눌러."

"진짜 가지가지 하네."

한참 실랑이를 벌이다 어렵사리 악보를 뽑았다. 형은 손바람으로 잉크를 말리더니, 갑자기 진지한 표정이 된다.

"이거 네가 쓴 거지?"

"그럼요."

"새끼. 못 보던 새 많이 컸네? 나보다 낫다."

"진짜 뭐라는 거야? 사람 놀리지 마요."

"놀리는 거 아닌데. 야, 한길아."

갑자기 목소리를 깔았다. 진지한 표정, 그러니까 사부님 노릇을 할 때 종종 보여줬던 그 얼굴로.

"나는 네가 음악 했으면 좋겠어. 서울에서 예고 안 나온다고 다 끝난 게 아니야. 오히려 좋은 점도 있어. 결국 사람의 마음을 울리려면 그 사람과 다른 사람과 같은 정서를 형성해야 하거든. 고등학교 생활 충실히 하고 대학 가서 시작해도 늦은 게 아니야. 특히 작곡 쪽은 비전공자가 더 많기도 하고."

아버지와 싸운 건 결국 진로 문제였다. 나는 본격적으로 음악을 하고 싶었고, 서울 소재 예술고등학교에 진학하길 바랐다. 장학금이 나오고, 기숙사 생활이 가능한 곳. 내 실력으로 갈 수 있는 곳을 찾아 말씀드렸다.

어떤 표정을 지을까? 기꺼이 응원해 주실까? 아니면, 떠나보낼 생각에 섭섭해하실까? 형편이 되지 않는다고 하소연하실지도 모른다. 혹은 설득하실지도. 일단 공부는 잘했으니까. 그러나, 그 무엇도 아니었다.

나도 모르게 뺨에 손이 올라갔다. 종종 꿈에서도 나왔다. 내게 따귀를 때리고, 창고에서 물건들을 꺼내 불태우고 나서 펑펑 우는 모습도. 기타라도 구한 게 다행이다.

아직도 그를 이해할 수 없다. 그런 주제에 미워하지조차 못한다.

"고마워요."

손에 절로 힘이 들어갔다. 새 악보가 구겨진다. 다시 뽑을까? 아니. 형과 다시 마주할 자신이 없다. 떠올리고 싶지 않다. 이런 상태로 너와 마주하기 겁난다. 호흡을 고르고 문을 열었다. 기타가 바닥에 널브러져 있다.

"야, 왜 그래?"

너는 웅크린 채로 벌벌 떨고 있었다. 연신 무슨 말을 중얼거리고 있다. 마치 뭔가에 씌기라도 한 것처럼.

"미안해요. 미안. 미안해. 잘못했어. 싫어. 나, 나 싫……. 아니야. 아니야. 괜찮아요. 가지 마. 우리 뽀뽀할까? 어? 응? 아, 제발

……."

나는 너를 억지로 일으켰다. 얼굴을 보았다. 눈이 뒤집힌 채로, 네가.

"소리 지르지 마!"

멀리서 우당탕 소리가 들렸다. 카운터까지 소리가 들린 모양이다. 형에겐 차가 있다. 당장 병원에 데려가야 한다. 그런데, 가만히 지켜볼 자신이 없다. 너는 아파서는 안 되는 사람이다.

"얘가 진짜. 이게 무슨 일이야?"

"나, 나, 신고할 거야! 할 거야! 할 수 있어! 아니, 아니야……. 아니에요. 우리 좋았잖아. 괜찮았잖아. 진짜……, 왜 그래요? 나한테……!"

"정신 차려!"

뒤로 넘어가려는 너를 힘주어 끌어안는다. 너는 허우적거리기 시작했다. 불안했다. 무서웠다. 심장이 갈비뼈를 부술 듯 때린다. 숨이 가빠왔다. 더 세게 끌어안았다. 제발. 제발…….

"한길아?"

반응한다?

"어! 나야, 나. 도한길. 알겠어? 알아보겠어?"

아니. 눈은 여전히 풀린 채다. 맹인처럼 허공을 더듬는다. 아무렇게나 휘저은 팔에 내 머리가 걸렸다. 너는 날 끌어안았다.

"한길이? 우리 한길이? 한길아!"

필사적이었다. 가슴에 얼굴이 파묻혔다. 시야가 가려진다. 조금 알았다고 생각했는데, 다시 알 수 없게 되었다. 너는 지금 무슨 표정을 짓고 있을까? 보고 싶었지만, 용기가 나지 않았다. 마주할 자신이 없다.

"한길아! 한길아……. 미안해. 내가 미안해……."

"네가 뭔데 미안해?"

"내가……. 내가……. 우리 한길이한테……."

문이 열리는 소리. 몰아쉬는 숨. 형이 온 거다. 상황을 정리해야 한다. 이를 악물었다. 눈에 힘을 줬다. 나는 네 어깨를 잡고 밀어냈다. 눈물로 범벅이 된 얼굴을 바라본다. 눈을 맞춘다.

"이정!"

동공이 커졌다.

"아?"

너는 고개를 갸웃거렸다.

"아……."

주변을 크게 둘러보고는.

"아아……!"

무너져 내렸다.

—

"들어가."

아파트 입구에서, 너는 그렇게 말했다. 그 모습이 이전과 조금도 다르지 않아서, 오히려 걱정스러웠다. 평소에도 그런 걸 숨기고 다닌 걸까 싶어서. 나만 모르고 있었나 해서.

"너, 진짜 괜찮은 거 맞아?"

"응. 미안."

"사과는 무슨……. 혼자 두지 말라 한 것도 그거 때문이고?"

너는 작게 고개를 끄덕였다. 결국 내 탓이다. 너는 내 말을 모두 받아줬는데, 나는 내 생각만 하다가 너를 놓치고 만 것이다. 역시나, 내겐 자격이 없다. 너 같은 애를 곁에 둘만큼 넉넉하지 않다.

"그……. 한길아."

"왜?"

"네 말이 맞아."

목소리에 체념이 어렸다. 그런데 눈빛은 따뜻하다. 갈피를 잡을 수 없다. 나는 너를 빤히 바라보았다. 너 감정을 바라보고, 거기서 무언가를 얻어가지만, 정작 너 자체를 이해할 수가 없다.

"그러다가 다치는 거지."

갈림길에서의 대화다. 너는 낯선 길에 발을 들이려고 했고, 난 그러다가 다친다고 면박을 줬다. 그랬다. 아무것도 모르는 주제에 말이다.

나는 틀린 존재다. 글러 먹은 인간이다. 너를 담아내지 않았다면, 아무것도 할 수 없을 것이다. 하지만 내가 널 계속 곁에 둬도 될까? 나라는 진흙탕에서 네가 머물게 둬도 될까? 가만 지켜보는 것조차도 잘못은 아닐지.

"그런데 말야. 다치기 싫다고 아무것도 하지 않는 건, 아니라고 생각해."

"그렇게 생각해?"

“응.”

눈을 감았다. 너는 정답이다. 너는 나와 다르다. 너에겐 빛이 있다. 너는 틀릴 수 없다. 이 진창 안에서 네가 다친다면, 그건 모두 내 탓이다. 알겠다. 나는 너를 놓아줄 수 없다.

맞서보기로 결심한다. 좋은 사람이 되어보기로 한다. 네 말을 따라보기로 한다. 다치기 싫다고 아무것도 하지 않은 건, 안 돼.

그렇게 입을 떼려는 순간, 네 입술이 먼저 열렸다.

“나도 노력해 볼게. 너도 힘내.”

역시, 너는.

—

“늦었네.”

아버지는 꺼진 TV 앞에서 술잔을 기울이고 있었다. TV 옆에 놓인 가족사진의 방향이 살짝 틀어져 있다. 가끔 참기 힘들 정도로 어머니가 그립다고 했다.

“아버지.”

나는 아버지의 맞은편에 앉았다. 주름진 얼굴과 마주한다. 내가 알지 못하는 세월을 더듬어 본다. 눈에 힘을 주었다. 귀를 열었다. 그리고, 말했다.

“저, 음악 하고 싶어요.”

아버지는 느릿하게 눈을 내리깔았다. 술잔을 쥐었던 손도 아래로 내렸다. 적어도 내 말을 가로막지는 않았다. 중요한 건 그거다.

"전학 안 가도 돼요. 학교 다니면서, 공부하면서, 조금씩이라도 좋으니 계속 노래를 만들고 싶어요. 대학부터는 아예 그쪽으로 갔으면 하고요."

"그러냐?"

"아버지가 응원해 주시면 좋겠지만, 그게 힘들 수도 있잖아요. 전 모르지만, 그래도 이해해 보려고 해요. 그럴만한 이유가 있다고. 하지만, 저는 제가 살고 싶은 대로 하고 싶어요. 이것까지 양보할 수는 없어요."

대꾸가 들려오지 않았다. 기다렸다. 그날 이후로, 아버지가 날 기다려 온 시간에 비하면 별것도 아니다. 거절당해도 괜찮아. 몇 번이고 다시 말씀드리면 된다. 마음이 꺾이면, 그때 가서는 다시 네게.

"그래. 그러자."

아버지는 고개를 들었다. 눈동자가 흔들린다. 그러나 엇나가진 않는다. 나를 보려고 하고 있다. 노력하고 있다.

"그래도 돼요?"

"모르겠다. 무섭네. 그래도……. 고맙다, 아들아."

마음이 울컥했다. 소주병을 쥐었다. 상표를 가리고, 두 손으로 든다. 아버지는 한발 늦게 술잔을 들었다. 떨리는 손으로 소주를 입에 가져다 댄다. 한참을 망설이다가 입안으로 털어놓는다.

"아버지가……. 더 좋은 아버지가 되고 싶은데, 그래서 나중에 한길이 엄마 만나면, 생색도 잔뜩 내려고 했거든. 그런데 그릇이 이것밖에 안 돼. 미안해, 아들. 아버지가 정말 미안하고 부끄럽다."

아버지의 눈가가 반짝였다. 보면 안 될 거 같아 고개를 숙였는데,

내 손등에도 뭔가가 떨어졌다. 목이 멨다. 꼭 해야 할 말을 막을 정도는 아니다.

"지금 작업하는 거 끝나면 들려드릴게요."

"그래, 그러자. 다음 주 토요일 어때?"

"네. 제가 제대로 준비해 올게요."

그날은 어머니의 기일이었다.

—

"가자."

"어디?"

"녹음실."

"뭐?"

"어젠 연습만 하다 끝났잖아. 나 지금 완전 준비됐어."

표정을 만들기가 쉽지 않다. '난 지금 널 무척이나 의심하고 있어.'라고 어필하고 싶은데, 제대로 전달이나 될지 모르겠다. 다행히 너는 어깨를 늘어뜨리고 힘없이 웃었다. 항복한다는 뜻이다.

"혼자만 두지 마. 그럴 때만 공황장애가 오거든."

"아."

"밀폐된 방에 혼자 있으면 그래. 그래서 우리 집엔 방문도 없거든. 너 나랑 있으면 화장실도 함부로 못 간다?"

솔직히 믿기진 않았다. 방언이 터진 듯한 그 발작은 내가 아는 공황의 증세는 아니었다. 비가 오는 날 느티나무 아래서 만났을 때도, 딱히 밀폐된 공간은 아니었고.

하지만 수긍했다. 나는 너를 정답으로 정했으니까.

녹음은 순식간에 끝났다. 그새 집에서도 연습했는지, 단 두 번 만에 기대 이상의 소리를 잡아낸 것이다. 창호 형조차도 감탄할 정도였다. 그러나 넌 무언가가 아쉬운 모양이다.

“이거 좋다. 곡이 너무 좋아.”

“고마워.”

“그런데, 기타만 하자니 조금 심심해.”

“당연히 미디 쓰지. 이것저것 다 넣을 거야.”

“어, 그것도 좋은데…….”

너는 잠깐 주저하다가 붉어진 얼굴로 말했다.

“보컬은 어때?”

—

“친구를 데려온다고?”

“기일인데 좀 그럴까요?”

“엄마도 좋아할 거다. 그래서, 여자 친구니?”

아버지의 중후한 얼굴 위로 누군가의 모습이 겹쳤다. 아. 창수 형, 제발. 거기서 나가줘요.

“여자애는 맞는데……. 그냥 같이 노래 만드는 친구예요. 이번 곡 보컬이랑 작사를 맡아줘서. 직접 부르면 의미 있잖아요.”

“그랬구나. 그러면 더 좋지.”

우린 이제 스스럼 없이 눈을 마주친다. 예전만큼은 아니지만, 그래도 하루하루 나아지고 있다. 그러다 보니 예기치 못한 부작용도 종종 발생하곤 했다.

“한길아. 잘 자라줘서 고맙다.”

“아녜요.”

이렇게 가끔 뜬금없이 무거운 이야기가 튀어나오는 것이다. 아버지도 자각은 있는지, 보통은 더 말을 이어가진 않았지만, 이번엔 무슨 결심을 하신 듯했다.

“사실 한길이가 어른이 되면, 해줘야 하는 말이 있는데. 전에 우리 한길이한테 아버지가 실수한 것도 그것 때문인데……. 요즘 들어서 곰곰이 생각해 보니, 꼭 그때까지 기다리지 않아도 괜찮을 거 같구나.”

후련함 속에 불안감이 느껴졌다. 나는 대답하지 않았다. 기다릴 수 있었다. 당장이라도 묻고 싶었지만, 더 기다릴 수 있다. 의지가 되는 아들이 되고 싶었다.

“조금만 더 고민해 보마. 알아듣기 쉽게 정리해서, 엄마 기일까지는 말이야.”

—

현실감이 느껴지지 않았다.

“안녕하세요. 한길이 같은 반 친구 이정입니다.”

“어서 와요. 과일부터 들어요. 방금 냉장고에서 꺼냈어요.”

내게 가장 중요한 두 사람이 화기애애하게 대화를 나누고 있는 모습을 보자니, 어딘가 붕 뜨는 기분이 들었다. 이렇게 괜찮아도 괜찮은 걸까.

괜히 겉돌다 보니 영정 사진을 앞이다. 내가 태어나고 얼마 지나지 않아서 돌아가셨다는 어머니. 사진 속의 어머니는 이미 중년이었다. 웃음도 정도 많으신 분이라고 들었다.

"고우시다."

"그래?"

"응, 고우셔."

어느새 곁에 온 네가 말했다. 아버지 앞에서 보이던 살가움은 어디다 내다 던졌는지, 비 오던 그날처럼 잔뜩 젖어있었다. 너는 참 다양한 색으로 빛난다.

과일을 먹으며 환담을 나눈다. 학교 이야기를 나누고, 내 흉을 봤다. 깔깔 웃음이 터진다. 시커먼 남자 둘이서 조용히 보내왔던 지금까지 기일과는 달랐다. 너라는 색이 우리 집에 배어든다.

이윽고, 너는 기타를 잡았다.

과일값을 하겠다는 너는 우선 씩 웃다가 눈을 감고서, 숨을 고르고, 자세를 고쳐잡는다. 곧 내가 그려온 네가 된다.

아마도 너를 사랑했어
벌써 너를 알기도 전부터

들릴 듯 말 듯 허밍이 흐르고, 깊은 호흡 위로 멜로디와 리듬, 하모니가 뒤엉켜 하나의 별 무리를 쏟아냈다. 내가 만들고, 네가 품어낸 그 노래가 거실을 우주로 만든다.

그 시간 모두 꿈결 같아
우린 사실 약속했던 거지

아버지의 입가에 미소가 걸렸다. 옅었지만 짙었다. 마치, 처음으로 너와 눈이 마주친 그날, 찰나가 무한하게 늘어나는 착각이 들었을 때처럼. 포기하지 않길 잘했다. 말하길 잘했다. 난 틀린 놈이지만, 내가 보낸 시간에는 나름의 의미가 있었다.

Away 여기선 보이지 않지만
A way 같은 길 위에 서 있어
Away 우리 함께했던 기억이
A way 고된 하루 견뎌내게 해

가슴을 쓸어내렸다. 다시 너를 본다. 아버지와 시선을 나란히 한다.

언젠가 다시 네가 날 찾아낼 때까지
너를 그리고
기다리고
바라며

있을게

완숙한 끝처리. 기타 실력과 비교하는 것이 우스울 정도로 멋진 보컬이었다. 손뼉을 치고 환호하고 싶은 감정을 억눌렀다. 그리고 첫 관객의 반응을 살폈다.

아버지는 여전히 같은 미소로, 눈물을 흘리고 있었다. 눈조차 깜빡이지도 않고 가만 너를 담고 있었다. 그런데 그건 너도 마찬가지였다. 둘은 같은 표정을 짓고 있다. 마치 거울처럼 말이다.

한참이 지난 후에야 아버지가 입을 열었다.

"너, 한별이니?"

너는 주저앉았다.

—

갑자기 정신을 잃은 것치고는 호흡도 맥박도 멀쩡했다. 열도 없었고. 그저 잠에 빠진 것만 같았다. 아버지는 네 어머니께 연락을 드렸다. 바로 출발하겠다는 대답이 왔다. 그렇게 십여 분 동안, 우리 둘은 아무 대화도 나누지 않았다.

한별. 처음 듣는 이름이다. 머릿속이 어지럽다. 똑 닮은 둘의 표정이라거나, 녹음실에서 네가 발작했던 모습. 아버지가 말해주기로 한 비밀. 최주영이 떠들었던 말. 그리고, 빗속의 너. 무언가 알 것 같은데 알 수가 없었다.

현관 벨이 울렸다.

"우리 애를 잘 부탁드립니다."

어머니는 네 모습을 한참이나 바라보더니, 또 영문 모를 소릴 했다. 아버지는 입술을 달싹거리더니 말했다.

"정이 어머니. 제 말을 어떻게 들으실지 모르겠지만……."

"이 아이의 아버지 되시는 분이죠?"

"그렇습니다. 제가 그 못난, 애빕니다."

아버지는 살짝 울컥한 듯 고개를 숙였다가, 이젠 나를 돌아보았다. 주름진 손으로 내 어깨를 잡아 네 어머니께 보여주었다.

"그리고, 여기 이 애가 우리 한별이 아들이에요."

—

도한별은 관심받기를 좋아하는 아이였다. 구김살 하나 없는 성격에 얼굴도 예뻐서 그녀를 아는 사람이라면 하나같이 그녀를 아끼고 사랑했다. 하지만 한별은 그것으로 부족했다. 더 많은 사람의 사랑을 확인하고 싶었다. 철부지의 첫 가출 시도는 지나칠 정도로 완벽하게 성공했다.

한별의 목표는 가수가 되는 거였다. 그러기 위해서는 오디션을 봐야 했으며, 이를 위해서는 긴 시간이 필요했다. 열일곱 살 시골 소녀가 부모님의 허락도 없이 홀로 상경해서 살 곳과 생활비를 구하는 건 쉽지 않은 일이었다. 한별은 사람의 마음을 사로잡는데 재능이 있었다. 많은 사람이 그녀에게 도움을 제공했다. 그러나 그 모든 사람이 좋은 사람이었던 것은 아니었다.

어떤 사랑은 한별의 발목을 잡았다. 그녀는 자신에게 구애해 온 의대생과 동거를 시작했다. 선하고 밝은 사람이라 좋다고. 그녀는 그런 식으로 말하곤 했다. 안타깝게도 그녀에겐 사람 보는 눈이 없었다. 그저 미숙한 것뿐일 지도 모른다. 어쨌든 말이다. 선한 사람은 미성년자를 집에 들이지 않고, 밝은 사람은 술을 먹었다 한들 연인에게 주먹을 휘두르지 않는 법이다.

임신했다는 사실을 알고 나서야, 한별은 남자친구의 집에서 도망쳤다. 소녀는 어머니가 되어야 했다. 그녀는 자신의 어리석음을 인정했다. 과오에 대해 책임져야 한다고 생각했다. 꿈을 내려놓기로 했다. 모두 되돌리기로 했다. 돌아가기로 했다. 방향은 옳았으나, 방법은 미숙했고, 수단은 뒤틀려 있었다.

한별은 임신 사실과 나이를 숨기고 돈을 모았다. 이대로 돌아가면 부모님이 아기를 가만두지 않을 거라고, 생각했던 모양이다. 진심으로 부탁하면 들어줄 수 있을지 모르지만, 이미 큰 잘못을 저지른 입장에서 부모님께 억지를 부릴 자신이 없다고, 그렇게 생각했을지도 모른다. 어쨌든 그녀는 아이를 낳을 수 있는 환경을 스스로 구축했다.

놀랍게도 한별은 출산에 성공했다. 태아도 산모도 건강했다. 그게 문제였다. 첫 가출도 성공하고, 첫 출산도 성공해 버린 것 말이다. 남자를 잘못 고르긴 했지만, 결국 내 목숨보다 소중한 아기를 얻었으니 나쁘게만 볼 필요는 없다, 따위의 메모가 그녀의 유품에서 발견되었다. 그녀는 고향으로 돌아가는 대신 일을 계속했다. 쇼핑 앱 장바구니에는 아기용품이 가득했다.

한별은 산후조리를 경시했다. 갑자기 새벽부터 열이 끓어올라 일을 쉬어야겠다는 통화가 그녀가 생전 마지막으로 남긴 말이었다. 한별은 우는 아기 곁에서 죽었다. 흥신소에서 한별의 부모님께 그녀의 집 주소를 전달한 바로 그날이었다.

한 아기는 구했으나, 두 어미는 구하지 못했다. 한별의 어머니는 시름시름 앓다가 스스로 목숨을 끊었다. 그것이 도씨 집안에 도씨 사내만 남게 된 이유였다.

"한별이는 어른스럽고 착한 애였어. 그 아이가 뭘 그렇게 잘못했겠니? 조금 운이 나빴던 거고, 그때 다잡아 줄 우리가 곁에 없었던 거지."

아버지는 담담하게 이야기를 마쳤다. 도한별이, 내 어머니가 나를 낳았을 때가 딱 내 나이였다. 아버지는 나를 서울로 보낼 수 없다. 그건 아버지에게 너무 가혹한 일이었다. 아버지는 이 이야기를 아껴왔다. 내가 감당할 수 있는 나이가 될 때까지 기다렸던 것이다.

그래서, 나는 이 이야기를 감당하고 있는가? 왜 네가 한별이어야 하는지, 어째서 내 어머니라는 건지, 영문을 알 수 없었다. 그래서 기다리기로 했다. 아버지처럼 오래는 아니다. 내 답지는 아직 접힌 채로 소파 위에 누워있다.

"수시로 발작이 있었죠. 큰 병원에서도 원인을 알 수 없다고만 하고요. 그 와중에 속는 셈 치고 썼던 부적 하나가 효험이 보였어요. 집이라도 팔 테니까 우리 애 좀 구해달라고. 부적 좀 더 써달라고 말이죠."

네 어머니는 차분하게, 어쩌면 지친 목소리로 말했다.

"한이 깊지만, 악령은 아니다. 억지로 떼어내는 것보단 한을 풀어주는 게 낫지 않겠냐? 시간은 들겠지만, 그쪽이 더 딸애를 위하는 길이라고."

"한이라면……."

"가족과 다시 만나는 거겠죠. 아무래도요."

뚫어져라 너만 바라보고 있던 시선이 내게로 향했다. 아버지가 걱정스러운 얼굴로 말했다. 할아버지일 수도 있다.

"아들. 많이 놀랐지?"

습관처럼 주머니를 뒤졌다. 이어폰이 나왔다. 촉감이 어색하다. 안 쓴지 너무 오래됐다. 너와 함께일 땐, 노래보다 들을 게 많았다. 결론에 도달했다. 누가 이 가족사를 지금의 내 그릇으로 감당할 수 있겠냐고 묻는다면 말이다.

"저는……."

그때 네가 눈을 떴다. 그리고 날 바라보았다.

—

밤바람이 차가웠다. 옷을 따뜻하게 입고 산책을 나섰다. 아무 말 없이 걷다 보니 저 멀리 느티나무가 보였다. 그곳에서 나는 너와 만났다. 그때의 너는 이정이었을까, 도한별이었을까.

"미안."

"뭐가?"

"그냥. 전부."

너는 나와 눈을 마주치지 못했다. 문득 궁금해졌다. 나는 네게 도한길인지, 우리 한길인지? 너는 나를 어떤 패턴으로 해석하고 있을까?

"나도 미안."

"왜?"

"그러다가 다친다고 한 거."

미안하고 부끄럽다. 이미 큰일을 겪은 사람한테, 그것도 우리 엄마한테, 잘난 척 설교를 해버렸다. 사과하지 않으면 안 된다. 이미 아파트 입구에서 나눈 대화지만, 내 입으로 말한 적은 없으니까. 한 번은 제대로 말하고 싶었다. 그런데 입으로 뱉고 나니 더 부끄럽다.

"괜찮아. 사실인데, 뭐."

네가 웃음 짓는다. 가슴이 간질거렸다. 유독 네 주변은 공기가 달랐다. 다른 사람과는 뭔가가 달랐다. 지금도 마찬가지다. 변한 게 있다면, 여전히 말로 정확하게 풀어낼 수는 없지만, 왜 너를 그렇게 느끼는지는 여전히 모르겠지만, 그래도 내가 널 어떻게 여기는지만큼은, 조금을 알 것 같다는 거다.

"이제 성불하는 거야?"

"글쎄. 어쩌면 좋을까? 어떻게 했으면 좋겠어?"

"내가 정할 수 있는 건가?"

"아니, 그냥. 궁금하잖아."

네 얼굴을 돌아보았다. 나무 그늘에 가려 보이지 않았다. 우리는 갈림길에 섰다. 하나는 정류장으로 가는 길이었고, 다른 하나는 학교로 가는 길이었다. 나는 너를 바라보았다. 어둠 속에 있을 네 얼굴을 떠올렸다. 그 너머에 있을 네 영혼을 그려보았다.

그리고 우리의 대화를 떠올렸다. 넌 뭐 처음부터 다 알았니? 너 그러다 다쳐. 바로 이곳에서. 숨을 들이마신다. 잔향이 간질거린다.

낯선 길은 사람을 다치게 만든다. 누군가는 거기서 주저앉아 버리지만, 누군가는 상처를 끌어안고 여전히 나아간다. 무엇이 옳은지는 아직 잘 모르겠어. 나는 엄마가 왜 그런 선택을 했는지 이해할 수 있었다. 그러나 그것이 현명하다고 생각하지는 않아.

"나는."

나는 너라는 갈림길 앞에 섰다.

/

너는 나의 정답이었다. 오답으로 가득한 내 삶에 당신은 새로운 길을 열어줬다. 네가 어떻게 날 찾았는지, 날 어떻게 생각하는지, 궁금하다. 하지만 알지 못해도 상관없다. 너는 내가 아는 것 중 가장 좋은 것이니까.

"엄마가 원하는 대로 했으면 좋겠어."

네가 나의 엄마라는 게 싫지 않다. 기뻤다. 내 안에 네가 있다는 것이, 나도 너처럼 될 가능성을 품은 존재라는 뜻 같아서, 힘이 났다. 내 시작이 너의 사랑이었으니까. 너처럼 살아낼 수 있을 것 같아서. 그래서 그랬다.

당신이 원하는 대로 했으면 좋겠다고. 지금까지 죽 그래왔듯이.

"내가 원하는 건 말이야. 한길이가 행복한 거야."

"계속 옆에 있어 주면 행복할 거 같아."

너는 슬픈 표정을 지었다. 알고 있다. 네가 계속 거기 있을 수 없다는 것을. 그렇다고 해서 딱히 투정을 부린 것은 아니다.

"그런 마음이라는 걸 알아주기만 하면 돼."

흐느끼는 소리가 들렸다. 어둠에 조금 익숙해져서, 네 윤곽이 어렴풋이 보였다. 너를 품에 안았다. 토닥토닥. 한별은 내 엄마다. 하지만 내 또래였고, 생전 힘든 삶을 살았다. 나는 너를 응원하고 싶었다. 위로라고 해도 상관없다. 네가 나를 우리 한길이로 보든, 같이 음악을 만든 친구라고 보든. 그것은 네가 정할 문제였다. 뭐든, 내게는 정답일 테니까.

"미안해……. 곁에 있어 주지 못해서 미안해……. 책임져 주지 못해서 미안해……. 널 보고, 너와 함께하면서, 혼자만 행복해 버려서 미안해……. 한길아, 나 미안해서 어떡해. 이렇게 잘 자라줘서 고맙다고 해야 하는데, 너무, 너무 미안해서……. 미안하다고 해서 미안해……."

너는 한참을 주절거렸다. 나는 네 어깨에 이마를 묻었다. 귀 옆에 네 입술이 있어서, 뭉개진 발음까지 선명하게 들렸다. 작다. 그날의 도한별도 이렇게 작았을까? 그런 몸으로 나를 품어낸 걸까? 너를 더 꼭 껴안았다. 너 또한 누군가의 품이 그리웠겠지. 너는 울음을 터트렸다. 머리카락이 젖고, 또 식었다. 어째선지 춥지 않았다.

한참이 지나고 나서야 너는 진정했다. 너는 내 손을 잡고 평상으로 이끌었다. 옻칠이 달빛을 머금고 빙판처럼 빛났다. 너는 거기 앉아 내게 무릎을 내어주었다. 너는 내 눈을 감기고 느릿하게 자장가를 부른다. 고막이 데워지는 느낌이었다. 다시 눈을 떴을 때는, 그땐.

/

"아버지, 저 먼저 내릴게요."

차창 밖을 바라보다가 문득 입을 열었다. 수험장에서 돌아오는 길이었다. 아버지는 차를 멈추고는 입술을 달싹였다. 그러다 곧 미소를 지으며 우산을 내밀었다.

"늦지 마라."

"네."

차가 시야에서 사라지자, 나는 우산을 접었다. 차가운 비였지만, 아직은 견딜만했다. 나는 느티나무를 바라보았다. 그곳에서 그날의 너를 떠올린다. 비에 젖어있던 너와 달빛에 젖어있던 너, 모두.

평상에서 눈을 떴을 때, 이정은 곁에 없었다. 며칠을 더 앓았단다. 그리고 서울로 돌아갔다고. 다행히 큰 병은 아니었단다. 아버지는 이후로도 종종 이정을 만났다. 둘 사이에 할 이야기가 많았다. 나는 따라가지 않았다. 이정은 네가 아니다. 너는 이 안에 있다.

가슴에 손을 올렸다. 그 가을, 여기 안에서 너는 깊게도 뿌리를 내렸다. 지금도 눈만 감으면, 그날의 자장가가 선명하다. 나는 작곡과가 아닌 실용음악과를 지원했다. 이 노래를 전하며 사는 것이, 너와 영원히 함께할 일임을 알기에, 나는 노래를 부르기로 했다.

아마도 너를 사랑했어

벌써 너를 알기도 전부터

그 시간 모두 꿈결 같아

우린 사실 약속했던 거지

아주 오랜 옛날 새끼손가락 걸고

서로 제일 소중한 사람이 되어주자고

아가 사랑하는 우리 아가

엄마가 너를 오래 기다렸어

아가 사랑하는 우리 아가

엄마가 너의 노래 되어줄게

그러니 너무 슬퍼하지는 마

우리의 약속은 영원히 이어질 테니

그러니 너무 걱정하지는 마

우리가 함께할 새집을 꾸며둘 테니

Away 여기선 보이지 않지만

A way 같은 길 위에 서 있어

Away 우리 함께했던 기억이

A way 고된 하루 견뎌내게 해

조금 쓸쓸할 수도 있겠지만, 괜찮아

언젠가 다시 네가 날 찾아낼 때까지

너를 그리고

기다리고

바라고

있을게

\

너는 나의 정답이었다. 오답으로 가득한 내 삶에 당신은 새로운 길을 열어줬다. 네가 어떻게 날 찾았는지, 날 어떻게 생각하는지, 궁금하다. 하지만 알지 못해도 상관없다. 너는 내가 아는 것 중 가장 좋은 것이니까.

그렇기에, 너를 닮아보려 한다.

"계속 나랑 있어 줘."

어쩌면, 이번에도 틀렸을지도 모른다. 난 항상 틀렸으니까. 다치기 싫다면, 이대로 네가 걷는 그 길 뒤를 따라가는 게 맞을 것이다. 하지만, 하지만, 조금은 알 거 같았다. 너라고 항상 옳았던 건 아니야.

"마마보이네."

네 웃음엔 슬픔이 있었다. 알고 있다. 네가 한별이라는 것을. 하지만 넌 또한 이정이었다. 너는 너였다. 너는 내게 그저 너일 뿐인 존재였다. 너의 이름과 슬픔, 사정 같은 거, 그 모든 건 네가 내 곁에 있는 것보다 중요한 문제가 될 수 없었다.

나는 너를 바라보았다. 암순응 덕에 네 모습이 조금 보였다. 무거운 걸음을 뗀다. 이게 맞을까? 무섭고 또 무섭다. 그래서 더 멈출 수 없었다. 이제야 알 거 같았다. 한별도 매 순간 이런 기분이었을 것이다. 아무도 없는 곳에서 겁먹은 채로, 그러나 자신이 생각하는 옳은 길을, 만신창이가 되면서도 나아간 것이다.

너를 품에 안았다.

"그냥 옆에 있어 줘."

긴 한숨이 들렸다. 네 어깨가 움찔거렸다. 너는 작았다. 작고 뜨거웠다. 당장이라도 식어버리지나 않을까, 가만둘 수가 없었다. 네가 말했다.

"사실 나, ……아니야."

"뭐?"

"나 말이야. 도한별이 아니야."

나는 너를 떼어냈다. 네 시선은 내 가슴팍에 고정되어 있었다.

"하지만 아버지랑……."

"기억은 있어. 그런데 나는 나야. 그날 녹음실에서, 기억나?"

고개를 끄덕였다. 녹음실에서 하루 이틀 보낸 건 아니지만, 이 상황에서 말할만한 거라면 첫날의 그 발작뿐이다.

"네가 내 이름을 불러줬잖아."

그랬다. 어떻게 해도 진정하지 못했던 너였는데, 이름을 크게 부르니 그때야 눈빛이 돌아왔다.

"전까진 도한별이었어. 이 동네에 와서는 거의 그랬지. 특히 너를 볼 때만큼은 항상. 서로 대화는 할 수 없었지만, 느낄 순 있었어. 너를 보는 것만으로도 조금씩 희미해지고 있었다고. 아마, 그 발작이 없었다고 해도, 오래 버티진 못했을 거야."

"그럼……."

"그런데 그건, 너무 안 됐잖아."

너는 고개를 숙였다. 눈물이 뚝뚝 흘러내렸다. 너의 감정이 선명하게 읽혔다.

"그렇게 힘들었는데, 안 됐잖아. 사람이 그렇게 아프면 안 되는 거잖아. 그렇게 아프고도, 아무것도 남기지 못하면, 그건 너무 불쌍하잖아. 그래서 그랬어. 내가, 대신 해보려고 했어. 미안. 나도 노력해 봤는데, 잘 안됐어. 끝까지, 너한테만큼은 끝까지, 엄마로 남아줬어야 했는데……. 내가 다 망쳤어. 미안해."

눈물이 흐르는 소리가, 가슴에 닿았다. 머릿속이 화끈거렸다. 심장에서 비가 내렸다. 그렇게 잡은 박자 위로, 너의 체취가 흩어지며 음표가 되었다. 흐려지는 시야 속에서 울먹이는 목소리가 가사를 이룬다.

나, 이거 진짜 바보 같은 말인 거 아는데…….
계속 네 곁에 있고 싶어.

숨이 가빠왔다. 그제야 깨달았다. 내가 내 속에서조차 한 번도 너를 이름으로 부르지 않았다는 것은, 그 순간부터 너를 특별하게 여겨온 데는, 사실 그리 복잡하고 어려운 배경이 있는 게 아니었다.

한길아.
나
너
좋아해.

나는 네게 젖어있었다. 비 오는 날, 느티나무 아래서 네 그 모습을 본 순간부터, 대화를 나누고, 노래를 만들며 함께 걸어온 시간이, 너로 나를 적셔버렸다. 나는 너에게 정답이란 의미를 부여했지만, 그것은 중요한 게 아니었다. 너는 나를 더 좋은 사람으로 만들었지만, 그게 네가 내게 필요한 이유는 아니었다.

하.

웃음이 나왔다. 혹은 한숨. 떨리는 네 어깨를 감싼다. 함께 걸었다. 왈츠도 괜찮다. 옻칠 위로 달빛은 윤슬처럼 빛났다. 어깨를 붙이고 앉았다. 춥지 않냐고 물었고, 너는 조금 춥다고 했다. 나는 겉옷을 벗어주었다. 너는 춥지 않냐고 물었고, 나는 오히려 조금 덥다고 했다. 아무것도 아닌 이야기를 나누면서 우린 손을 겹쳤다. 우린 언젠가 한별의 이야기를 하기로 약속했다. 그러고 나서는 내일 급식을 주제로 이야기를 나누었다. 처음이지만, 알 수 있었다. 진작부터 이렇게 해야 했다는 걸.

아포페니아. 인간에겐 서로 연관 없는 것에서부터 규칙성을 찾으려는 강박이 있다. 때론 그것이 우리를 이끄는 힘이 되기도 하지만, 지금의 나는 그저 네가 필요했을 뿐이기에. 네 손을 놓지 않았다.

unNatural Secret

달뜬 열기로 가득했던 밤이 지평좌표계 저편으로 도망치고, 남겨진 골목은 햇살을 맞아 헝클어진 민낯을 드러낸다. 진우는 거기서 이름 모를 여자를 떠올렸다.

술 몇 잔에 성난 리비도의 고삐를 멋대로 풀어버린 여자는 아침이 되자마자 만사가 억울한 아깽이가 되었다. 어느 한쪽이 가짜라 할 수는 없다. 하나의 행성이 밤낮을 동시 품는 것처럼.

지난밤과 또 그 시간을 닮은 밤 여럿을 순차로 곱씹는다. 바닥을 보며 걸었다. 시야에 제 온 걸음을 담고 있자니, 새삼 모든 게 그리 나쁘지만은 않다는 기분 좋은 착각에 취할 수 있었다.

발걸음이 대로로 접어드는 순간 통신기가 울렸다. 여유를 만끽하는 것도 여기까지. 진우는 혀를 찼다.

[왜 연락이 안 되는 거야! 대체 거기서 무슨 짓을 하고 다니는 거냐고!]

갈라진 목소리가 거슬렸다. 한숨이 절로 나온다.

"이제 됐잖아."

[너, 이 새끼……. 진짜…….]

"프라이버시는 존중해 줘야지."

[지랄 개똥이 프라이버시다, 씨발 새꺄!]

쏟아지는 욕설을 한 귀로 듣고 한 귀로 흘린다. 한참 후에야 진정한 상대가 상황을 설명했다.

[진짜 한두 번도 아니고……. 후! 좋아. 어제 새벽 3시 22분을 기준으로 타겟 소재 파악을 완료했어. 설마 그렇게까지 구식일 줄은 몰랐지. 병신 같은 아날로그 성애자 같으니.]

"아쉽다. 그냥 놀다 갈 수 있었는데."

[씨부럴 그게 의뢰인 앞에서 할 말이냐?]

"그래서 어딘데?"

[강남. 지금 바로 위치 정보 전송할 테니 액세스 오픈……. 어라?]

중추신경계 임플란트로 전송된 정보가 전기적, 화학적 가공 과정을 거쳐 소뇌의 뉴런으로 전달되고, 뇌척수액에서 휴면 중인 나노봇이 활성화, 디지털 데이터가 생체의 감각에 컨버팅하는 과정에서 발생하는 세포 단위의 손상을 치유한다. 0.38초간의 현기증은 동기화를 의미했다.

진우는 고개를 들었다. 두 블록 너머로 마천루가 보였다. 시대착

오적인 커튼월 양식이었으나, 사방으로 태양광을 흩뿌리는 기세가 제법 흉포했다.

"마침 근처군."

[얌마! 설마 지금 바로 시작하는 건 아니겠지? 바로 브리핑 자료 전송할 테니까……!]

"퇴로나 확보해 둬."

[미친 새끼야! 끊으면 죽여버린……!]

통신기를 끈다. 목을 풀면서 성큼성큼 나아갔다. 그 기세에 돌아보는 시선들이 느껴졌다. 상관없다. 다시 볼 사람들도 아니고. 신발 뒤축을 거칠게 문질렀다.

삐걱. 발뒤꿈치 종골을 대체한 도약성 임플란트에서 강한 자기적 반발이 느껴졌다. 전신의 인조 골수가 나노봇을 쏟아낸다. 마취와 각성이 동시에 일어나 백주에 사이키델릭한 환상을 자아냈다. 하늘을 나는 기분이다. 비유가 아니었다.

진우의 육신은 1.43초 동안 247.9미터를 격해 NSSHC(Neo-Seoul South Hatchery Center) 79층에 자리한 D종 클러스터 파트 시큐리티 대기실의 벽면에 도달했다. 88.6킬로그램의 투사체가 마하 0.5를 살짝 넘기는 속도로 강화유리에 충돌. 쭉 뻗은 주먹과 유리 벽 사이에 압축된 공기가 폭발하며 일으킨 진동이 철골을 따라 흩어졌다.

1차로 강화 유리를 2차로 에코 콘크리트를 부수고도 몇 바퀴를 더 구른 진우는 곧장 자리에서 일어났다. 고막을 쑤시는 경보음. 벙찐 얼굴로 자신을 바라보는 연구원들. 안구 임플란트가 사방에서 조여오는 시큐리티의 위협성을 경고한다.

진우는 벽을 뚫느라 망가진 왼손을 뽑아 버리고, 요골과 척골에 깔아둔 임플란트를 가동했다. 구형 스페이스 셔틀에나 쓰는 미량의 추진제가 공회전하며 플라즈마이제이션을 일으킨다. 그는 청백색 불꽃을 바닥에 꽂았다. 지금껏 모공을 통해 쏟았던 기폭 가스가 이온 불꽃과 만나 폭발을 일으켰다.

"아. 해장하고 올 걸."

진우는 근방 라멘집의 돈코츠라멘을 떠올리며 혀를 차려 했으나, 이미 그의 혀는 고열로 인한 단백질 변성으로 잇몸과 합쳐져 버렸기에 이는 불발로 끝나고 말았다. 이 난장판 속에서도 꿋꿋이 압박하는 시큐리티를 곁눈질하면서도 진우는 지난밤을, 격렬했던 그 춤을 상기했다.

하진우. 네오 서울의 1급 수배자이자 세계 최악의 테러리스트, 나이트 댄서의 또 다른 이름이었다.

1949년. 기자 알프레드 웨이너는 알베르트 아인슈타인과 인터뷰에서 3차 대전에 쓰일 무기에 대해 질문했다. 아인슈타인은 미래의 일은 예상할 수 없으나, 4차 대전에 쓰일 무기는 어렴풋이 짐작이 간다고 답했다. 막대기나 돌 같은 게 아니겠냐고.

21세기를 화려하게 작살내어 버린 대전쟁. 미국을 위시한 해양 국가와 중국을 위시한 대륙 국가 간의 알력 다툼은 점차 에스컬레이팅 되어 종국에는 거리낌 없이 핵미사일을 주고받기에 이르렀다.

그 자멸적인 광기는 19세기 초 나폴레옹의 집권으로 시작된 민족 국가[Nation State]의 개념을 해체했다. 22세기의 세계 정세를 결정하는 것은 유력 도시 간의 협의와 경쟁이었다. 네오 서울 또한 그 유력 도시의 한 축을 맡고 있었다.

다른 여느 유력 도시가 그렇듯, 대전쟁 후기에 정부와 재계가 발빠른 연대를 결정한 덕분이었다. 정부는 전쟁으로 완파된 행정역량을 재벌 집단의 조력을 받아 서울의 특정 지역에 집중시켰다. 과거 용산, 성동, 강남, 서초라 불리었던 지역의 일부. 지방으로 이전했던 공기업과 연구소를 불러들임으로써 네오 서울을 문명인이 살 수 있는 땅으로 만든 것이다.

고작 일백 제곱킬로미터 정도의 좁은 땅에 삼천만 인구를 모두 수용하는 것은 불가능했으므로 이 선택은 큰 반발에 부딪혔다. 지방 군부대는 지역 도시와 결합하여 독자적인 세력을 이루었고 연대를 통해 네오 서울을 무력으로 도모하려 들었다. 대전쟁보다 엄혹했던 겨울이 지나고, 네오 서울은 한반도 유일의 유력 도시가 되었다.

네오 서울은 내전의 상처를 딛고 성장을 거듭했다. 해체된 군벌의 일부 유력자들은 사전에 빼돌린 인프라와 자원을 가지고 네오 서울로 몰려들었다. 대한민국 정부의 법통을 계승한 시 정부는 이들을 도시 내로 들이진 않았지만, 스스로 무장을 해제한다는 조건으로 주변에 정착을 허락했다.

과거 서울을 써니사이드업 에그 프라이라고 봤을 때, 네오 서울은 노른자위, 정착인들의 거주지는 흰자위에 해당한다고 할 수 있었다. 유효치안지대 화이트 벨트의 탄생이었다.

그리고, 그 화이트 벨트의 바깥. 네오 서울의 행정력이 미치지 못하는 땅에도 사람들이 살고 있었다.

구 김포대교 북단. 과거 자유로 JC가 자리했던 이 땅은 온갖 폐기물로 쓰레기 산을 이루고 있었다. 내전 중 1군단과 공조하여 문산 방면을 타고 내려오던 조선인민군 잔당이 생화학탄을 맞고 전멸한 자리였다. 세 차례의 대규모 방제 활동과 반백 년이란 세월이 기존의 오염 물질을 정화했지만, 그동안 서북 지역의 쓰레기장으로 포지션이 굳어버린 탓에 사람이 살 수 없는 땅이 되어버린 것이다.

"씨이빨 새끼! 내가 진짜 죽여버릴 거야, 개새끼!"

중금속과 타르를 잔뜩 머금은 채 한강으로 흐르는 오염수를 노려보며 워창은 발을 동동 굴렀다. 낡아 빠진 운동화 밑창이 더 벌어지며 허옇게 각화된 뒤꿈치가 보였다. 그렇지 않아도 하수의 악취에 비위가 상했던 로빈은 고개를 반대편으로 돌렸다.

"뒈질 거면 혼자 안 보이는 데 가서 목이라도 매달던지! 왜 의뢰 도중에 그 지랄하는 거냐고? 씨발! 내 복장 터트리려고 작정을 한 거잖아? 그치? 헤이, 닥터! 어떻게 생각해?"

"아마 아닐걸?"

"그게 아니면 왜 이러는데!"

"진우 정도 되면 목 좀 매단다고 죽지는 않아. 더 편한 방법도 많으니까."

워창은 로빈의 말간 얼굴을 빤히 바라보았다. 분노로 호흡이 가빠지자, 인조 연수에서부터 GABA가 분비된 것이다. 쉽게 말해서 현타가 온 것이다.

“하. 씨발. 됐다. 붙어먹는 년이랑 무슨 말을 하겠냐.”

“아가리에 걸레를 처물었나, 좆만 한 게 디질라구…….”

곱상한 얼굴로 지껄이는 말이 워창의 진정을 가속시켰다. 그 인내를 하늘도 어여삐 보셨던 걸까? 녹옥빛 하수를 연어처럼 거슬러 온 캡슐이 펄떡 뛰어올라 워창의 앞에 안착했다.

“왔구나, 왔어! 줴에엔장! 믿고 있었다고!”

워창은 환호하며 캡슐을 끌어안았다. 오염수로 젖으면서도 아랑곳하지 않고 뽀뽀까지 한다. 로빈은 한 때 현자였던 남자로부터 정확히 네 걸음 뒤로 물러났다.

캡슐이 열리고 안에 있던 것이 드러난다. 티타늄 합금을 격자로 짜 넣은 군용 스켈레톤. 크롬으로 도금한 지르코니아제 척추. 선홍빛이 도는 양질의 배양 근육. 왼쪽 안구, 양측 고막, 허파, 비장 등의 장기 임플란트. 값으로 따지면, 시가전을 상정한 일개 소대를 정예로 키울 수 있을 정도.

“새애끼, 정리 좀 하지.”

“적당히 뒤적거려. 뭐 하나 망가지면 청구서 보낼 거야.”

“알았다고. 안 그래도 찾았으니까.”

워창은 작은 책자 사이즈의 금속판을 꺼내 들었다. 총 89종의 염색체 샘플이었다. 단순 게놈 정보만이 아니라 특수 용액에 실제 염색체 구조물을 담아둔 박스였다. 진우가 삼엄한 보안을 뚫고 기어코 확보한 티켓이었다.

샘플을 집어 든 워창은 약에 취하기라도 한 것처럼 낄낄거리며 달리다가 튀어나온 철골에 걸려 넘어졌다. 귀한 박스가 바닥을 굴렀지만, 워창은 대충 흙먼지만 털어내고 다시 달렸다. 로빈은 그 모습을 보며 한숨을 쉬었다. 사방이 미친놈이다.

어질러진 임플란트를 정리한다. 하나 같이 고가로, 그녀와 진우가 함께 고른 물건이다. 제값은 하는 아이템인데, 이번 의뢰에 벌써 네댓 개가 사라졌다. 부숴 먹었거나, 잃어버렸겠지. 늘 그렇듯. 괜찮아. 하나만, 하나만 멀쩡하면 된다. 로빈은 고개를 들었다. 또 다른 캡슐이 하수도를 빠져나오고 있었다.

로빈은 활짝 웃으며 캡슐을 안아 들었다. 오염수가 새하얀 가운을 물들였지만 개의치 않는다. 뚜껑이 열리고, 생명유지장치를 주렁주렁 매단 머리가 보였다. 피부가 녹아 흉한 몰골이었지만, 로빈은 개의치 않았다. 그녀는 진우의 앞니에 키스했다.

"수고했어."

사방을 둘러봐도 미친놈뿐이라면, 어쩌면 그 세상은 거울의 방일지도 모른다. 이곳은 화이트 벨트의 바깥 러스트 팬. 과거 경기도라 불렸던 지역으로 조상이 시류를 읽지 못했다는 원죄를 짊어진 주민들의 땅이었다.

진우는 눈을 떴다. 자주색 조명이 깜빡이며 파이프에 슨 녹이 용트림하는 환각이 보였다. 아직 임플란트 동기화가 끝나지 않은 듯했다. 이번에 결손난 파츠가 많긴 했지.

진우는 다시 눈을 감고 몸 상태를 점검한 후, 이윽고 자리에서 일어났다. 가까운 테이블에 로빈이 앉아서 이쪽을 지켜보고 있었다. 손에든 와인병에 반쯤 남은 액체가 찰랑거렸다.

"얼마나 걸렸지?"

"12시간 5분."

"더 빨라졌네."

진우는 자리에서 일어났다. 로빈은 그를 가만 노려보다 한숨을 쉬었다. 전신을 개조하는 대수술이었다. 피로를 말하자면 진우 쪽이 몇 배는 심할 터. 그냥 그대로 누워있는 게 제일일 텐데, 그러지 않은 건 굳이 빚을 남기지 않으려는 습관의 발로다. 그녀가 빚이라고 생각하지 않는 걸 말이다.

정나미 떨어지는 새끼 같으니. 굳이 또 자기 입으로 말해야 한단 말인가?

"자고 가."

"그럴게."

진우는 스스럼 없이 바지를 내렸다. 당황한 로빈이 외쳤다.

"야이, 미친 새끼야. 이게 무슨 짓이야?"

"아, 이쪽 이야기가 아니었어?"

"아닌 건 아닌데, 이건 좀 아니지, 이 아닌 놈의 자식아! 무슨 사람이 중간 과정이 없어?"

좀처럼 감정을 드러내지 않는 로빈이었지만, 진우에게만큼은 예외였다. 그녀의 경제와 안보, 사회적 지위는 그녀가 주 고객 나이트 댄서에게 의지하는 바가 컸고, 그 중요한 상대와 애착 관계를 형성함으로써 쏠림으로 인한 자존감 상실을 방어했다.

진우 또한 그녀의 사고회로를 모르는 게 아니었다. 그저 감정 변화에 큰 관심이 없었을 뿐. 그는 자신의 아랫도리를 내려다보곤 다시 로빈을 보았다.

“그런 것 치고는 본격적인데.”

“꺼져.”

먼저 도착한 고가의 파츠를 배치해 기본적인 골자를 따고, 미리 준비해 둔 배양 근육과 인공 관절로 빈자리를 채운다. 머리와 거기서 이어진 신경삭을 지르코니아 척추에 연결, 마지막으로 오늘 아침 갓 뽑아낸 아이보리시크 컬러의 최고급 스킨을 두른 결과가 지금의 하진우다.

실용성뿐만 아니라, 취향, 아니, 미적인 감각을 최대한 살려낸 역작이란 말이다. 땀 뻘뻘 흘리면서 만들어놨더니 칭찬을 못 해줄망정 저 지랄이라니. 로빈은 어쩐지 비참한 심정에 병나발을 불었다.

“언제까지 이렇게 살 거야?”

“뜬금없이 왜 그래? 취했어?”

“난 최선을 다했어. 러스트 팬 어딜 가도 지금 이것보다 완벽한 몸을 찾긴 힘들 거야. 무리만 안 하면 5년은 무난하게 쓸 수 있겠지. 그런데 왜 죽지 못해 안달인 건데?”

진우는 거물이다. 한 번의 의뢰에 고가의 임플란트를 소모하지만, 그 몇 배가 되는 돈을 벌어들인다. 단독으로 네오 서울에 진입하여 작전을 수행할 수 있는 요원은 러스트 팬에서 하진우가 유일했다.

로빈은 이해할 수가 없었다. 자신이 진우라면 몸값을 올리기 위해서라도 의뢰를 걸러 받았을 것이다. 진우는 의뢰를 거절하지 않았다. 마치 돈을 버는 게 목적이 아니라, 네오 서울에 진입하는 것 자체를 노리는 사람인 것처럼. 로빈도 네오 서울에 대한 로망이 있었다. 그러나 그 로망에 목숨을 걸지는 않는다.

"설마, 아니지?"

"무슨 소리야?"

"백플로우. 진심인 건, 아니지?"

백플로우. 진우의 의뢰주 중에서도 가장 체급이 큰 조직으로 워창이 소속된 곳이기도 했다. 러스트 팬에서는 그나마 비전이라는 걸 가지고 있는 유일한 군사 집단.

그들의 최종 목표는 러스트 팬의 주민들이 네오 서울로 저항 없이 진입하는 것. 이른바 역류[Backflow]다. 백플로우는 이를 위한 수단으로 하이퍼 재머 개발에 열을 올리고 있었다.

"하이퍼 재머 같은 건 허상이야."

"그렇게만 볼 수는 없지."

네오 서울에서 화이트 벨트를 거쳐 러스트 팬까지. 세 지역 사이에는 커다란 벽이 쳐져 있다. 중심에서 외곽으로 나가는데도 적잖은 제약이 있지만, 외곽에서 중심으로 진입하는 것은 불가능에 가깝다.

시 정부에서 운영하는 산성(SANSUNG) 프로그램이 이를 가능케 했다. 네오 서울과 화이트 벨트의 주민은 시 정부에서 발급한 바이오칩을 척수에 삽입해야만 했다. 칩 없이 지역 내에서 활보하는 자는 거수자로 취급되어 현장에서 체포, 심할 경우 즉결 처형까지 당할 수 있다.

러스트 팬은 유효치안지대의 바깥을 의미한다. 시 정부는 시민의 안전을 위해 저들에게 바이오칩을 발급하지 않았다. 그러나 폐기물 처리나 급수 관리 등 특수한 건과 관련해서는 가동 기간이 정해진 데모칩을 주기도 했다. 조금만 수상해도 머리를 날려버릴 수 있는 폭탄을 말이다.

재머는 스캐너를 해킹해 데모칩을 공인 바이오칩으로 인식하게 만드는 도구. 하이퍼 재머는 나아가 데이터베이스 자체를 크래킹하는 것이 목표다. 디지털상의 신상정보가 사라지면, 겉으로는 누가 어디의 주민인지 구분할 수 없게 되니까 말이다.

"스캐너와 메인 컴퓨터는 급이 다르잖아 시 정부가 호구도 아니고."

"나랑은 생각이 좀 다르네."

"야, 그건 네가……. 게임을 좆같이 하는 거고!"

물론 진우 정도 되면 시 정부를 호구로 봐도 된다. 머리에 폭탄을 삽입하고서는 재머 하나만 믿고 혈혈단신으로 네오 서울을 뒤집어 놓는 미친놈이니까.

"자꾸 말 돌리지 말고 제대로 대답해! 그래서 뭐야? 인제 와서 백플로우에 충성하기도 하려고? 그 잘난 목숨까지 걸어가면서!"

진우는 히스테리를 부리는 로빈에게 다가갔다. 그녀가 손수 짜 맞춘 조각 같은 몸매가 자줏빛 조명을 머금고 번들거렸다. 진우는 로빈의 손에 들린 병을 뺏어 들고는 그 내용물을 한 입을 머금는다.

목구멍이 알싸하고, 위장이 뻐근하다가, 척추를 차고 열기가 치밀어오르더니, 시야가 몽롱해진다. 인간이 술에 취했을 때 느끼는 감각. 정확히는 그것을 모사한 프로그래밍의 결괏값이다.

넥타는 잡종을 위한 술이었다.

러스트 팬의 식량문제는 심각하다. 오염된 대지. 무너진 시장. 그렇기에 러스트 팬의 주민은 더 적은 영양소를 효율적으로 흡수할 필요가 있었다. 그렇기에 무사히 성장기를 보낸 주민들은 소화기관을 임플란트로 대체하는 경우가 일반적이다.

전신의 9할 이상이 임플란트인 진우는 물론 로빈도 예외가 아니다. 진우는 자조했다. 신상정보를 해킹한다? 디지털상의 구분을 없애면, 현실에서의 구분도 사라질 거다? 이미 하드웨어 자체가 달라졌다. 그들과 우리 사이에는 인종 이상의 차이가 생겼다.

백플로우의 그 빌어 처먹을 꿈은 실현되지 못할 것이다.

"닥터."

"뭐?"

진우는 뾰족하게 소리치는 로빈의 입술에 키스했다.

"청춘을 소중히 해."

이지러지는 교성에 파묻힌 채 진우는 떠올렸다. 네오 서울의 그 거리를. 혹은 서울의 그 모습을. 그는 눈을 감았다. 마주하기 싫은 현실에서 도피하고 싶었다. 그 거리. 그 시간. 그는 존재하지 않는 것을 갈망한다. 그것이 그를 극단으로 내몬 것이리라.

네오서울시안보총국.

사상자 14명.

전체 층에 대한 안전 점검 시행.

그 외 거액의 재물손괴.

국장은 나이트 댄서에 의한 NSSHC 테러 사건의 피해 사실에 대해 중간 브리핑을 듣고는 짧게 감회를 표했다.

“내일부터 정상 가동하라고 해.”

“알겠습니다.”

손실이 적지는 않지만, 본연의 기능에는 문제가 없다. 인구 관리는 도시 계획의 핵심. 언제 어느 때라도 부화소가 멈추는 일은 없어야 한다.

부하가 돌아가고 혼자 남게 된 국장은 손바닥으로 책상을 쓸었다. 새파란 홀로그램이 떠오르고, 그 안에서 몇 차례의 인증을 거치자, 숨겨둔 화면이 드러났다. 나이트 댄서의 테러를 비롯한 각종 범죄 사실에 대한 스크랩이었다.

“이번엔 염색체 샘플인가.”

근 몇 년간 굵직한 테러가 잇달았다. 가장 주목할 범죄자는 나이트 댄서였지만, 그가 아니더라도 크고 작은 사고가 연달아 있었다. 유효치안지대 바깥에서 살아가는 버러지들이 데미칩 양산 기술을 확보하고, 거기에 재머라는 귀찮은 장난감까지 개발한 탓이다.

지금까지 네오 서울은 그들을 병원균으로 대했다. 배제하고 배제해도, 새로운 변종을 앞세워 다시금 침투해 들어온다. 박멸은 사실상 불가능하니, 적대적 공생을 택했다. 치명적이지 않은 수준의 위협은 내부를 단결케 만드니까.

그러나 이젠 생각을 바꾸어야 한다. 최근 테러에는 하나의 경향성이 있었다. 무차별적인 폭력이 아니다. 그 속에 어떤 의도를 숨기고 있다. 국장은 혁명의 악취를 맡았다.

"하이퍼 재머라. 진심이라면 성가시겠군."

프로그램 산성의 데이터베이스를 망가트리겠다는 계획. 처음 첩보가 들어왔을 때는 그저 망상이라고 생각했다. 마치 구한말의 조선이 수군을 보내 서구 열강의 본토를 도모하겠다고 주장하는 듯했으니. 러스트 팬과 네오 서울의 차이는 그 이상이었다. 구축한 문명의 수준이 다르다.

그러나, 근래 테러에 효과적으로 대응하지 못하는 것도 사실. 네오 서울의 발전은 성숙기에 접어들었으나, 팔로워인 러스트 팬의 기술 수준은 나날이 높아지고 있다. 이대로라면 더 큰 사고가 일어날지도 모른다.

무엇보다, 네오 서울의 작동 시스템에는 태생적인 한계가 존재했다.

인간부화소를 통한 적정 인구 유지는 전 세계 유력 도시들이 공통으로 채택한, 현 세대의 패러다임이다. 지난 세기 인구 조절의 실패로 일어난 수많은 참상이 그것을 증명했다.

문명화된 국가는 하나 같이 출산율이 하락했고, 그에 따라 노동인구 부족 사태를 겪었다. 반대로 저개발 국가는 늘어나는 인구를 국가의 테두리 안에서 부양하는 데 실패하여 정치, 경제, 사회, 문화의 붕괴를 겪었다. 21세기 중반에 이르러 전 지구적 디아스포라는 절정에 이르렀다. 민족국가 체계는 이를 감당할 수 없었다. 그 결과가 대전쟁.

유력 도시 중심의 적정 인구 전략은 22세기 현생 인류의 보편 생존 전략이다. 그러나, 동북아 최대의 유력 도시 중 하나인 네오 서울은 이를 온전히 받아들이지 않았다.

"역시 문제는 내추럴."

인간부화소를 통해서가 아닌, 전통적인 출산 방식으로 태어나는 인간, 내추럴. 도시의 최상류층은 그런 삶을 유지하고 있었다. 나름의 명분도 있었다.

결국 인간부화소는 기존에 투입된 유전자 레시피대로 필요한 인력을 생산하는 구조다. 일종의 플랜테이션 농업. 안정적으로 우수한 인력을 적재적소에 보충할 수 있다는 장점이 있지만, 유전적 다양성을 포기하기에 급격한 환경 변화나 신종 질병이 발생할 때, 큰 위기를 겪는다.

내추럴의 존재의의가 바로 거기 있었다. 자연스러운 번식 활동을 통한 유전자 풀의 다양화. 적정 인구 유지 전략의 효용성은 인정하되, 한편으로는 만약의 사태에 대비하여 구세대 인류가 혈통을 이어오던 방식을 유지하자는 것.

말만 들으면 그럴듯하지만, 현실은 달랐다. 내추럴은 네오 서울의 귀족으로 행세했다. 존재하는 것 말고는 아무런 생산도 하지 않는 주제에, 가장 보호받고 가장 존중받았다. 범죄를 저질러도 내추럴이란 이유로 선처를 받곤 했다.

네오 서울의 정서가 그랬다. 진정한 인간은 내추럴뿐이고, 부화소에서 난 인간은 클론에 불과하다고.

내추럴만 없었다면, 테러를 막는 것은 그리 어렵지 않다. 일반 시민에게는 기밀이지만, 임시로 발급되는 데미칩뿐만 아니라 바이오칩에도 폭발 기능이 있었다. 그것을 사용하지 못하는 이유는 단 하나. 내추럴이 재판조차 받지 못하고 사망하는 일은 피하기 위해서다.

그간 테러리스트는 재머를 이용해 내추럴로 위장해 왔다. 하이퍼 재머가 완성되면, 내추럴과 일반 시민뿐만 아니라 범죄자의 구분이 사라진다. 우리가 이룩한 도시에 늑대를 불러들이는 꼴.

국장은 고뇌하고 고뇌했다. 도시 안보를 책임진 자로서 구시(救市)의 결단을 앞둔 상태였다. 혁명을 일으켜야 한다. 무위도식하는 내추럴을 단두대로 보내고, 시민들의 도시를 만들어야 한다. 그로써 외세의 침입을 대비해야 한다. 그는 사명감을 느꼈다.

그는 서랍을 열어 오래전에 써둔 편지를 꺼냈다. 시나브로 이것을 부칠 때가 왔다.

진아는 거울을 보았다. 퉁퉁 부은 얼굴과 박박 밀린 머리. 어제 하루, 종일 이어진 구타의 흔적이다. 재차 서러움이 밀려들었지만, 그럼에도 배는 고팠다.

밤새도록 잠겨있었던 방문이 허무할 정도로 쉽게 열렸다. 그녀는 안도의 한숨을 내쉬고 긴 복도를 걸었다. 그 일이 있기 전까지만 해도, 웃으며 인사하던 사용인들은 이제 눈도 마주치기 어려워한다.

식당에 도착하니, 가족들은 이미 식사 중이다. 동생 진선이 먼저 진아를 발견하고, 이어 아버지와 어머니가 그녀를 의식한다. 외출복 차림의 부모님은 그대로 수저를 내려놓았다. 밥맛이 뚝 떨어지기라도 한 것처럼, 그대로 밖으로 나섰다.

차라리 다행이다. 진아는 진선의 맞은편에 자리를 잡았다. 가정부는 메뉴도 묻지 않고, 식은 밥과 반찬 몇 가지를 내어주었다. 배가 너무 고파서 그마저도 고맙게 먹고 있는데, 말 몇 마디에 목이 퍽 막혔다.

"미친 년아. 내가 너 청춘 타령할 때부터 알아봤다. 사고를 쳐도 적당히 쳐야지, 원나잇? 허이고. 지랄병도 적당해야지. 동네 쪽팔려서. 누가 보면 지금이 21세기인 줄 알겠어요?"

"……닥쳐."

이 정도로 맞았으면 불쌍해 보일 법도 한데, 진선의 혓바닥은 가차 없었다. 그 심정은 족히 이해 가지만, 지금은 몸도 마음도 버틸 힘이 없다.

"닥치긴 뭘 닥치니? 정신 좀 차려. 그렇게 남자가 고팠으면 진작에 결혼하던가. 그게 싫었으면 그냥 호적 파고 꺼지시던가요? 시댁에서 너 이야기 한마디라도 나오면 두고 봐. 사람한테 가위로 할 수 있는 게 머리 미는 것 말고도 선택지가 얼마나 다양한지 알려줄게."

진아는 이를 악물었다. 한때는 누구보다 살가운 동생이었는데, 하루아침에 태도가 바뀌었다. 가문의 명예를 더럽힌 탓이다.

내추럴 사회는 성적인 부분에 있어 극도로 보수적인 윤리관을 고수했다. 남녀 모두 평생 한 명의 배우자를 두는 것만 허용되었다. 불륜과 사실혼 관계가 사라진 건 아니지만, 그것이 알려지는 순간 사회적으로 매장 당했다. 가끔은 죽임을 당하기도 했다. 명예살인이다.

"말하면 말할수록 빡치네. 씨발 년아. 너 하나 몸 함부로 굴려서 올해 심사에서 떨어지면 어떻게 책임질 건데? 엄빠 지금 네 약혼자 만나러 갔어. 싹싹 빌 생각이더라. 그런데도 꾸역꾸역 밥이 넘어가냐?"

흥분한 진선이 던진 숟가락이 진아의 머리에 부딪혔다. 그에 진선의 눈동자가 살짝 떨렸다. 진아는 입술을 살짝 깨물고 눈을 내리깔았다.

"그만하자."

"……밥맛 떨어지네, 진짜."

진선이 떠난 식당. 가정부는 진선의 자리를 정리하고 바닥에 떨어진 식기를 치웠다. 그러면서도 진아에게 손수건 하나 내밀지 않았다. 김치찌개 국물이 뺨을 타고 내려오는데도 말이다. 진아는 재차 입술을 깨물었다.

하고 싶어서 한 게 아니었다. 원나잇에 대한 동경이 없던 것은 아니나, 그녀는 자신의 위치에 대해 잘 이해하고 있었다. 그녀가 누리는 것이 어디에서부터 왔는지, 한순간의 충동으로 얼마나 많은 것을 포기해야 하는지 말이다.

하지만 각오가 충분하지 않았던 모양이다. 그만큼 술이 무서운 걸지도 모른다. 그조차 아니면 그날의 그 분위기가 문제였다. 그 남자 말이다.

이틀 전, 진아는 언제나처럼 집을 빠져나와 클럽에서 춤을 추었다. 남자를 만날 생각은 아니었다. 그녀의 외모에 혹해 다가온 남자들은 그녀가 내추럴이란 사실을 알고는 다시 돌아가기 일쑤였으니까. 그러나 그 남자는 달랐다.

"하, 미쳤다. 미쳤어."

이름도 모르는 남자였다. 그는 자신에게 관심을 보였고, 내추럴이라는 사실을 밝혔음에도 물러나지 않았다. 보채지도, 허세를 부리지도 않고 담담하게 대화를 나누었다. 그러다 그가 내추럴임을 인증하자 마음의 장벽이 무너져 내렸다. 그때부터 술을 많이 마셨던 것 같다. 잘 생각까진 없었는데.

구타를 당하고, 골방에 갇혀 있으면서 그 남자에 대해 생각했다. 처음에는 기억이 나지 않았는데, 그 밤의 황홀함도 떠올랐다. 지어낸 기억일지도 모르지만, 쇄골의 음영이라던가, 사나운 표정이라던가, 절정의 순간 어딘지 먼 곳을 바라보던 시선이라던가.

"씨발."

그날 밤, 그는 그녀를 아주 먼 곳으로 데려다주었다. 진아는 처음으로 하늘을 나는 기분을 느꼈다. 그저, 조종사가 사라진 비행기를 다치지 않고 착륙시키는 법을 알지 못했을 뿐이다. 눈물이 흘렀다.

진우는 우는 여자를 보았다. 물론 환상이었다. 많은 여자를 만났지만, 그제 밤을 함께했던 여자는 단연 제일이었다. 내추럴치고도 자연스럽게 아름다운 얼굴이었고, 무엇보다 무구한 눈망울이 주는 배덕감이 인상적이었다.

그는 자리에서 일어났다. 로빈의 헐벗은 나신이 드러난다. 이불을 고쳐 덮어주고, 복근을 열어 텅 비어버린 정액 앰플을 쓰레기통에 버렸다. 열두 시간이 넘는 대수술로 지쳤을 텐데도, 로빈의 정욕은 지칠 줄을 몰랐다.

이 러스트 팬에는 애초에 정상인이 존재하지 않았다. 도태당했다고 하는 것이 맞을지도. 식량도, 의복도, 거처도, 법치와 미래에 대한 희망조차 절멸된 황폐한 땅을 견뎌내기에 윤리라는 싹은 너무나도 가녀렸다. 그래도 로빈 정도면 정상적인 축에 드는 셈이다.

사랑은 아니다. 진우는 로빈의 감정을 그렇게 정의했다.

로빈은 내추럴의 삶을 동경했다. 그들이 되고 싶었으나, 그들로 태어날 수 없었고, 그들에 대해 알고 싶었지만, 네오 서울로 진입할 능력은 없었다. 그렇기에 그녀는 진우를 골랐다. 언제고 내추럴과 어울릴 수 있는 남자를 탐함으로써, 그녀는 자신과 내추럴을 대등한 선에 올린 것이다.

어제의 대화도 그랬다. 로빈은 하이퍼 재머의 존재를 경계했다. 그녀가 꿈꾸던 내추럴 사회가 무너질까 두려웠다.

진우는 넥타를 한 모금 머금었다. 누군가를 이해한다는 것은 대체로 자신이 상대에게 썩 중요한 인물이 아니라는 것을 깨달아 가는 과정이다. 모든 인간은 각자 자신을 살아낸다. 진우도 다르지 않다.

로빈이 진우와 몸을 섞으며 자신만의 꿈을 꾸는 동안, 진우도 같은 꿈을 꾸고 있었다. 그것은 사랑이었다. 사랑을 했던, 사랑을 할 줄 알았던 시절의 자신을 떠올리고 싶었다. 그 편린을 잡고 싶었다.

어느덧 전신에 임플란트가 아닌 부분이 거의 남지 않았다. 감각은 정보로 기능했고, 통증은 고통이 아니다. 매일 같이 철학적 담론에 대해 생각하지만, 그조차도 미치지 않기 위한 기능적 행위에 불과했다. 진우가 자신을 인간이라고 정의할 수 있는 근거는 오직 사랑에 대한 기억이었다. 청춘에 대한 갈망이었다.

그 소중함을 몰랐기에 의미 없이 허비해 버린 시간이 청춘을 표상한다. 이미 청춘을 떠나보낸 진우는 스치는 시간과 사람에 별 의미를 두지 않고 떠나보냄으로써, 매일매일을 허비함으로써, 이따금 청춘의 감정이 표층으로 떠오르길 기대한다. 그래, 그 눈망울처럼. 앞으로 상처받을 일만 가득할, 그 눈빛. 그런 것 때문에 이 중독적인 삶을 끊지 못한다.

팔짱을 껴오는 창녀를 뿌리치고, 싸구려 배양 근육으로 몸을 키운 양아치들을 밀어낸 끝에 목적지에 닿았다. 백 년도 더 전에 지어진 지하철 역사. 백플로우의 지부 중 하나였다.

"왔냐?"

어둠 속에서 형광색 눈동자가 빛났다. 워창. 백플로우의 간부로 조직과 진우를 이어주는 접선책이다.

"잔금."

"씨펄! 입금한 게 언젠데, 느그 마누라가 암말도 안 하디?"

"그러면 의뢰라도 내놓던가."

"징하다, 징해."

워창은 혀를 내두르더니, 손가락을 튕겼다. 어두운 공간 한구석에 불이 오른다. 못 보던 통로가 들어왔다.

"그래서 마음에 들어. 너 같은 새끼 아니면, 도무지 써먹을 놈이 없거든. 따라와라. 보스가 기다린다."

백플로우는 그 영향력에 비해 알려진 바가 많지 않았다. 특히나 구성원에 대해서는 더더욱. 어떤 직급이 어떤 역할을 하는지, 실세가 누구인지, 최종적인 의사결정은 어떻게 이루어지는지.

보스가 존재한다는 것도, 워창이 그렇게 높은 사람과 이어져 있다는 것도 지금에야 알게 된 것이다. 물론, 별 감흥은 없었지만. 진우는 잠자코 워창의 뒤를 따랐다. 몇 차례의 보안을 거치니 작은 방에 도달했다. 커다란 모니터 위로 3차원의 기하학적 문양이 춤을 추고 있다.

[나이트 댄서.]

변조된 음성이 들려왔다. 워창은 머리를 긁적이더니 방 밖으로 나갔다. 가만 서 있는 진우를 향해 보스가 다시금 말을 붙였다.

[수고했다. 덕분에 개발에 큰 진척이 있었다.]

"공치사엔 관심 없어. 의뢰나 내놔."

진우는 무심히 재촉했다. 백플로우의 대의라던가, 그들의 능력에 대해서는 별 관심이 없다. 진우에게 그들은 그저 거래 상대일 뿐이다. 자신의 능력은 아낌없이 선보였다. 새삼 그들에게 아부할 이유는 없는 것이다.

[들은 대로군. 마음에 들어.]

보스는 워창과 같은 말을 지껄였다. 조금 더 담백한 상대이길 바랐는데. 진우는 한숨을 쉬었다. 지금까지처럼 쉽게 지나칠 수 없는 이야기가 들린 시점은 바로 그때였다.

[현시점에 하이퍼 재머 개발의 진척도는 98.9%에 도달했다. 사실상 완성을 목전에 둔 셈이지.]

"그걸 외부인에게 말해도 되는 건가?"

[지금 그 표정만 해도, 그렇게 손해 보는 일은 아닌 것 같군.]

하이퍼 재머의 완성. 그것은 국면 변화를 의미했다. 네오 서울과 러스트 팬 사이에 드리운 장벽 하나가 무너지는 셈이다. 물론 진우는 산성을 무너트리는 것만으로 네오 서울 시민과 러스트 팬 주민 사이의 격차가 해소될 거라고 믿지는 않았다. 그것은 또 다른 전쟁을 의미할 뿐이다.

그랬다. 그 전쟁이 문제였다. 그나마 지난 세기의 풍경이 남아있던 그 장소가 사라질 수도 있음을 의미한다.

[89종의 게놈 정보를 분석한 결과, 남성 내추럴의 염기서열을 산성이 어떤 방식으로 암호화하는지 그 알고리즘을 산출할 수 있었다. 하루 만에 이룬 것치고는 실로 비약적인 성과지.]

"다음 의뢰는 여자의 샘플을 가져오라는 거겠군."

[비슷하지만 다르다. 그보다 더 까다롭지. 그 이상으로 보상을 챙겨줄 테지만 말이야.]

진우는 오른손으로 하관을 감싼다. 어쩌면 마지막 의뢰가 될 수도 있다. 차라리 의뢰를 받지 않는 건 어떨까? 러스트 팬에 자신을 대체할 만한 인물은 없다. 꼬리를 물고 이어지던 사고는 곧 합리적인 결론을 도출했다.

시간을 미루는 건 아무 의미가 없다. 진우가 원하는 것은 네오 서울의 존속이 아니라, 네오 서울을 누비는 것이다. 네오 서울을 위한다는 이유로 그곳에 갈 수 없다면 아무런 의미가 없다. 어차피 백플로우의 재머 없이는 서울행이 불가능했다.

결론은 간단하다. 의뢰는 받는다. 그리고, 가능하다면, 아슬아슬하게 실패한다.

[결심이 섰나?]

"그래. 들어는 보지."

[안보총국이 보안을 강화했다. 같은 방식으로 염색체 샘플을 확보하는 것은 이제 불가능하지. 다행스럽게도, 여성의 샘플은 그리 많이 필요하진 않아. 어차피 스물세 쌍의 염색체 중 성염색체는 한 쌍에 불과하니까. 필요한 샘플은 하나로 족해. 다만, 반복적으로 실험할 수 있는 상태였으면 좋겠군.]

건조한 표현을 썼지만, 그 속에 담긴 저의는 끔찍했다. 물론, 실제로 그리 느끼는 것은 진우 내면에 남아있는 21세기의 정서다. 현재 진우는 22세기 러스트 팬을 살아가는 주민이었기에, 이번 의뢰의 본질을 담담하게 설명할 수 있었다.

"내추럴 여자를 납치해야 한다는 거군. 그것도 숨을 붙여서. 생체 실험을 해야 하니까."

[이해가 빠르군. 우선 보상부터…….]

"그런 건 워창 편으로 전해. 기간이랑 프로필. 그것부터 보내줘."

도형이 출렁거렸다. 소리는 들리지 않았지만, 진우는 보스가 웃고 있는 것처럼 보였다. 경박한 남자다. 마음에 들지 않는다.

[기간은 일주일. 작전 개시는 바로 내일부터다. 프로필은 지금 보내지. 미인이라고 엉뚱한 생각이나 하지 않았으면 좋겠네.]

진우는 팔짱을 낀 채로 모니터를 바라보았다. 일주일이라. 의뢰치고는 넉넉한 시간이었지만, 지금까지 좋았던 곳을 다 둘러보기엔 조금 모자란 시간이었다. 탈출하는 과정에서 실수인 척 여자를 죽이는 건 어떨까? 어차피 살아봐야 죽음보다 더한 고통에 시달릴 뿐인데. 그렇다면 서로 이득이 아닐까?

[이름은 이진아. 스물두 살. 내추럴 중에서도 상위 10퍼센트에 속하는 로열블러드지. 최근 금기를 어긴 탓에 사회적인 지탄을 받고 있다. 취약해진 상태란 말이야.]

"……."

[이 봐, 나이트 댄서?]

화면에 떠오른 건, 여전히 기억에 남아있는 얼굴이었다.

내추럴의 결혼 적령기는 갓 성인이 되었을 때부터 스물다섯 살까지다. 골격이 충분히 성장하고, 아직 노화가 일어나기 전. 이 사회에서 내추럴이 지는 짐이라고 해봐야 전통적인 출산 모델을 이어가는 것이 전부다. 자연 분만에 최적화된 시기야말로 가장 짝짓기가 활발하게 일어나는 시간이었다.

용산의 루프탑 카페에서는 오늘도 사교 파티가 한창이다. 서늘한 밤기운에도 불구하고, 파티에 참석한 이들은 맨살을 보이는 걸 부끄러워하지 않았다. 겉으로 보이는 성적 매력 또한 배우자를 선택하는 데 있어 중요한 기준이었으니까. 순간의 충동에 혹해 선을 넘는 일은 피해야겠지만 말이다.

선을 넘은 것으로 유명한 여자가 파티장에 들어온 것은 그때였다. 화장기 없는 얼굴에 수수한 털모자. 화려하게 맵시를 뽐내는 젊은 이들 사이인지라 그 청초함이 오히려 돋보였다. 그러나 시선을 끄는 데서 그칠 뿐 누구도 그녀에게 접근하지 않았다. 아니, 한 명은 예외였다.

"여! 찐!"

"케이?"

두 손을 맞잡고 환하게 웃어주는 친구의 모습에 진아는 눈물이 핑 돌았다. 지금껏 외면받으며 무너진 마음에 온기가 깃들었다. 울먹이는 진아를 본 케이는 화들짝 놀라 그녀를 구석으로 이끌었다. 인적이 드문 그곳에서 진아는 케이의 가슴에 얼굴을 묻고 한참이나 흐느꼈다.

"다 울었어?"

"으아니, 쪼꼼 나마떠."

"탈수오겠다. 뭐라도 마시고 마저 울어."

"우응."

[illegible] [illegible] 목을 숙이며, 둘은 평소처럼 대화를 이어갔다. 주로 케이가 신변잡기를 떠들고 진아가 리액션을 하는 식. 중간중

간 진아의 표정이 어두워질 때마다 케이는 새로운 농담을 꺼냈다.

“이제 괜찮아졌어.”

“무리 안 해도 돼.”

“아니야. 이제 털고 가야지. 앞으로도 계속 이런 자리 나와야 하는데.”

부모님의 명령이었다. 지금이라도 빨리 새 짝을 찾으라고. 더 늦기 전에 조금 급이 떨어지는 상대라도 빨리 만나야 한다는 것이다. ‘몸을 함부로 굴리다 혼기까지 놓친 딸’이 있는 집안으로 찍히는 순간, 더 많은 사람이 피해를 보게 될 테니까.

“그럼, 파혼 한 거야?”

“아니. 아직은 아니고, 나중에 날짜를 따로 잡을 거래.”

“무슨 파혼을 날짜까지 잡아? 아, 혹시 그거 때문인가?”

“그거라니?”

“진우 오빠, 요즘 어디 못 나가잖아.”

“왜?”

“왜긴 왜야? 테러 때문이지!”

안보총국은 어제를 기점으로 최근 테러에 대해 대국민 브리핑을 시행했다. 흉수는 나이트 댄서. 그의 목적은 일부 내추럴의 염색체 샘플일 가능성이 높다고.

“어제부터 그것 때문에 난리였잖아. 진우 오빠네 집안도 대상이라고, 사촌들까지 다 세이프티 존으로 격리했대.”

“그랬구나. 몰랐어…….”

“딱히 걱정은 안 되지만. 그 오빠 좀 집돌이잖아.”

진아는 김진우의 얼굴을 떠올렸다. 생의 첫사랑이었고, 마지막을 함께해야 하는 상대라고 여겼다. 여전히 애틋한 마음은 남아있다. 다만, 원나잇이 아니었다고 해도, 파혼하지 않았다고 해도, 그와 행복한 미래를 그릴 수 있을 거란 생각은 들지 않았다.

어느 순간부터 그는 자신을 보지 않았으니까. 연락이 뜸해지고, 골방에 처박히는 일이 늘어났다. 마지막까지 수십 통의 메시지를 보냈지만. 여전히 답장을 받을 수 없었다. 누구도 자신을 사랑하지 않는다. 사실 케이도 다르지 않을 것이다. 이 친절은 그저 선량함의 발로일 뿐, 진아를 사랑해서가 그런 게 아닐 것이다.

“어? 이쪽으로 오는 거 같은데?”

케이는 파티가 한창 열리는 쪽을 바라보고 있었다. 키가 훤칠한 남자가 다가오고 있었다. 진아는 숨이 멎을 것 같았다. 그때의 그 남자, 가 아니다. 분위기는 비슷하지만, 이목구비가 달랐다. 솔직히 말하면 지금이 더 잘 생겼다.

그 남자가 이쪽을 향해 똑바로 걸어오고 있었다.

“어어, 화장실이! 급똥이긴 한데 쫌 오래 걸릴 듯!”

남자의 시선을 가늠한 케이가 후다닥 빠져나온다. 실시간으로 혼삿길이 막히고 있는 친구에게 한 번의 기회라도 더 주려는 눈물겨운 희생이었다. 실제로도 케이는 살짝 눈물을 훔쳤다. 완전 내 취향이었는데!

그렇게 남자와 진아는 시선을 마주했다. 보면 볼수록 그날의 상대를 떠올리게 만든다. 표정은 차갑지만, 눈빛은 뜨겁다. 마치 얼음잔에 독주를 따르고 그 위로 불을 붙인 듯 위태위태하다. 위험하다는 걸 알지만, 이대로 곧 사라지는 것이 아쉬워서, 저도 모르게 손을 뻗게 되는.

그런 남자가 입을 열었다.

"오랜만이야."

익숙한 목소리였다. 진아는 눈을 동그랗게 떴다. 다시 본다면 어떤 기분일지 상상해 본 적이 있다. 원망? 반가움? 설렘? 셋 다 아니었다. 당황이 전부였다.

"우리 이야기 좀 하자."

그만큼, 믿기지 않은 재회였다.

차창 너머로 네오 서울의 야경이 번쩍인다. 진우는 팔짱은 낀 채로 정면을 주시했다. 22세기의 자동차에는 핸들이 없다. 완전 자율주행이기도 했고 애초에 노면을 달리지도 않으니까. 삼차원으로 짜인 입체 드라이브 코스를 정해진 속도로 달릴 뿐이다. 감성이 없다.

"얼굴은 어떻게 된 거예요?"

조수석의 여자, 진아가 물었다. 차가 출발한 지 딱 5분째에 꺼낸 말이었다. 신기할 만도 했다. 화장이나 가벼운 피부과 시술은 몰라도, 내추럴에게 미용 목적의 성형은 금기였다. 결혼 시장에서 유전 정보를 왜곡하는 결과를 낼 수 있기 때문이다.

"그럴 일이 좀 있었어."

"참 나! 며칠 사이에 얼굴이 싹 바뀌었는데, 그렇게 말하고 넘어갈 일이에요? 당신 때문에 제가 무슨 짓을……."

"굳이 따지자면, '우리'지. 금요일 밤의 우리."

진아는 말문이 막혔다. 그걸 변명이라고 하는가? 하지만 또 틀린 말은 아니었다. 그날의 관계는 상호 합의를 통해서 이루어진 것이다. 맨정신이 아니었다 하지만, 진아는 성인이었다. 자기 자신의 선택에 대해 책임은 져야 했다.

"유감이야."

"네?"

"유감이라고. 뒤끝이 좋지 않았으니까."

"방금 자기 탓 아니라면서요."

"나는 분명히 그날 밤의 우리 탓이라고 했어. 그리고 지금 네 꼴을 보아하니, 마냥 좋았던 기억이 전처럼 즐겁진 않네. 유감이야."

세 번째 유감을 표하고 진우는 진아를 돌아보았다. 좁은 차 안에서 둘은 서로를 응시했다. 진아는 진우가 진심이라는 것을 깨달았고, 진우는 진아가 안도했다는 사실을 깨달았다. 서로의 입가에 옅은 미소가 돌았다.

"씨이……. 뭐, 됐어요. 그래도 조금 다행이네요."

"뭐가?"

"당신도 이야기할 생각은 들었다는 게요. 절 찾아온 것도 나름대로 책임을 져보려고 그런 거 아니에요?"

내추럴에게 주어진 순결의 의무는 남녀 모두에게 주어진다. 진화생물학적 관점에서 이견이 있는 주제였지만, 내추럴은 생식 외에는 어떤 의무도 주어지지 않은 집단이었기에 성 역할을 구분할 명분이 없었기 때문이다.

물론 그날 아침의 대화를 떠올리자면, 이 남자는 진아가 가진 상식보다 더 문란한 성향이란 것을 알 수 있었다. 그날도 훌쩍 떠나지 않았던가? 그런 그가 다시 자신을 찾아왔다. 떠올릴 수 있는 이유는 하나뿐이다.

"당신도 들킨 거죠? 집안에서 결혼 압박이 온 거 아니에요?"

"가족 같은 거 안 키워."

"네?"

내추럴 사회를 구성하는 최소 단위는 개인이 아닌 혈연 집단이다. 홀로 살아가는 내추럴은 존재 가치가 없다. 사회를 유지하는 데 필요한 인력은 부화소에서 생산하기 마련이니까. 내추럴이면서 가족이 없다는 건, 다시 말해.

"혹시 추방인? 어디서 왔어요?"

네오 서울처럼 하나의 계층으로 군림하진 않지만, 다른 도시에도 어머니의 자궁을 통해 태어난 존재가 있다. 예외적인 존재이니만큼, 차별과 핍박에 시달려 다른 도시로 망명하기도 한다. 네오 서울에서는 그런 이들에 대한 인식이 그렇게 나쁘지 않다. 유전자 풀을 다양화할 기회였으니까.

진아는 자기 말에 확신을 얻었다. 어쩐지 사람이 좀 이상하더라니. 딱히 꿈꿔온 남자는 아니지만, 지금 자신의 처지를 생각하면 최악은 아니다.

"그리 멀진 않아."

하지만 대꾸하는 방식은 마음에 들지 않는다.

"이야기하자고 불러놓고, 왜 그렇게 말이 짧아요?"

좋게 생각하려고 애썼지만, 마냥 유쾌하지만은 않았다. 그날 이후 하루하루가 지옥이었다. 실수 한 번에 사람들에게 손가락질이나 당하고, 미래가 시궁창에 처박힌 것이다. 스스로 극복할 문제라고 생각한다. 그러나, 이 남자가 자신에게 함부로 구는 건 보기 싫었다.

"쌓인 게 많은 눈치라서."

"놀리는 거예요?"

"아니. 굳이 억지로 미래 이야길 할 필요 없다는 거야. 네 안에 있는 걸 꺼내. 그게 나아."

진아는 멍하니 그를 바라보았다. 이 남자는 자신을 자꾸 놀라게 만든다. 말하고 싶었다. 표현하고 싶었다. 그러나 그것이 두려웠다.

왜냐하면, 결국 자기 자신이 풀어가야 할 문제이니까. 타인이 정답을 내어줄 수 없는 거니까. 생각과 다른 대답이 나온다면, 그냥 넘어갈 수 없을 것 같아서. 그렇다고 가만 들어주는 것도 원치 않는다. 자신에 대해 혼자 멋대로 관점을 만들고 있을까 봐 겁나서. 오답이라도 표현을 해줬으면 좋겠다. 하지만, 기왕이면, 너무 많이 엇나가지 않았으면.

이런 게 싫었다. 까다롭게 구는 거 같아서. 그럴 바에야 아예 말하지 않는 게 덜 못난 사람으로 보이지 않을까? 애초에 말이란 무엇일까? 아아, 사실 아무것도 모르겠다. 내 안에 어떤 문제가 있는지 모르겠다. 말을 하고 싶었다. 내면의 혼란을 질서 있는 언어로 규정하고 싶다. 그것이 비록 오답이라 할지라도, 기댈만한 진실이 필요하다.

정신을 차렸을 때는, 이미 십 분이 넘게 떠든 다음이었다.

"……알아요. 안다고요. 운 좋게 내추럴로 태어난 주제에 이런 고충을 이야기하고 있으면 배부른 소리처럼 들린다고요. 그래도, 그래도요."

진아는 떨리는 목소리로 말을 맺었다.

"사랑은 있지 않을까요?"

종의 존속을 위한 진화생물학적 테제가 아닌, 문명을 유지하기 위한 사회정치적 압박이 아닌, 한 인간이 다른 인간을 진심으로 갈구하고, 위하고, 하나 되길 바라는 감정.

세상에는 마땅히 사랑이라 불리어야 할 감정이 존재하지 않을까?

"있어."

진우의 답은 심플했다. 굳이 말을 덧붙이지 않았기에 오히려 깊은 확신이 느껴지는 답이었다. 진아는 거기서 또 한 번 놀랐다. 이 남자도 그런 걸 생각하는구나.

"의외네요."

"나도 여전히 찾고 있는 거라서."

눈빛이 이상하다. 로맨틱한 것이 아니다. 배고픈 것도 아니다. 열의가 느껴지지 않는다. 고백 같은 건 아니다. 그는 자신을 바라보지 않는다. 그것이 진아의 심장을 뛰게 했다. 가지고 싶어.

뭔가 말을 덧붙이고 싶었다.

"다 왔다."

"아."

벌써 진아의 저택이 보였다. 아쉬웠다. 더 이야기를 나누고 싶었다. 내 이야기를 하고 그의 이야기를 듣고 싶다. 점차 느려지는 차 안에서 이 심정을 어떻게 전할까 고민하던 진아에게, 진우가 말했다.

"하진우."

이름. 이름이다. 하필 약혼자의 이름과 같다. 성은 다르지만. 진아는 이름의 의미에 대해 생각했다. 다시 만나자는 뜻이겠지. 그게 아니면 알려줄 필요가 없잖아. 그쪽. 당신. 이봐요. 한 번 볼 거면, 그 정도로도 충분하니까.

"저는 이진아……."

"청춘을 소중히 여겨."

"갑자기?"

말을 끊어 먹은 것에 1차로 당황했고, 뜬금없고 근본 없고 신선함도 없는 조언에 2차로 당황했다. 이 남자 꼰대 냄새나.

"노력해서 얻은 게 아닌 것 중에서는 제일 쓸만한 걸 테니까."

현관을 통과한다. 사용인의 태도가 다소 누그러졌다는 생각이 들었지만 오래가지는 않았다.

"거기서 청춘? 뭐 하는 남자지? 나 또 똥 밟은 거야?"

같은 똥을 두 번 밟았다고 생각하니 두렵기까지 했다. 어쩌면 이 진아라는 여자는 정말 구제 불능이 아닐까, 하고 말이다. 그때 주변이 부산해진다. 반대편에서 아버지가 다가오고 있었다.

"누구냐?"

하진우를 말하는 것이리라. 표정이 그리 나쁘지는 않았다. 남자 만나라고 보낸 첫날에 바로 에스코트 받았으니 그럴 만도 했다.

"저도 잘 모르겠어요. 오늘 처음 만나서요."

조심스럽게 대답했다. 똥일지도 모르는데 벌써부터 기대감을 줘서는 안 되니까.

아버지가 한 손을 들었다. 며칠 전이 생각나 눈을 질끈 감았다. 그렇게 매서웠던 손이었는데. 이번엔 부드럽게 어깨를 토닥이고 떠난다.

"만나봐라. 아니, 잘 해봐."

"네?"

"워싱턴 치안부서 쪽 코드다. 여행객이겠지. 내추럴이 아니라도 그 정도면 맺어두는 것도 나쁘지 않지. 미국 쪽 유력 도시는 클론끼리도 가정을 이룬다고 하니까."

혼란스럽다. 분명 내추럴이라고 했는데? 아버지가 잘못 알았거나, 저쪽에서 거짓말을 한 것이다. 생각의 갈피를 잡아보고 싶었지만, 아버지는 그렇게 둘 생각이 없는 것 같았다.

"집안을 떠나 너한테도 좋은 기회다. 서울에 남아봐야 계속 입방아나 오를 텐데, 아예 미국으로 가는 것도 방법이지. 거기서 지내면서 애도 몇 명 낳고 인맥도 쌓아서 돌아오면, 옛날 일을 함부로 떠드는 놈도 없을 거야. 정확히는 그런 새끼들을 밟아 버려도 우리 집안의 체면이 상하지 않을 거란 말이다."

"아."

"당장 정하라는 건 아니다. 하지만 당장 아버지가 보기엔 그게 최선이다. 그러니 긍정적으로 생각해보거라."

아버지는 그 말을 하고 돌아섰다. 그러다가 무슨 말이 또 생각났는지 다시 진아를 돌아보았다.

"아무래도 그 동네는 더 자유분방하니까. 과거 같은 건 신경을 덜 쓰겠지. 생각하면 생각할수록 너한테 딱 맞는 상대구나."

과거 따위는 신경 쓰지 않는다. 진아는 우두커니 서서 그 말을 곱씹었다. 과거, 과거라.

"제가 신경 쓰이는데요?"

하진우가 바로 진아의 과거였으니까 말이다.

"어째서!"

낯선 천장을 확인하자마자 진아는 이불로 얼굴을 가렸다. 눈을 감으니, 어젯밤이 더 생생하게 들려왔다. 귓가로 샤워기 소리가 들렸다. 문은 좀 닫고 씻으라고.

데이트는 무난했다. 드라이브. 예쁜 카페. 분위기 좋은 레스토랑. 향긋한 와인. 그리고, 그리고.

"으악!"

이불을 걷어찼다. 싫은 건 아니었다. 그래서 더 화난다. 설마 자신이 그런 짐승이라니. 같은 실수를 반복하다니. 머리를 쥐어뜯고 있으려니, 어느새 그림자가 드리웠다. 진우가 그녀를 내려다보고 있었다.

"가자."

기억 속의 그 목소리. 이목구비는 뜯어볼수록 다르다. 어제 아버지의 말을 듣고는 내추럴이 아니란 가능성도 떠올렸다. 애초에 내추럴은 성형을 하지 않으니까. 그래도 이 정도로 달라졌다면, 임플란트인 걸까?

진아는 빤히 진우의 얼굴을 뜯어보았다. 임플란트라기엔 너무 자연스러운데. 진우는 고개를 갸웃거리더니 그녀에게 키스했다. 너무 자연스럽게 혀를 섞어오기에, 진아는 화낼 타이밍도 놓치고 말았다.

"……갑자기 무슨 짓이냐고요."

"아침부터 생각이 너무 많은 거 같아서. 양치는 됐으니까 빨리 나가자."

"뭐, 뭐! 또 무슨 짓 하려고!"

"해장해야지. 근처에 괜찮은 라멘집이 있거든."

또 휘말리고 말았다. 얼굴에 물만 바르고 털모자를 눌러쓴다. 머리를 밀어버린 덕분에 편한 것도 있다. 쓴웃음이 절로 나왔다. 그러나 곧 개운함으로 바뀌었다.

"괜찮지?"

"네! 헤헤."

진아는 바보처럼 웃다가 진짜 바보가 된 것 같은 위기감을 느꼈다. 정신을 똑바로 차려야 한다. 이런 식으로 휘둘렸다간 결국 같은 실수를 반복할 뿐이다. 그녀는 진우의 얼굴을 유심히 살폈다. 얼굴 근육의 움직임 하나하나가 위화감이 없다. 무뚝뚝한 성격의 내추럴.

그 자체다.

진우는 뒤늦게 진아의 시선을 캐치했다. 그는 한숨을 내쉬고는 몸을 일으켰다. 그리고 엄지와 검지로 진아의 턱을 붙잡고 얼굴을 가져다 댔다.

“미쳤어! 미쳤나 봐! 공공장소에서 뭐 하는 거예요!”

“이게 아닌가?”

“아니라고!”

잠깐 혹할 뻔하긴 했지만, 그래도 정신을 차리고 있던 덕분에 진아는 연달아 흑역사를 만드는 일을 피할 수 있었다. 시선을 돌리니 반쯤 비운 라멘이 보였다. 그래도, 소화기관을 임플란트로 대체한 건 아닌 모양이다. 러스트 팬 출신은 아닌 것 같아 마음이 놓인다.

“얼굴이요.”

“많이 듣는 편이지.”

“네? 무슨 말요?”

“잘 생겼다는 말.”

“참나. 그 말 아니거든요!”

“그쪽 취향은 아닌가 봐?”

“아, 아닌 건 아닌데! 어? 웃었죠? 저 놀린 거죠? 그렇죠?”

“보기보다 눈치가 빠르네?”

“그만 좀 놀리라고!”

손님들의 시선이 몰리자, 진아는 빨개진 얼굴로 고개를 숙였다. 딱히 불편해하는 눈빛은 아니었다. 한창때의 연인을 볼 때 특유의 푸근한 눈빛. 그게 더 거슬리긴 했지만 말이다.

"왜 얼굴이 다른 거예요?"

"다르다고?"

"그럼 같아요?"

진우는 얼굴을 만지작거렸다. 그렇게 깊이 생각한 주제는 아니다. 이전 얼굴로는 본 것은 고작 한 번. 마주한 시간 대부분 진아는 만취 상태였다.

더불어 진우 또한 제 얼굴에 대해 생각한 적이 많지 않다. 의뢰를 하나 수행하고 오면 여지없이 완파되는 얼굴이다. 그때그때 로빈의 취향에 맞춰 변하는 얼굴을 제 얼굴로 받아들이는 건 쉽지 않았다.

"성형이야."

"어째서?"

평범한 내추럴이 페이스오프 수준의 성형을 하는 경우는 커다란 사고가 있었을 때밖에 없다. 진아는 문득 떠올렸다. 원나잇 다음 날. 진우가 떠난 모텔에서 혼자 멍하니 있었을 때 들려온 폭음. 바로 근방에서 나이트 댄서의 테러가 있었다고. 설마 그 일에 휘말린 걸까?

걱정스러운 눈으로 보았지만, 진우는 여전히 무뚝뚝하게 말했다.

"글쎄. 내 의사는 아니었거든."

"그러면 의사의 의사인가요?"

"그런 셈이지."

성형의가 당사자의 의사도 묻지 않고 멋대로 얼굴을 고쳤다고? 진아는 눈을 가늘게 떴다. 이 남자 또 사람을 놀리고 있어.

"하? 불법시술 뭐 그런 거라도 돼요?"

"따지고 보면 그렇군."

"네네, 뭐 그러시겠죠!"

하여간 마음에 안 든다니까. 진아는 입술을 삐죽였다. 비틀린 입매가 어색한 호선을 그린다. 두 번째 데이트는 그렇게 끝났다.

공원 화장실을 빠져나오면서 진아는 양손으로 얼굴을 가렸다.

"이건, 범죄라고요."

"하지만 즐거웠지."

그 뒤를 따라 나오며 진우가 덧붙였다.

"미쳤어, 진짜!"

"그쪽이 좋은 거 아닌가?"

"저, 저 두 번 하라면 못해요! 꿈도 꾸지 마요."

"걱정 마. 같은 미션에 두 번 도전할 생각은 없으니까."

"으으……."

진아는 가까운 벤치에 앉았다. 다리에 힘이 들어가지 않았다. 가을바람에 얼굴을 식히는 동안, 자판기에 다녀온 진우가 음료수를 내밀었다. 캔 밀크티를 마시니 속이 좀 진정되는 것 같았다.

"사람이, 어떻게 그렇게 능숙해요?"

"고마워."

"칭찬 아니거든요. 대체 얼마나 만나고 다녔으면……. 나이도 그렇게 많아 보이진 않는데요."

"네 생각보단 많을걸?"

"얼마나요?"

"그냥 좀 많아."

진아는 조금 더 캐어 물어보려다가 입을 다물었다. 경험상 물어본다고 다 답해주는 사람은 아니다. 하지만 시간이 갈수록 조금씩 자신을 열어간다는 느낌은 있었다. 까짓것, 기다리는 재미도 있지.

그때, 진우가 했던 말이 떠올랐다. 재회 첫날, 집에 데려다주면서 했던 말.

"청춘."

"뭐?"

"노력해서 얻은 게 아닌 것 중에서는, 제일 쓸만하다고 하셨죠? 그게 무슨 뜻이에요."

진우는 진아를 물끄러미 바라보았다.

처음에는 다시 만날 일이 없으리라고 생각했다. 다음번엔 사고로 위장해 죽일 생각도 했다. 그러다 몸을 몇 차례 섞으면서, 꼭 죽일 필요는 없겠다고 생각했다. 이 여자와 함께 있는 동안은 그 옛날이 떠올랐으니까.

많은 여자를 만났다. 그중 일부에게, 그래도 적지 않은 여자에게 청춘의 쓸모에 관해 이야기했다. 거의 하룻밤의 인연이었기에 이렇게 되묻는 사람을 만난 적이 없다. 여러 번 잠자리를 함께한 로빈도 이 주제에 대해서는 관심이 없었다.

그래서 기대를 끊고 있었는데. 갑자기 한 걸음 다가왔다.

"저기요? 어디 가요? 잠깐만요!"

진우는 자신이 돌아섰다는 것을 깨달았다. 진아로부터 멀어지고 있다는 것도. 그것도 꽤 빠른 걸음으로 말이다. 그는 자각했다. 자신이 진아로부터 도망치고 있다는 것을, 속내를 보이는 걸 두려워하고 있다는 것을 말이다.

다음날, 진우는 진아의 저택 앞에 차를 대었다. 어제의 이별이 그렇게 아름답진 않았지만, 아직 만회할 기회는 있었다. 진아가 자신에게 쌓은 호의는 그 정도 실수로 깨질 것이 아니었다.

게다가 진아는 자신에게 의존해야 하는 상태다. 그녀에겐 진우 외의 대안이 없었다. 진우는 그녀가 처한 어려움의 원흉이었지만, 그렇기에 더더욱 최적의 상대다. 둘이 이어지는 데만 성공하면, 일탈은 로맨스가 된다. 내추럴은 속도위반에 관대한 편이었으니까.

굳이 문제가 있다면, 약혼자 집안인데. 괜찮다. 진아의 집안도 만만치 않으니까. 서로 불편한 관계가 되려고 하진 않을 것이다.

문이 열리고 진아가 나왔다. 평소보다 예쁘게 차려입었다. 진우는 빙긋 올라가는 입가를 의식했다. 위험하다. 그토록 그리웠던 설렘의 경험이었지만, 지금은, 그럴 상황이 아니다. 그는 표정을 가다듬고 조수석 문을 열었다.

"안 들어온 거야?"

"제가 생각을 좀 해봤거든요."

진아는 멀뚱멀뚱 서서는 진우를 빤히 바라보았다. 감정을 읽는데 능한 진우로서도 그녀의 표정을 읽기는 힘들었다. 화난 것 같지는 않은데, 그렇다고 뭔가를 기대하는 것 같지도 않다.

"무슨 생각."

"제가 당신을 어떻게 믿죠?"

"그게 무슨 말이야?"

"하진우 씨. 저랑 결혼하고 싶어요?"

진우는 분명 고개를 끄덕였다. 그러나 진아의 질문과 진우의 답 사이에는 분명한 공백이 있었다. 거기서 끝났으면 좋았겠지만, 이를 의식해 버린 진우의 표정이 어색해졌다. 그 어색함을 읽은 진아는 눈살을 찌푸렸고, 진우는 눈을 피하고 말았다.

"거봐요. 주저했잖아. 확신이 없잖아."

"그건……."

"괜찮아요. 당신이 뭔가 구린데가 있는 사람이란 거. 그건 이해할 수 있어요. 어쩌겠어요. 마음이 자꾸 가는데. 제 문제니까 제가 감당해야죠. 으이그, 박복한 년 같으니."

진아는 허리를 숙였다. 다리는 여전히 밖으로 뺀 채로, 양손으로 조수석을 짚고서 진우에게 얼굴을 들이댄 것이다. 진우는 절로 빠지는 몸을 억지로 당겼다. 눈을 마주치기가 어려웠다.

"그런데요. 그렇게 도망치는 거 이해 못 해요. 말하기 힘들면 힘들다고 하면 되잖아요. 왜 사람을 앞에 두고 도망치지? 제가 그래도 되는 사람이에요? 그래서 두 번이나 그런 거예요?"

"나는……."

"사과해요."

"……미안."

"눈 보고 사과해요. 힘들어도 해요."

"……미안하다."

심장이 뛰었다. 머릿속이 하얗게 변했다. 당장이라도 도망치고 싶었다. 하지만, 진아는 그를 놓아주지 않았다.

"잘했어요. 이제 마지막이에요. 이것만 해내면, 어제 일은 없던 걸로 해줄게요. 뭐, 한 번만 더 그러면 국물도 없겠지만요. 하여튼, 준비되면 말해요."

진우는 눈을 감고 숨을 골랐다. 기계로 된 몸이 왜 이렇게 뜨겁게 느껴지는지 이해할 수가 없었다. 마치 이래서는, 그 시절로 돌아간 것 같지 않은가?

미쳤다. 그래, 고장 난 거다. 그리워하고 그리워하다 보니, 결국은 어떻게 되어버린 것이다.

"하."

그래, 드디어 미쳐버린 것이다. 그렇게 갈구하던 환상 속에서 죽을 수 있게 되었다. 청춘을 되찾았다면 다음 삶은 의미가 없다.

하진우는, 그렇게 현재의 자신을 받아들였다.

"준비됐어."

"좋아요. 왜 미안한지 설명해 봐요."

"오싹한데?"

진아는 입꼬리를 올렸다. 진우는 그녀의 갈색 눈동자를 바라보았다. 그리고 그 속에 푹 빠져서 허우적거리고 있는 자신의 모습을 발견했다. 홍채에 비친 남자가 밝게 웃으며 말했다.

"확신을 주지 못해서 미안해. 내가 잘못했어. 그리고……."

기계로 만든 망령이 익사하며 단말마를 뱉는다.

"널 좋아한다고 말하지 않은 것도."

청춘은 불완전한 것이다. 그러면서도 늘 완전을 꿈꾼다. 서로의 결핍을 확인한 청춘 남녀는 각자의 부재를 견뎌내지 못하는 법이다. 마음도 몸도 하나가 되길 바라는 것이다.

둘 사이에 일어난 일은 쉽게 말해서, 키스였다.

기적 같은 재회 후 일주일이 지났다.

진아는 이제 이 천장이 낯설지 않다. 물론 처음 오는 호텔이었지만, 커다란 침대에 알몸으로 혼자 누워있는 상황에 익숙해진 것이다.

"아구구."

전신이 욱신거렸다. 밤에는 그렇게 저돌적인 남자가 해만 뜨면 왜 그렇게 무뚝뚝해지는지. 그래도 요 며칠은 사람처럼 굴어서 다행이다. 그러고 보니 어디 갔담?

진아는 허리를 두드리며 테이블로 향했다. 쪽지가 놓여있었다.

[급한 일. 체크아웃 전에 데리러 올게. 마라탕 시켜놨으니, 먼저 샤워하지 말고 기다려. 식으면 맛없다.]

"센스가 있는 거야 없는 거야?"

별꼴이야, 진짜.

진아는 입술을 삐죽였다. 솔직히 성격은 마음에 들지 않는다. 조금 더 다정하고, 더 표현해 줬으면 좋겠다. 그나마 다행인 건 말귀를 알아듣는다는 거?

"그래, 조금씩 맞춰나가면 되겠지."

이해할 수 있는 부분은 이해한다. 이해할 수 없는 부분은 고쳐달라고 한다. 진아는 사랑을 하고 싶었다. 대안이 없으니 만나는 게 아니라, 대등한 관계에서 서로의 사랑을 주고받고 싶었다.

그간 복잡했던 생각이 말끔하게 정리된다.

"나, 당신 많이 좋아하네."

사람도 없는데 얼굴에 열이 올라서 손부채질이 절로 나왔다. 타이밍 좋게 노크 소리가 들렸다. 마라탕이다!

"잠시만요!"

벗은 채로 맞이할 수는 없다. 어제 입었던 가운을 찾으니, 발코니에 걸려있다. 저게 왜 저기 있어? 진짜 미쳤나 봐! 가운을 챙기고 얼굴을 짝짝 때린다. 옷매무새를 다듬고 활기차게 웃으며 문을 열었다.

"죄송해요! 오래 기다리셨……!"

그리고 정신을 잃었다. 진우와 재회한 지 일주일째 되는 날이었다.

약속한 의뢰 기한의 마지막 날이 밝았다. 진우는 통신 가능 장소로 향했다. 내키지 않는 발걸음이었다. 그러나, 의뢰를 포기하겠다는 의사를 확실하게 전하지 않으면, 백플로우에서는 자신을 배신자로 찍을 것이다. 최악의 상황은 피해야 했다.

접선 장소는 한강이 내려다보이는 고급 커피숍이다. 진우는 룸을 빌려 들어간 후 통신기를 켰다. 짧은 노이즈가 지나고, 곧 워창의 목소리가 들렸다.

[여어. 잘 지냈냐?]

"우선 할 말이 있……."

싸하다. 진우는 등골을 스치는 직감에 잠시 말을 멈추었다. 무언가가 이상하다. 워창의 목소리에 부자연스러움이 있다. 욕을 쓰지 않은 것도 그렇다. 지금까지 접선 한 번을 안 했으니, 개지랄을 떨어야 당연한데 말이다.

그뿐만이 아니다. 진우는 고개를 돌렸다. 시큐리티의 움직임이 감지되었다. 어째서? 아니, 아직은 확신할 수 없다. 한 조각이 부족하다.

[무슨 일이야? 통신이 잘 안돼?]

진우는 고개를 돌렸다. 접선 장소는 그가 묵었던 호텔의 반대편이다. 정확히는 접선 장소에 있으면서도, 진아의 안전을 확인할 수 있는 곳에 숙소를 잡았다. 좌안 임플란트의 연산 능력을 오버 클럭한다. 눈이 화끈하다. 어쩌면 심장일지도.

"날 속였군."

[어? 야? 그, 그게 말이야……. 야이, 씨부랄 네가 먼저……!]

더 대화할 필요가 없다. 진우는 두꺼운 기둥에 발을 내리찍었다. 종골의 도약성 임플란트가 불을 뿜었고, 카페의 창문과 호텔의 창문이 시간차를 두고 깨졌다. 나이트 댄서의 재림이었다.

진아는 눈을 떴다. 그러니까 오늘만 두 번째다. 어지러웠다. 문을 열었고, 낯선 사람이 손을 뻗었다. 기억은 거기서 끊겼다. 그녀는 주변을 둘러보았다. 놀랍게도, 익숙한 장소였다.

"이건 미친 짓이야. 지금이라도 늦지 않았다. 정신 차려, 이 녀석아!"

"진우야. 왜 이러는 거야, 우리 진우……?"

익숙한 목소리다. 그리운 이름이다. 그러나, 반가운 이름은 아니다. 상황이 그러했다.

"일어났네?"

젊은 남자가 그녀를 반겼다. 아는 사람이다. 김진우. 그녀의 약혼자. 이 저택은 김진우의 것이다. 사용인들이 총을 들고 서 있는 것을 빼면 익숙한 풍경이다. 약혼자의 부모님이 포박된 것까지. 보아하니 진아도 전신이 결박되어 있다.

"김진우!"

한때 시아버지가 될 수도 있었던 남자가 불호령을 내렸다. 그러나 약혼자는 빙긋 웃을 뿐 조금의 동요도 없었다.

"잠시만 기다려. 금방 정리하고 올 테니까."

약혼자는 제 아버지를 향해 간다. 그 앞에 쪼그려 앉아서는 눈을 맞추었다.

"미친 짓이라고요?"

"그래, 이놈아! 대체 이게 뭐 하는 짓이야!"

"미친 짓이란 건 말이죠."

날카로운 총성이 울렸다. 이어서 째지는 듯한 비명이. 김진우가 제 아버지의 무릎에 총을 갈긴 것이다. 울음 섞인 포효를 배경음악으로 그는 말을 이어갔다.

"지금껏 함께 잘 살던 가족을 하루아침에 버리려고 한 가장에게나 할 말이죠."

"그, 그으윽! 무, 무슨……!"

김진우는 비릿하게 웃으며 품속에 무언가를 꺼냈다. 고전적인 디자인의 편지였다. 그것을 본 국장이 입을 쩍 벌렸다.

"다행히 한 번에 알아보시네요. 아버지가 백플로우에게 보낸 편지죠. 하이퍼 재머를 넘기면, 반년 내로 내추럴을 무력화시키고, 러스트 팬에 백만 개의 바이오칩을 뿌리겠다. 물론 분배는 백플로우에게 맡기는 조건으로요."

"네, 네가 어떻게?"

"아직도 모르겠어요? 이쯤 되면 뻔한 거잖아요."

김진우는 양팔을 펼치며 낄낄거렸다.

"짜잔! 저 김진우가 바로 백플로우의 보스랍니다!"

국장은 침음성을 흘렸다. 상식이 무너져 내리고, 그 자리에 진실이 구축되었다. 러스트 팬이라는 빈약한 백그라운드에서도 백플로우가 데미칩 양산과 재머 개발에 성공한 이유를 깨닫는다. 배신자가 있었다. 그것도 네오 서울의 최상류층인 내추럴 사이에서 말이다.

그게 바로 아들이었다. 내추럴이면서도, 여느 클론 이상의 천재성을 자랑하던 그의 아들. 김진우가 흑막이었던 것이다.

"진우 아버지!"

지옥 같은 현실은 국장을 쇼크로 몰아넣었다. 그의 아내가 목 놓아 울었지만, 김진우는 신경 쓰지 않았다. 그는 그렇게 태어난 존재였다. 타고 나기로 타인의 감정에 공감할 수 없는 존재. 그것은 한때 그가 애착을 가졌던 여인에게도 동일하게 적용되었다.

"재미 좋았지?"

"무슨 소리야?"

"떡대 하나 물었잖아. 그렇게 매달릴 땐 언제고, 좀 괜찮은 남자가 들이대니까 홀랑 넘어갔더라. 웃겨, 진짜. 너 그 새끼가 러스트 팬 출신인 건 아냐? 그 번드르르한 몸뚱이 중에 원래 자기 거는 거의 없다는 것도."

열심히 떠벌거리던 김진우의 표정이 점차 굳었다. 마지막에 이르러서는 분노로 일그러져 있었다. 진아의 얼굴에서 그가 바라던 모습을 떠올리지 못했기 때문이다. 불신과 공포, 절망이 아니다. 그저 끝을 알 수 없는 혐오와 연민만이 남았다.

"눈을 왜 그렇게 뜨냐?"

"오빠가 알 바 아니잖아."

"하하? 내가 아니면 누가 알 바냐? 나 네 약혼자야."

"어차피 파혼할 거 아니었어?"

"내가 왜 그래야 하는데?"

드디어 봐줄 만한 얼굴이 된다. 짜증과 의문이다. 완벽하게 마음에 든 건 아니지만, 그래도 이 정도면 괜찮다. 만족한다.

"대체 왜 내가 왜 널 놓아야 한다는 거야? 넌 최고야. 관심을 주면 예쁘게 웃어주고, 조금만 방치해도 시무룩해지고. 네 감정을 가지고 노는 것만큼 즐거운 일은 없었단 말이지. 요즘은 좀 심지가 생긴 거 같아서 재미없었지만, 괜찮아. 그것도 그것 나름대로 즐거움이 있는 거지. 뭔가 새로운 것에 도전하는 거, 나 좋아하거든."

김진우는 진심이었다. 최근에는 조금 소홀하긴 했다. 언플로우라는 새로운 장난감이 생긴 탓이었다. 러스트 팬과 접점을 만들고, 그 조직을 장악하고, 새로운 큰 그림을 그리고, 실행하기까지. 최근 3년은 눈코 뜰 새 없이 바빴지.

"심지어 운도 좋지. 내추럴을 끌어내리는 거 나한테도 좋은 기회였어. 아랫도리로 생각하는 얼간이들과 다르게 내 두뇌는 웬만한 클론보다 나으니까. 캬, 이게 자연의 위대함이라니까. 인간부화소에서는 죽었다 깨어나도 나 같은 변수는 만들지 못하거든. 이런 인재를 번식에만 쓴다니. 이 도시는 한 번 갈아엎을 필요가 있었어."

"넌 불량품이야."

"하하. 그것도 좋지. 그런데, 이 씨발년아."

진아의 목이 옆으로 꺾였다. 얼마나 세게 때렸는지, 털모자가 날아갔다. 파르라니 깎은 머리가 드러났다. 김진우는 거친 손짓으로 진아의 턱을 잡아 자신 쪽으로 당겼다. 서로의 코가 맞닿았다.

"그래서 내가 왜 너를 포기해야 하냐고?"

눈동자가 부딪혔다. 진아의 눈동자에 눈물이 고였다. 무서웠다. 자신에게 왜 이런 일이 벌어졌을까? 무엇을 그리 잘못했기에. 동시에, 오기도 생겼다.

이전까지 품고 있던 생각이 있었다. 바보 같은 망상이라고 생각했지만, 그것을 긍정해 준 남자가 있었다.

모두에게 버림받았다고 생각한 적이 있었다. 그러나 자신에게 버림받을까 두려워한 남자가 있었다.

함께한 매 순간을 새롭고 짜릿하게 만들어 준 남자가 있었다. 그 남자 또한 자신을 그렇게 여기는 것 같았다. 알아가고 싶었다. 그 남자의 과거와 나의 현재, 그리고, 우리의 미래에 대해서.

"그건……!"

진아의 말은 완성되지 않았다. 저택의 천장에서 폭발이 있었기 때문이다. 거대한 망치가 내려친 듯, 돔형의 강화유리가 산산조각이 났다. 먼지가 비산하고, 총성이 울린다. 어둑한 공간에 회색 바람이 불었다.

그리고, 소리가 가라앉은 그 자리에서 한 남자의 실루엣이 비췄다. 그것은 제 왼손을 뽑아다 바닥에 던져버렸다.

"진짜 몰라서 묻는 건가?"

무겁지도 가볍지도 않은 목소리. 김진우는 제 귀를 의심했다. 그가 알고 있는 목소리였지만, 그것의 주인은 지금 이곳에 있어서는 안 되는 거였다. 국장의 명의로 접선 장소에 시큐리티를 잔뜩 투입했기 때문이다.

"나이트 댄서?"

남자는 고개를 저었다. 먼지가 가라앉고, 거리가 가까워지자, 그 반반한 얼굴이 보였다.

"하진우다."

김진우는 패닉에 빠졌다. 시큐리티와 싸우고 왔다기엔 상대의 몸이 너무 멀쩡했기 때문이다. 나이트 댄서의 전투력을 알고 있었다. 강하긴 했지만, 무적은 아니다. 그가 최악의 테러리스트로 불리는 이유는 몸을 사리지 않는 흉포함 때문이었다. 그가 최고급 스펙의 임플란트를 쓰는 것은 사실이었지만, 어디까지나 현대 기술의 한계를 벗어나지 않는 선이었다.

"아니, 어떻게 이겨냈다 쳐! 여긴 어떻게 찾은 거야? 대체 누가 알려준 건……!"

"아. 잠깐."

하진우는 멀쩡한 손바닥을 보이며 양해를 구했다. 곧 메이드복을 입은 사용인이 다가와 그의 왼손에 새 임플란트를 끼워주었다. 연결하자마자 철컥 소리가 들리는 걸 보아하니, 미리 준비한 예비 파츠로 보였다.

"땡큐, 로빈."

"밤에 갚아."

"미안. 그건 내 여자가 싫어할 거 같아서."

"그럼 어디서 좋은 내추럴이나 하나 물어다 주던가."

로빈은 쿨하게 돌아섰다. 벙쪄 있는 김진우의 귀에 이질적인 소리가 들렸다. 워창의 목소리였다.

[아아. 마이크 테스트. 하나. 둘. 셋. 잘 들립니까?]

"수신 상태 양호."

[야이, 좆같은 새꺄. 내가 통신 끊으면 죽여버린다고 했지?]

"다시 들어줬잖아."

[후욱! 후훅! 후……. 여튼 보스. 이렇게 뵙게 되니 감회가 새롭습니다. 그렇게 똑똑하신 분이니 대충 어떻게 된 일인지 알겠죠?]

그랬다. 김진우의 천부적인 두뇌는 그 짧은 순간 모든 정황을 실제와 유사한 수준으로 추론하는 데 성공했다.

김진우는 나이트 댄서가 의뢰를 포기할 거란 사실을 직감하고 먼저 그를 버리기로 했다. 하이퍼 재머 완성까지 고작 한 끗. 이진아를 직접 확보하고, 훗날 화근이 될지도 모르는 나이트 댄서는 시큐리티를 동원해 녹여버린다. 겸사겸사 기세를 잡아 안보총국까지 장악하면, 네오 서울을 제 손아귀에 넣을 수 있는 것이다.

욕심이 눈 앞을 가렸다. 나이트 댄서를 속이기 위해서는 그의 오퍼레이터인 워창의 협조가 필요했다. 어쨌거나 백플로우 소속이니 자신의 후계를 약속하면 충분하다고. 어차피 네오 서울이란 장난감이 손에 들어오면, 백플로우 따윈 누가 가져도 상관없으니까.

[아까 말씀 잘하셨수다. 새로운 것에 도전하는 것을 좋아한다. 캬! 도전 의식! 청춘의 특권! 알고 보니 나한테도 그런 게 있었더라고. 생각해 보니까, 그렇잖아. 조직 하나 받는 건데, 꼭 저 재수 털리는 씹새한테 아양까지 떨어야 하나? 내가 해도 될 거 같은데?]

"그래서 배신한 거냐?"

[옴맛맛! 말을 똑바로 해야지. 이 워창이 당신을 배신한 게 아니

야. 배신은……!]

거친 숨소리가 노이즈로 화했다. 통신상태가 불량한지 칠판 긁는 소리가 들렸다. 이어, 사자후가 터져 나왔다.

[그 쥐같은 바빌론의 탕아들이 우리한테 한 짓을 두고 할 말이다!]

가지지 못한 자. 생존을 위해 삶을 포기한 자. 힘이 없었기에 인간성을 지키지 못한 자. 현대 문명이 쌓아온 업보에 신음한 자. 워창의 분노는 그 중 아주 일부에 불과했다. 그러나, 모든 약자는 제가 속한 문명의 과오에 대해 항의할 자격이 있었기에, 누구도 워창의 자격을 의심하지 않았다.

[켁켁! 아오, 목 아파. 여튼 바쁘니까 이제 끊소. 알아서 잘해들 보시라고!]

고요가 찾아왔다. 그 속에서 하진우는 김진우의 멱살을 잡아들었다. 그리고 코를 맞댄다. 광기로 번들거렸었던 김진우의 눈과 달리, 하진우의 눈은 그저 차분했다. 그렇기에 그의 말은 선고와 닮아있었다.

"이유를 말해주마."

김진우가 이진아를 포기해야만 하는 이유.

"그건 네가 찐따 새끼기 때문이다."

어딘가에서 폽 소리가 들렸다.

어려서부터 김진우에게 있어 세상은 갈아치울 수 있는 무언가였다. 마음에 들지 않는 사용인도, 효율성이 떨어지는 프로그램도, 용도를 다한 스승도. 그가 원한다면 언제고 교체할 수 있는 성질의 무언가였다.

그런 생각이 가로막힌 시점은 사춘기 무렵이었다. 그는 눈에 보이는 모든 것들을 바꿀 수 있었지만, 눈에 보이지 않는 것을 바꿀 수는 없었다. 도시의 권력적 역학 관계라던가, 대중의 비합리성이라던가, 내추럴의 태생적 한계라던가.

그렇게 철들 무렵이 되어서야 그는 깨달았다. 자신의 역할을 말이다. 자신이 이렇게 천부적인 재능을 가지고 좋은 집안에서 태어난 데에는 이유가 있다고. 무지몽매한 인류를 위해 선(線)을 그어주는 것이라고. 자신은 새 시대의 선(善)을 전파하는 소명을 타고났다고. 그렇기에 선각자(先覺者)라고.

백플로우를 손에 넣고, 네오 서울을 쥐락펴락하면서 그 확신은 더 강해졌다. 이렇게 쉬운데 왜 못한 걸까. 현대 문명은 이렇게도 부실한 기반 위에 서 있구나. 얼른 해체해서 제대로 만들어야지.

하이퍼 재머는 그런 마음을 담아 만들었다. 그는 망치를 들고 한 시대를 부수었던 19세기의 선각자를 상상했다. 하여 하이퍼 재머의 시동 장치는 장도리를 닮아있었다.

김진우는 품속에서 망치를 꺼내 하진우의 측두엽을 노렸다. 하진우는 손쉽게 그 팔을 부순다. 피가 튀었고, 절규가 뒤따랐으며, 망치는 허공을 가르고 바닥에 떨어진다. 그리고.

대저택 지하에서 터져 나온 EMP 충격이 네오 서울 전체를 뒤집었다. 그것은 바이오칩에 내재 된 자폭 장치의 잠금쇠를 건드렸다.

[Count down! 999! 998! 997!]

네오 서울의 시민 모두의 머릿속에 기계음이 울려 퍼지기 시작했다.

"이 미친 새끼가 대체 뭘 만든 거야!"

로빈은 김진우의 멱살을 잡아들었다. 그녀는 의사임과 동시에 엔지니어였다. 자신에게 일어난 일에 대해 잘 알고 있었다.

분명 하이퍼 재머는 산성의 데이터베이스를 해킹하기 위한 도구다. 바이오칩을 건드려 대량 학살을 일으키는 흉기가 아니었다.

"킥킥! 이게 더 효율적이었어."

"뭐? 효율?"

"솔직히 산성은 너무 빡세더라고. 뭐, 몇 년 더 고민하면 뚫을 수 있을 거 같긴 했는데, 귀찮잖아. 그냥 다 죽인다고 협박하면 되는데 왜 굳이 머리를 써야 해?"

김진우는 눈이 풀려 있었다. 로빈도 아는 눈이다. 러스트 팬에서는 흔히 볼 수 있는 눈빛이었으니까. 세상에 적응하는 것도, 세상에 응전하는 것도 포기한, 진작 꺾여버린 자들의 눈빛.

[841! 840! 839!]

죽일 가치도 없다. 생의 마지막 순간을 이런 버러지에게 낭비할 수 없었다.

"진우!"

로빈은 메이드복을 벗어던졌다. 시간이 없었다.

"나랑 자!"

"싫어."

"씨발! 그 정돈 해줄 수 있잖아!"

"나중에 나보다 훨씬 괜찮은 내추럴 소개해줄게."

로빈은 그제야 진우의 눈을 바라볼 수 있었다. 그래, 저 눈빛. 그녀가 갈망해 마지않았던 그 눈빛. 아주 멀리 있는, 동시에 무척이나 아름다운 것을 향한, 그 로맨틱한 눈빛. 로빈은 입을 다물었다. 그녀는 기꺼이 진우의 시간을 진아에게 양보했다.

"방법이 있어."

"믿어요."

"안 물어봐?"

"일 끝나고, 돌아온 다음 말해줘요."

진우는 입술을 달싹거렸다. 방법이 있었다. 네오 서울의 안보는 산성을 통해 관리된다. 일시적인 충격으로 자폭 장치가 가동되긴 했지만, 산성이 다시금 바이오칩을 장악하게 만들면 해결되는 문제였다.

문제는 산성의 운영체제가 강인공지능을 기반으로 한다는 것이다. 시민의 신상정보가 권력자의 손에 손쉽게 들어가면 안 된다는 판단 때문이었다.

하진우는 그곳에서 싸울 수 있다. 이미 그의 육신의 대부분은 기계였다. 정신으로 기계를 운용하는 데 최적화된 인물이라는 것이다. 심지어 그는 자신이 싸워야 할 전장에 대해서도 잘 알고 있었다.

그는 산성의 메인 프로그래머였으니까.

"하고 싶은 말이 너무 많아."

"하면 되죠."

"이야기할 시간이 없으면?"

해야 할 이야기가 산더미였다.

28세에 강인공지능 산성을 개발하여 시대를 이끄는 프로그래머로 추앙받던 그가 총격을 받고 사경은 헤매다 결국 냉동인간이 되어버린 것도. 깨어나니 세상이 거의 망해있었다는 것도. 유실된 몸을 기계로 대체하면서 인간성이 말라갔다는 것도. 그래서 사실은 내가 네게 어울리지 않는 사람일까, 정말로, 정말로, 무서웠다고.

"제가 비밀을 알려줄게요."

개구지게 웃는 진아를 향해 진우는 허리를 숙이며 귀를 기울인다. 진아는 그의 얼굴을 돌려 잡고, 입을 맞추었다. 길고도, 긴 키스였다.

[412! 411! 410!]

입술과 입술 사이로 긴 선이 그어졌다. 한결 편안한 얼굴이 된 진우를 보며 진아는 어색하게 웃었다.

"말보다 낫죠?"

"그러네."

진우는 자리에 주저앉았다. 진아는 그런 그에게 무릎베개를 해주었다. 종종 진우의 몸에서 스파크가 튀었고, 그때마다 움찔거리면서도 진아는 진우에게서 떨어지지 않았다.

[175! 174! 173!]

무섭지 않은 건 아니었다. 죽으면 정말로 끝이니까. 더 행복한 시간을 보내고 싶었는데. 성관계 말고도 같이 하고 싶은 게 많았는데.

아니. 사실, 당신과 해보고 싶었던 체위가 또 하나 있긴 했어요. 진아는 웃음을 터트렸다.

[38! 37! 36!]

그러니까 꼭 돌아와야 해요, 당신. 이제 조금 당신을 어떻게 대해야 할지 알 것 같은데. 어떻게 말해야 당신이 웃는지, 어떻게 안아야 당신을 위로할 수 있을지, 조금 알 것 같단 말이야. 확인하게 해줘요. 웃어줘요.

[10! 9! 8!]

그렇다고 너무 서두를 필요는 없어요. 오다가 다치면 어떡해. 무리하지는 마. 지금까지도 충분히 행복했어. 당신을 모르고 살았던 21년이, 당신과 함께한 아흐레보다 가벼워. 정말, 당신은요.

[7! 6! 5!]

보고 싶어요.

[4! 3!]

행복했어요.

[2!]

사랑해요.

[1!]

나 있잖아.

[0!]

"그게 그렇게 궁금했어?"

"네. 좀 뜬금없잖아요."

"하긴. 요즘 애들은 모를 수도 있지."

"네네. 나이 많이 잡수셔서 좋으시겠어요. 아주 배가 터지시겠네!"

"또, 또 까분다."

"하지만 귀여웠죠?"

"무슨 말을 못 하겠네. 그래. 나이트 댄서가 뭐냐면……. 노래야."

"노래요?"

"아주 옛날 노래. 불러줄까?"

"싫어요."

"왜?"

"표정이 너무 아련해서 열받아요."

"참나. 이젠 표정 가지고 시비야?"

"하지만 앙칼졌죠?"

"이런 애가 아니었는데……."

"업보라고 생각해요. 가족도 친구도 버리고 당신 하나 보고 화이트 벨트까지 따라와서 이렇게 고생하는데. 흑, 제가 그렇죠, 뭐."

"그래요. 잘못했습니다. 앞으로도 평생 제 옆에서 수발들어야 할 텐데, 미안해서 죽겠네요."

"맞을래요?"

"좋다, 그 표정."

"참나……."

"화났어?"

"네."

"화 풀어. 대신 내가 비밀 하나 알려줄게."

"흐으음. 그게 뭔지 나도 알 거 같은데."

"뭔데?"

"맞춰봐요."

"그럴까?"

사랑은 마음을 속삭이는 것이다. 가슴속에서 치솟은 열기가 성대와 혀와 입술을 통해 소리를 구현함으로써 전하는 방법이 보편적이나, 진리를 깨달은 이들은 공기라는 매질을 이용하는 대신 지름길을 통해 서로의 마음을 직접 이어버리는 방법을 택하곤 했다.

그 부자연스럽고도 비밀스러운 매커니즘은 쉽게 말해서, 키스였다.

West of Eden

언뜻 흙먼지처럼 보인다. 황무지에 추락한 구름이 몸서리치듯 지평선에 걸쳐 울룩불룩 거리는 형상이었다. 가까워져 오는 소음이 모래폭풍을 연상시켰으나, 실상은 더 지독했다. 수억 개체의 로커스트(locust)다.

메뚜기아목의 알은 보존성이 높다. 생존과 번식에 유리한 환경이 올 때까지 버티기 위해서였다. 수년에 걸친 가뭄 동안 누적되다 우기가 찾아오면, 습도의 변화를 귀신처럼 알아채고 일제히 부화하는 것이다.

동시다발적인 부화는 개체 간 접촉이 늘린다. 이로써 체내 세로토닌 분비량이 3배 이상 증가한다. 단위면적 1제곱미터당 20마리 이상일 때는 임계점에 도달, 날개가 길어지고, 뒷다리가 퇴화한다. 덩치가 커지고, 지능이 상승하며, 공격성이 폭발한다. 얌전했던 풀벌레는 먹이사슬을 껑충 뛰어올라 황충(蝗蟲)으로 거듭난다.

로커스트는 무리 지어 이주하며, 입에 닿는 것이라면 모두 먹어치운다. 그들은 맹목적이다. 개체가 수억 단위니만큼 모두가 배를 불릴 수 없다. 앞선 놈들은 손쉽게 먹이를 먹을 수 있으나, 뒤따르는 놈들의 허기는 충족되지 않는다. 그들에게 가장 손쉬운 먹이는 낙오된 동족이다. 그 공포가 선두를 다시 채찍질한다.

"루시. 당신을 믿지 못한다는 말은 아니야. 그저 마음의 준비를 할 필요가……."

"쉿."

거리는 1.3킬로미터. 바람을 타고 이동하는 무리라지만, 아직 1분 정도의 시간이 남아있었다. 경험으로 알고 있었다. 두려움을 이기지 못하고 섣불리 웅크린다면, 근 일주일간의 고생이 수포가 된다.

"루시."

"조금만 기다려."

"아니, 그게 아니라……."

토니가 떨리는 목소리로 말했다.

"저기, 애 아냐?"

망원경을 내리고 토니의 시선을 살핀다. 아니, 그럴 필요도 없었다. 밀짚모자와 원피스 차림의 여자아이가 육안에 들어왔다. 절로 욕설이 터져 나왔다. 벙커 구석에 걸어둔 판초 우의를 잡아채고 무작정 달렸다.

"루시!"

"사십, 아니! 삼십오 초 있다가 레버 내려!"

뒤도 돌아보지 않는다. 겁쟁이 토니가 제때 레버를 내리지 않는다면? 내리긴 내렸는데, 문을 잠그는 걸 잊는다면? 삼십 초 만에 저 아이에게 닿지 못한다면? 혹 변종이 있어 우의를 갉아 먹으면? 아차 싶은 마음이 들 때마다 이를 더 악문다.

달리는 기세 그대로 아이를 덮친다. 놀라서 버둥거리는 아이를 붙들고 몸을 굴려 움푹 파인 땅으로 들어갔다. 판초 우의를 펼쳐 위를 덮고, 로커스트가 오는 방향에서 꼭 붙든다. 이동 속도가 빠르고 방향이 직선인 터라 이 정도로 충분하다. 충분해야 할 것이다.

우의 위로 메뚜기 떼가 퉁퉁 부딪힌다. 발가락 끝이 가려웠다. 배 아래 깔린 아이는 미동도 없다. 엄한 곳에 머리를 부딪혔을지도. 심장이 쿵쾅거렸다. 우의 위로 손바닥만 한 성체가 붙었다가 저보다 작고 여윈 놈들에게 잡아먹혔다. 걸음을 지체한 포식자 일군은 다시 저들보다 작은놈들에게 잡아먹힌다. 죽음의 순환이었다. 이번에야말로 저 대열에 합류하게 될지도 모르겠다.

스프링클러가 터졌다. 이를 갈면서도 환호한다. 천금 같은 지하수를 17톤이나 모았다. 폐허가 된 양조장에서 뽑아낸 방충제를 아낌없이 뿌렸다. 효과는 확실하다. 우의 위에서 느껴지던 압력이 점차 줄어들었다.

시간이 흐르고, 누군가가 우의를 들친다. 햇살이 눈 부셨다. 털보 토니. 구겨진 얼굴에도 빛이 돈다.

"루시!"

"제발 좀 그만 불러, 토니."

투덜거리며 자리에서 일어났다. 다행히 아이는 무사했다. 멍한 얼굴을 보아하니 정신을 놓은 것 같지만 말이다. 달래줄까, 혼을 낼까, 고민하다가 입을 뗐다.

"안녕?"

새파란 눈동자가 서글프게 반짝인다.

게스트힐에 축제가 열렸다. 8년 전 로커스트가 만든 상흔이 여전히 남아있는 이 마을은 이 승리를 거창하게 기념하지 않고는 못 배길 분위기다.

"바로 떠날 줄 알았는데?"

맥주를 홀짝이던 토니가 운을 떼었다. 아까 전부터 힐끗거리더니, 이 이야기가 하고 싶었던 모양이다. 그의 말대로였다. 원래는 로커스트의 샘플만 챙겨서 바로 떠날 작정이었다. 늘 그랬듯이 말이다.

"짐이 생겼으니까."

모포를 두른 채 무릎 위에 누운 아이를 바라봤다. 곱상한 얼굴로 보아 부랑자는 아닌 듯한데, 게스트힐의 주민 중에서도 알아보는 사람이 없다. 하늘에서 뚝 떨어지기라도 한 것 같다.

"얼마나 있으려고?"

"기껏 구해줬더니 벌써 쫓아내려고? 아무리 나라도 그건 좀 섭섭한데."

"하하! 그럴 리가. 계속 머물러주면 우리야 좋지. 무려 로커스트

히어로가 머무는 곳이 되는 셈이니까.”

부담스러우면서도 익숙한 눈빛. 이스트포트, 우드밸리, 데 피에드라, 디록, 헤세나, 그리고 게스트힐. 로커스트 구제 작전을 직접 지휘한 마을들이다. 늘 잘 풀리지는 않았지만, 예정된 피해를 비약적으로 줄이는 데는 성공했다.

“말이 나와서 말인데, 슬슬 정착하는 게 어때? 당신이 하는 일은 분명 숭고하고 멋지지만, 혼자서 모든 일을 해낼 수는 없는 법이잖아.”

진지하게 화두를 꺼냈지만, 끝내 눈치를 살피는 토니. 그렇게 틀린 말은 아니었다. 로커스트 구제를 위해서는 마을 단위의 전폭적인 협력이 필요하다. 자원과 노동력을 제공해야 하고, 전적으로 지휘에 따라주어야만 한다. 외지인에게 리더십을 이양해야 한다는 말이다.

이 일을 처음 시작했을 때, 그러니까 이스트포트와 우드밸리에서는 그 문제로 여러 가지 충돌을 빚곤 했다. 폭행을 당하기도 했고, 작전에 성공한 이후에도 불편한 대우를 받았다. 억울하긴 했지만, 원망스럽지는 않았다. 인간은 본래 그런 존재다.

이제는 나름대로 명성도 생기고, 유력자와 원만한 관계를 맺는 요령도 익힌 덕에 조금은 편해졌지만, 어쨌거나 혼자서 하는 일에는 한계가 있는 법이다.

“맞아. 슬슬 엔진도 맛이 가고 있고. 아무 데서나 식량을 구하는 것도 쉽지 않네. 기반이 필요한 시점이긴 해. 물자가 풍부하고, 단합도 잘 되는, 게스트힐 같은 곳.”

"그렇다면……!"

"그런데 아직은 아니야. 할 수 있는 데까지는 해보고 싶어."

토니의 얼굴에 실망감이 서린다. 알기 쉬운 남자다. 하지만 저 투명함이 황해(蝗害)로 송두리째 무너졌던 마을을 이만큼이나 살려놓은 비결일지도 모르겠다.

"거절은 아니야. 몇 년이 걸릴 수도 있다는 거지."

"그렇게 말할 필요 없어. 부담을 주려고 했던 건 아니니까."

"아니, 진심이야. 대신 부탁이 하나 있어."

"부탁?"

아이를 내려다본다. 전처럼 훌쩍 떠나지 못했던 이유였다. 지하수를 뽑아 일군 손바닥만 한 경작지에 수백 가구가 다닥다닥 모여 사는 세상. 그나마 상황이 나은 게스트힐이라지만, 생판 모르는 데다 당장 어디 써먹을 수도 없는 꼬마를 떠맡을 여력이 되는 주민은 찾기 힘들 것이다.

"그때까지만이라도 이 아이를 돌봐줬으면 해."

기약 없는 약속. 토니는 진지한 얼굴로 고개를 끄덕였다. 내가 게스트힐로 돌아올 생각이 없다는 것은 그도 느꼈을 것이다. 그러나, 내가 부탁했다는 말 한마디만으로도 게스트힐은 이 아이를 구성원으로 받아들일 것이다. 적어도 제 앞가림을 할 때까지는 말이다.

그 정도면 충분하다고 생각했다.

유리로 된 방 속에 있다. 바깥에는 로커스트가 가득하다. 그것들이 미친 듯이 벽을 두드렸다. 흔들린다. 균열이 인다. 갉아먹는 소리가 난다. 삐직삐직. 뒤에 있던 놈이 앞선 놈을 잡아먹는다. 몸을 웅크렸다. 바닥도 유리다. 불투명한 겹눈 위로 그림자가 떨린다. 커다란 턱이 움직인다. 삐직삐직삐직삐직삐직삐직삐직삐직삐직삐직삐직삐직삐직.

비명을 지르고 보니 숙소였다. 온몸에 땀이 흥건하다. 역시 차에서 잘 걸 그랬다. 이십 년도 더 지난 일이지만, 이렇게 갖춰진 방에서 잠들면 이런 악몽이 찾아오곤 했다. 오래되었지만, 도저히 익숙해질 수 없는 악몽.

자리끼를 찾아 탁상을 더듬었다. 창틈이 어슴푸레 밝아온 터라 떨리는 손으로도 컵을 잡을 수 있었다. 미지근한 물을 목구멍으로 넘기니 숨통이 트였다. 한층 맑아진 시야에 아이가 들어왔다.

"아, 깼니?"

어젯밤 기억이 돌아왔다. 잠투정을 하면서도 떨어지지 않던 아이를 데리고 같은 방으로 들어왔다. 악몽을 꿀 수도 있겠다고 생각했지만, 그것까지 배려하기에는 너무도 긴 하루였다. 많이 놀랐겠지.

이쪽을 빤히 바라보던 아이가 창문을 열었다. 일출 직후에 아직 충분히 풀리지 않은 햇살이 말간 얼굴을 비춘다. 예쁜 아이였다. 이런 세상과는 어울리지 않을 정도로. 헛기침으로 잠긴 목을 풀었다.

"그러고 보니 우리 서로 이름도 모르네. 언니는 루시야. 루시 웨일즈. 네 이름은 뭐야?"

"……."

"음. 혹시……."

실어증일까? 불쑥 일어난 호기심을 꿀꺽 삼켰다. 굳이 들춰낼 필요는 없겠지. 눈빛이나 행동에서 정신적인 문제는 보이지 않았다. 말귀도 그럭저럭 알아먹는 것 같았고. 시간이 지나면 해결될 문제일 것이다. 해결되지 않는다고 해도 내가 어쩔 수 있는 일은 아니다.

아이에게 다가가 시선을 맞추었다.

"네게도 사정이 있겠지. 괜찮아. 하나하나 차근차근 조금씩 해내다 보면, 언젠가 계단을 오를 힘과 용기가 생길 테니까. 이 마을 이름이 뭔지 알고 있니? 게스트힐. 손님이 찾아오는 언덕이래."

눈이 파랗다. 겨울 하늘의 쨍한 빛. 너무 맑아서 자칫 와장창 깨져버릴까 두렵다. 미소 짓는 법을 떠올린다.

"널 이곳에 맡기기로 했어. 어제 본 아저씨가 널 돌봐줄 거야. 토니. 털이 좀 많아서 그렇지, 다정한 사람이거든. 그러면 널 이 마을의 호스트로 만들어 줄 거야."

가만 이야기를 듣던 아이가 고개를 젓는다. 작은 손을 내밀어 소매 춤을 붙들었다.

"왜? 여기가 마음에 들지 않아? 아니면, 찾아야 할 가족이라도 있니?"

여전히 고개를 젓는 아이. 살짝 불길한 생각이 들었다.

"설마, 언니랑 같이 다니고 싶다는 거야?"

그제야 머리를 위아래로 흔든다. 행동은 격한데, 표정 변화가 없어서 웃음이 나올 뻔했다. 입술 안쪽을 깨물었다. 여기서 빈틈을 내어주면 안 된다.

"미안하지만, 언니는 너랑 같이 못 가. 위험하기도 하고, 혼자 먹고살 형편도 안 되거든. 싫어서 그러는 게 아니야. 할 수 없는 건 할 수 없는 거니까. 언니가 무슨 말 하는지 알지?"

아이는 몸을 돌려 창밖을 바라보았다. 토라진 것 같기도 했으나, 표정을 읽을 수가 없다. 골똘히 생각에 잠긴 듯한 아이가 소매를 잡아당겼다. 이끄는 대로 따라가니 차고였다. 안전성과 실용성을 위해, 스타일과 스피드, 스페이스를 포기한 픽업트럭, 그러니까 내 차 앞이다.

아이는 발판을 딛고 올라서서 보닛을 열어젖히더니, 능숙한 손놀림으로 고정바를 내려서 단단히 고정시켰다. 앙증맞은 손가락이 엔진을 가리켰다. 그 모습이 신기하기도 하고 귀엽기도 했지만, 마냥 웃을 수만은 없었다.

흙먼지에 마모되어 엉망이 된 엔진이 말끔하게 정비되어 있던 것이다. 익숙한 흠이 아니었다면, 아예 새것처럼 보일 정도였다.

"이거, 네가 한 거야?"

아이는 고개를 끄덕이고는 다시 소매를 잡아당겼다. 이번엔 운전석으로 기어들어 가서는 계기판을 가리켰다. 절반도 남지 않았던 기름이 어느새 꽉 차 있었다.

"어떻게? 설마 훔쳤어?"

이번엔 반응이 없다. 그저 빤히 바라볼 뿐이다. 사실이라고 해도 나무랄 수가 없다. 합성유는 전략 물자다. 로커스트 제거로 은혜를 입혔어도 충분한 양을 얻어내긴 힘든 자원이었다. 많으면 많을수록 좋다.

아이의 눈을 바라본다. 간밤에 대체 무슨 마법을 쓴 것일까? 이 아이의 정체는 뭘까? 무엇을 바라고 이러는 것일까? 겹겹이 쌓이는 의문을 밀어낸다. 질문의 내용이 중요한 것이 아니다. 두고 가겠다는 결심이 흐트러졌다는 사실을 직시해야 한다.

이 아이는 당장 쓸모가 있다.

"어디로 갈지는 내가 정할 거야. 내가 시키는 건 무조건 따라야 하고. 그래도 괜찮으면, 좋아. 같이 가자."

손을 내밀었다. 아이는 그것을 빤히 바라보더니, 손바닥을 잡아당겨서는 검지로 글씨를 썼다. 세 번쯤 반복하니 제대로 읽혔다. 고작해야 알파벳 세 개. 그마저 시작과 끝은 같은 글자였다.

"이브?"

이브. 길고도 긴 여행에서 처음으로 맞이한, 내 소중한 길동무의 이름이었다.

"딱히 사라진 건 없는데? 착각한 게 아닐까?"

토니는 20리터 들이 제리캔 네 통을 화물칸에 싣고는 쏟아지는 땀을 수건으로 닦았다. 대개의 마을이 그렇듯 게스트힐도 합성유를 공용 창고에 보관하고 있다. 매일 같이 교대로 경비를 설 정도로 철저히 지키는 것이다.

"역시 그렇겠지?"

구제 직전 연료 상태를 체크한 기억이 여전히 선명하지만, 일단은 착각으로 해두기로 했다. 이상하긴 했지만 내게 나쁠 것은 없는 상황이다. 실리든, 평판이든.

"파라디 리더와 방금 연락했어. 이틀이면 도착할 거라고. 오는 길에 스캐빈저를 조심하라고 하더라. 겨우 샷건 한 대 들고 다니는 잔챙이들이긴 한데, 가끔 사리분별을 못한다더라고. 알지?"

검지를 세워 반대팔 손목을 찌르며 눈을 까뒤집는 토니. 약쟁이 스캐빈저라. 생각보다 위험한 무리는 아니다. 세상이 몇 번이고 망하면서, 증명된 것이 있다. 호모 사피엔스 사피엔스의 DNA에는 어느새 농경이 스며들었다는 용불용설이다. 떠도는 인간은 정착한 인간보다 약하다.

아예 구석기 시대로 돌아갔다면 모르겠다. 맨몸으로 수렵 및 채집 생활에 적응한 무리가 헤게모니를 쥘 수도 있겠지. 하지만 현실은 다르다. 총알도, 연료도, 식량도, 심지어 약까지도 모두 소모품이다. 정착민은 물자를 생산하고, 비축하고, 거래할 수 있지만, 약탈자는 그럴 수 없다.

차를 달렸다. 목적지는 파라디. 서쪽으로 880킬로미터 떨어진 곳에 자리한 부유한 마을로 규모가 게스트힐의 열 배는 된다고 했다.

"허리케인이 지나갔다더라. 3년 만에 물 구경이지."

게스트힐도 3년 만의 단비로 인해 로커스트가 일제히 깨어났지만, 파라디의 상황은 조금 더 심각했다. 배후지로 대평야를 끼고 있었기 때문이다. 산란지가 훨씬 넓게 퍼져있는 만큼, 수십억 단위로 불어날 수도 있다.

"쓰지 않는 목초지에는 불을 지르는 게 낫다고 생각해. 웃기게 들릴 수도 있지만, 우린 지금 메뚜기와 종 대 종으로 생존 경쟁 중이거든. 공존하기 어렵다면, 확실하게 쓰러트려야지. 살고 싶다면 말이야."

물론 저들에게도 나름의 합리적인 이유가 있었다. 기상이변으로 이 지경이 왔는데, 괜히 불을 놓았다간 공동체 안에서 분열이 생기기 십상이다. 무엇보다 대평원 지대에는 지금도 핵폐기물을 토해내는 원자력발전소와 건설 도중에 버려진 셰일 유정이 있었다. 자칫 잘못하다간 마을 하나가 통째로 날아가는 것이다.

"그래도, 해야 한다고 봐. 아니, 그렇기에 더 해야 해. 지금도 우린 로커스트에게 밀리고 있거든. 시간이 흐르면 상황은 더 나빠지겠지."

과거 로커스트는 곡물을 먹었다. 농사에만 피해를 줬다는 말이다. 그러나 지금은 한발 더 나아갔다. 더 왕성한 식욕과 더 강한 턱, 더 뛰어난 소화 능력. 건물 기둥으로 쓴 목재, 기름을 먹인 가죽, 거기에 인간까지. 그들은 인류 문명을 상대로 우위를 점하고 있다.

"난 로커스트를 세상에서 없앨 거야."

시선이 느껴진다. 조금 감정적이었는지도 모르겠다. 조수석에 누굴 태운 게 몇 년 만인지. 얼굴이 달아올랐다. 그래서 맺을 때는 목소리가 조금 죽고 말았다.

"그냥, 그게 사는 이유라고."

밤이 되자 기온이 급속도로 떨어졌다. 대륙성 기후의 영향이었다. 어느새 영하를 가리킨 온도계를 보며 차를 멈추었다. 애초에 하룻밤 사이 도착할 거리는 아니다. 손등에 감각이 없었다.

축전지를 건드려 시트를 데우고, 레이더를 가동했다. 소규모 약탈자는 야음을 틈타 활동하는 경향이 있다. 방탄 대책은 충분했지만, 접근을 허용하면 변수가 너무 많다. 재킷에 권총을 쑤셔 넣고 소총을 끌어안았다. 모든 준비가 완료된 뒤 눈을 붙였다.

"왜? 잠이 안 와?"

시선이 느껴져서 곁을 돌아보니 파란빛이 반짝였다. 말이 없었기에 멋대로 알아듣기로 했다. 뒷좌석의 모포를 꺼내 완전히 무장시키고는 천장을 열었다. 건조한 밤하늘 위로 수조 개의 별빛이 쏟아져 내렸다. 멀뚱한 걸 보니 잠은 다 잔 듯하다.

천장을 열었다. 별빛이 쏟아졌다. 힙플라스크를 꺼냈다. 스테인리스의 차가운 질감이 입술을 뭉개고, 오래된 보드카가 목구멍을 타고 흘렀다. 시야가 벌써 몽롱해졌다.

"예쁘다. 그치?"

오랜만에 봐서 그런지, 술기운이 올라와서 그런지, 혹은 말동무가 있어서 그런지, 밤하늘이 유독 아름다웠다. 묻어둘 수만 없었던 옛날의 그 기억에서처럼 그것은 한결같이 수려했다. 치미는 것이 있어 고개를 돌린다. 조그마한 얼굴은 인형처럼 이쪽을 바라보고 있다.

"너도 참 예뻐. 웃어줄 수 있니?"

이브는 입꼬리를 올렸다. 어색하다 못해 익살스럽게 보이는 미소였다.

"하하. 농담이야."

곱슬거리는 금발을 흐트러트린다. 서늘하고 따뜻한 촉감이 좋았다. 어릴 때 키웠던 리트리버처럼. 이름이 뭐였더라. 몰라. 기억나지 않으면, 좋은 거지.

"언니는 말이야. 어릴 때 너만큼 예쁘진 않았지만, 그래도 귀염받고 자랐거든. 우리 아빠는 가는데 마다 날 데리고 갔어. 약간 거짓말 보태면, 화장실 빼고는 다 따라다녔지. 씻을 때도 같이 씻어서 옆집에서 신고가 들어올 때도 있었단다."

이십 년이 훌쩍 넘은 이야기가 술술 나왔다. 행복했던 시절을 떠올리고 싶지는 않았다. 돌아갈 수 없기 때문만은 아니다. 이 과거는 날 지탱하지 않는다. 어깨 위에서 짓누를 뿐. 그럼에도 털어버릴 수 없다.

"너는 정말 예쁘니까 좋은 사람들이 잔뜩 생길 거야. 언니처럼, 널 이용하려는 사람 말고, 정말……, 정말 아무 대가 없이 너를 아껴줄 좋은 어른들……."

손을 모포 속에 넣었다. 사각거리는 질감 끝에 조그마한 손이 잡혔다. 따뜻하다. 속에서 왈칵거리는 게 있다.

"이브. 그런 사람들을 절대 배신 하면 안 돼. 그렇게 크면 언니처럼 된단다. 너는 절대 그러면 안 돼. 알아듣겠니?"

어떤 잘못은 돌이킬 수 없다.

휘파람 소리가 길게 들리다 끊긴다. 불꽃이 튀고, 땅이 들썩였다.

어지러운 시야 안으로 마지막으로 잡힌 것은 가동 범위 바깥으로 꺾여버린 목이었다. 이브가 죽었다.

자리에서 벌떡 일어났다. 마음만 그랬다. 여러 종류의 통증이 동시에 밀려온다. 턱관절이 빠질 듯하다. 아득한 어둠 속에서 새하얀 환상이 보였다. 이브다. 이브의 목이 똑 하고.

"아아, 안 돼!"

몸을 일으켰다. 전복된 차체가 불타고 있다. 저 멀리서 가까워져 오는 불빛. 스캐빈저다. 술을 마셔서는 안 됐다. 천장을 연 게 잘못이었다. 레이더를 미리 점검했어야. 안전벨트?

"이브!"

입 안에 흙이 들어왔다. 팔이 꺾인 것이다. 개의치 않고 소리쳤다. 경적이 연달아 울렸다. 눈을 부릅뜬다. 시야가 아린다. 바이크가 하나, 둘, 셋. 많다. 아찔한 섬광 속에 그림자가 있다. 똑바로 서 있다. 작다. 이브다.

"도망쳐!"

부러진 팔다리를 휘저었다. 벌레처럼 기어간다. 다리를 모두 떼어낸 로커스트처럼. 개미 떼에게 붙들려 가면서도 놈은 거친 턱을 딱딱거렸다. 무력하다. 그때, 이브가 손가락을 들어 올렸다. 무슨 의미인지 알 수 없다. 그러나, 폭발했다.

손이 느릿하게 움직인다. 쾅! 쾅! 쾅! 이해할 수 없는 사태에 바이크 넉 대가 방향을 꺾었다. 하지만, 한 놈은 그대로 돌격했다.

"끼잇하!"

기억났다. 약물. 그리고, 샷건. 퍽, 소리와 함께 이브의 머리가 사라졌다. 비현실적인 광경이다. 앞으로 잔해가 떨어졌다. 이명이 들리고 세상이 뒤집어졌다.

손이 느릿하게 움직인다. 쾅! 쾅! 쾅! 이해할 수 없는 사태에 바이크 넉 대가 방향을 꺾었다. 하지만, 한 놈은 그대로 돌격했다.

"끼잇하!"

데자뷔가 느껴졌다. 하지만 그때와 다르다. 이브의 손가락이 정확하게 놈을 가리킨 것이다. 콰앙! 거리가 가까운 덕인지 눈에 똑똑히 들어왔다. 바이크 엔진이 스스로 폭발했다. 아무런 전조도 없이, 탑승자의 사지를 날려버렸다.

"……뭐야?"

습격은 그렇게 끝났다. 남은 건, 이브. 이브가 나를 돌아본다. 이브는 이브였다. 그런데 이브가 누구지? 공포가 밀려들어 왔다. 이브가 다가온다. 이브는 작은 손을 뻗었다. 앙증맞은 손가락 다섯 개가 이쪽을 향한다. 눈을 질끈 감았다. 이명.

심박이 돌아왔다. 통증이 사라졌다. 머리가 맑아졌다. 눈을 뜨고, 윗몸을 일으켰다. 파란 눈이 나를 담고 있다.

"너……, 뭔데?"

어슴푸레 날이 밝았다. 제대로 된 수면도 취하지 못하고 운전대를 다시 잡았건만, 피로감이 느껴지지 않았다. 정신적인 문제인지, 아니면 이 또한 이브의 마법인지. 지금은 알 수가 없다.

무섭다. 이브를 데려온 것은 쓸모가 있다고 생각해서다. 이 담론의 전제는 내가 이브를 선택했다는 것이다. 하지만 새벽의 그 일을 떠올리니 의구심이 들었다. 선택받은 건 이브가 아니라 나였다.

이브의 목적은 무엇일까? 로커스트 무리에서 몸을 드러낸 것도 다른 노림수가 있던 것일까? 내가 뭐라고? 화가 치밀었다. 급정거다.

"정체가 뭐야?"

이브는 대답이 없다. 예상했다. 그저 맑은 눈으로 나를 담을 뿐이다.

"또, 또 그 눈! 말할 수 있잖아. 사람을 그렇게……. 그런 게 가능한데, 그게 뭐 그리 어렵다고! 하려는 의지만 있으면 어떻게든, 필담이라도 하면 되잖아?"

"……."

"여기다 널 버리고 갈 수도 있어."

도리도리.

"내가 못 할 거 같아?"

끄덕끄덕.

"그렇긴 해."

한숨이 나왔다. 그냥 한 말이었다. 두고 간다고 해도 어떻게든 따라 올 것 같고, 겉모습만큼은 이쁘장한 아이를 버린다는 게 내키지도 않았다. 그렇다고 이대로 같이 갈 수도 없다.

"알았어. 네가 싫다는데 억지로 그럴 수도 없지. 대신 파라디에서 헤어지자."

입술을 깨물었다. 잠깐의 인연이었지만 모든 게 후회되었다. 예외를 두는 게 아니었다. 어린애라고 마음을 여는 게 아니었어. 주워 담지도 못할 말을 너무 많이 했다. 이렇게 결국 혼자가 되어버릴 것을 말이다.

"나 네가 무서워. 너랑 같이 못 가. 너에 대해서는 아무것도 모르잖아. 이건……, 내 잘못이 아니야."

수치스럽다. 이 안의 추한 자아와 마주하는 건 하루 이틀이 아니었다. 혼자 있을 때는 괜찮았다. 다룰 수 있었다. 그런데, 너 때문에 전부 망쳤어. 하필 그런 모습으로 다가와서는……. 돌봐줄 수 있을 거라고, 착각하게 만들었잖아. 마치 내가 그럴 수 있는 사람이라도 되는 것처럼…….

"말하기 싫은 건 아니야."

목소리. 어린아이답지 않게 차분하고 낮은 말씨였다.

"겁내지 않아도 돼."

이브는 담담하게 한결같은 얼굴로 말한다.

"그냥, 당신을 지켜보고 싶을 뿐이니까."

파라디는 외딴섬을 닮았다. 끝없이 펼쳐진 목초지 위로 우뚝 선

성채의 형태가 망망대해 가운데 솟은 암초를 떠올리게 만든다. 인도에 따라 목책을 지나쳐 차를 대니 멀끔한 인상의 중년 남성이 악수를 청했다.

"당신이 로커스트 히어로?"

"놀리지 말아줬으면 해."

"하하. 토니에겐 이야기 들었지. 입이 마르도록 칭찬하더군. 여기까지 찾아와 줘서 영광이다. 모이즈라고 부르도록."

단정한 얼굴과 달리 손바닥은 꽤 거칠었다. 우람한 전완근에는 총상이 보였다. 흑갈색 눈동자에서 느껴지는 힘도 대단하다. 이 정도 되는 마을을 일군 남자답다. 토니의 다정함은 유독 예외적인 것이었다.

"먼 길을 오느라 고생했는데, 당장 같이 봐줬으면 하는 게 있다. 그러는 쪽이 시간 낭비를 줄일 수 있을 거 같군."

모이즈는 표정을 살짝 굳혔다. 어느 정도 예상은 했다. 규모에 비해 사람이 적었고, 그나마 보이는 이들도 분주하게 움직이고 있었다. 어딘가 멀리 떠날 것만 같은 분위기였다.

그가 데려간 곳은 가까운 창고. 탁상 위에 곤충의 표본이 있었다. 로커스트로 변이한 메뚜기. 생김새 자체는 특별한 것이 없었다.

"목숨 걸고 잡아 온 거야."

"크네."

덩치가 컸다. 언뜻 보면 비둘기처럼 보일 정도다. 자세히 살피니 다른 부분도 보인다. 우선 턱이 더 검었고 광택이 났다. 도파민 산화로 인한 멜라닌의 고분자화다. 유충이 성충이 되는 과정에서 일반적으로 보이는 현상이지만, 정도가 심하다. 자연선택설만으로는 이렇게 빠른 진화를 설명할 수 없다.

"방사선 때문이겠지."

"아무래도……."

방치된 원자력발전소가 발단이었을 것이다. 누출된 방사선이 로커스트의 DNA를 손상시키면서 발생한 돌연변이종. 생식세포까지 뒤집어엎은 진짜 변이다.

물론 방사선으로 인한 돌연변이 현상은 세간에 알려진 것과는 달리 한 종을 분화시킬 만큼 대단한 것이 아니다. 애초에, 생존에 유리한 방식으로 돌연변이가 일어날 확률은 극히 낮았고, 그것이 성선택의 냉혹한 장벽을 넘어설 가능성은 더더욱 작았으니까.

그러나 모집단의 규모가 크다면 그 실낱같은 가능성이 실현되는 건, 상수다. 원전은 이미 10년도 더 전에 가동을 중단했고, 대평야는 로커스트의 요람이었다.

"기껏 불러놓고 미안하지만, 우린 철수할 생각이다. 어젯밤에 결론을 냈지. 이건 못 이겨."

"잠깐……!"

모이즈는 품에서 잭나이프를 꺼내 들고는 그것을 휘둘렀다. 로커스트의 배가 쩍 벌어지면서 회색 가루가 쏟아졌다.

"말도 안 되는 식욕이야. 콘크리트를 씹어먹는다고. 꾸역꾸역 먹다가 배가 터져 죽은 놈은 딴 놈의 먹이가 되지. 그런 괴물이 어림잡아서 수십억이야. 이길 수가 없다고."

안색이 어둡다. 그로서도 힘겹게 내린 결단일 것이다. 이토록 대단한 성채를 버린다는 것은 여간 어려운 일이 아니었다. 예상되는 위협의 정도와 그에 대한 여론, 대안의 현실성 등. 명쾌하게 답이 있는 문제였다면, 기껏 나를 불러놓고 오자마자 돌려보내는 행동은 하지 않았겠지.

"쉽지 않은 모양이야."

"아무래도. 여기까지 왔으니, 합성유는 조금 챙겨주지. 원한다면 다른 걸로 줄 수도 있고."

"갈 곳은 있고?"

"북북서로 삼백 킬로미터쯤 가면 협곡이 있다. 오가기 힘든 것 빼곤 나쁘지 않은 장소야. 식수를 구하기도 쉽고."

"앨튼빌이 있던 곳이네."

"……알고 있었나?"

"신세 진 적이 있어. 8년 전에."

대재해가 있던 해였다. 로커스트의 폭증으로 사라진 마을만 수십 개에 달했다. 게스트힐은 가까스로 부활했지만, 이는 극히 예외적인 사례였다.

"인간은 로커스트와 생존 경쟁 중이야. 인간이 살기 좋은 곳은 로커스트에게도 낙원과 다름없어. 게다가 협곡은 만약의 상황에 도주하기에도……."

"어이, 히어로."

등에서 충격이 느껴졌다. 모이즈가 내 멱살을 잡고 벽으로 밀어붙인 것이다. 이브의 시선이 그에게로 옮겨졌다. 손을 들어 말렸다.

"우쭐거리지 마. 그걸 몰라서 이러는 것 같나? 그런 일이 있으면 또 도망치면 그만이다."

"언제까지고 도망칠 수는 없어. 수십억이라고 했지? 조 단위로 가는 것도 금방이야."

"그래서! 당신이 뭘 할 수 있는데!"

충혈된 눈. 모이즈는 진심으로 괴로워 보였다.

"방법은 들었어. 공터로 유인해서 약을 친다고. 그래서 그 수단이 저런 놈한테도 먹힐 거 같아? 빌어먹을! 나는 봤다고! 대평원에서, 놈들이……!"

"해보기 전엔 몰라."

알고 있다. 지평선까지 출렁이는 물결을 처음 본다면 마음이 꺾일 수밖에 없다는 것을. 인간의 힘으로 맞설 수 없는 거대한 재해가 존재한다는 것은 이 시대를 살아가는 사람이라면 누구나 알고 있다. 모이즈가 약한 것이 아니다.

"그리고, 난 할 수 있다고 생각해."

그의 거친 손을 잡았다. 목을 압박하던 힘이 풀린다. 남자는 숨을 몰아쉬었다. 가만히 그의 대답을 기다렸다.

"……도박판에 끼어들 생각 없어."

"무리해서 판돈을 올릴 필요는 없어. 서른 명, 아니, 건강하고 말귀를 잘 알아듣는 남자라면 열댓 명으로도 충분해. 그마저도 로커스트가 도착하기 한 시간 전에는 보내준다고 약속할게."

"왜 이렇게까지 하는 거지?"

흥분을 완전히 가라앉힌 모이즈가 내 얼굴을 들여다보았다. 속내가 보일까 거부감이 들었지만, 눈을 피하지는 않았다. 여기서 물러선다면, 이 기회를 놓칠지도 모른다.

"분노가 아니군. 너는 화가 나지 않았어."

"한가하게 심리상담이나 받을 상황은 아닌 거 같은데."

"그래, 그렇군. 알았다. 이야기를 해보지."

모이즈는 손을 내밀려다가 어색하게 웃고는 돌아섰다. 그의 모습이 사라진 것을 확인한 후, 제자리에 주저앉았다. 다리가 풀린 것이다. 그와의 싸움 때문이 아니었다. 읽혀버린 무언가 때문이다.

그의 말대로, 나를 움직이는 것은 불타오르는 증오 따위가 아니다. 굳이 따지자면 사랑이었다. 시꺼멓고 음울하기 짝이 없는 집착이다.

"로커스터는 없애야 해. 바로 내가."

이브의 시선이 느껴졌다. 지금만큼은 그것이 아무렇지도 않았다.

덩치는 자랐지만, 그 외의 부분은 크게 다르지 않다. 기존의 방충제 레시피로도 승산을 볼 수 있다. 메뚜기아목에 치명적인 진균류. 여기에 세로토닌 생성을 억제하는 성분을 추가하여 2차 변이를 예방한다. 농도를 높인다면, 그 괴물 같은 놈들도 버티지 못할 것이다.

"아."

서두르다 보니, 손에 약품이 튀었다. 한 방울이었지만 순식간에 익어서 피부가 거뭇하게 변했다. 장갑을 벗을 수도 없으니 속수무

책이다.

이브가 다가와 입김을 불었다. 눈 깜짝할 사이 흔적도 없이 회복되었다. 이 정도는 이명이 생기지도 않는 모양이다. 이브와 가만 시선을 마주했다. 오래 버티지는 못했지만. 다시 약을 만드는 데 집중한다.

"너도 내가 바보 같아?"

대꾸는 없었다. 사실 대답을 듣고 싶었던 것도 아니다. 그냥 지껄이고 싶었다. 지켜보는 사람이 있다고 하니, 괜히 더 그랬다.

"나도 그래. 멍청하잖아. 남는 것도 없는데."

게스트힐이 처음은 아니었다. 헤세나에서도 같은 제안을 받았고, 디록 또한 머물러주길 원하는 눈치였다. 로커스트와 맞서 싸울 수 있는 자원은 흔치 않았으니까. 현명한 사람이었다면, 그들과 함께하는 것을 골랐을 것이다.

사람은 사람 사이에서 살아가야 한다. 잠깐은 외면할 수 있어도 평생 혼자일 수는 없다. 온기 없이 살아갈 수 있는 인간은 없다. 나도 예외는 아니다. 이 안에는 분명 외로움이 있다. 토니는 내가 사람들과 어울리지 않는다고 여긴 것 같지만, 나는 나만의 거리에서 당신들의 온기를 받아들이고 있었다. 취하지 않은 정도만.

이렇게 살고 싶었던 것은 아니다. 그러나 이렇게 되어버렸다. 사실은 죽음을 갈망한다. 그러나 마음 편히 도망치고 싶지 않았다. 두 번 비겁해지고 싶지 않았다. 그래서, 망가진 채로도 어떻게든 기능하고 있는 것이다.

"아무리 노력해도 날 사랑할 이유를 찾을 수가 없어서, 남을 사랑하는 날 사랑하기로 했어. 그것도 나쁘지 않아. 난 그걸로 괜찮은 사람이야. 이 정도면 충분한 거 아니야? 이런 식으로도 다들 잘 살잖아. 누구나 조금씩은 비틀거리면서 가는 거잖아."

살아야 했다. 로커스트를 없애야 한다. 그러다가 한계에 부딪히기 전까지는 죽어도 죽은 게 아니다. 하지만 살아야 했기에, 궁극적인 목표 외에도 이 삶을 지속시킬 온기가 필요했다. 어떻게든 날 사랑해야만 했다. 그 방식이 온전치 않더라도 말이다.

"네 탓이 아니야."

이브가 고개를 저었다. 나도 그랬다.

"아니, 맞아."

저 신기한 아이는 어디까지 알고 있을까? 아무래도 상관없다. 모든 것을 알고 있더라도, 이 마음만큼은 알지 못할 테니까. 이브는 내가 아니니까. 인간은 인간을 이해할 수 없는 법이다.

세상에는 분명 돌이킬 수 없는 잘못도 있다.

"루시. 잘 들어."

아버지는 어린 나의 어깨를 잡고서 말했다. 언제나처럼 얼굴은 뭉그러져서 도저히 알아볼 수가 없다. 긴박한 순간에서도 따스한 목소리만이 그를 그로 보이게 만들었다.

"속으로 백을 세는 거야. 숨바꼭질이라고 생각하면 돼. 하나, 둘, 셋, 넷, 다섯. 알겠지? 이렇게 백을 세고, 그다음엔 문을 잠그는 거야. 아빠가 나가면 바로 그렇게 해야 해. 알았지?"

에코 아포칼립스는 십수 년에 걸쳐 느릿하게 찾아왔지만, 포스트 아포칼립스의 지옥도는 순식간에 열렸다. 지구는 인류를 먹이사슬의 정점에서 걷어차 버렸다. 해수면 상승과 기상이변만으로도, 표피에서 일어난 변화만으로도 우리는 우리의 주제를 파악할 수 있었다.

한정된 육지를 콜로세움 삼아 우리는 로커스트와 검투를 시작했다. 체급은 우리 쪽이 불리했다. 그렇기에 무기의 유리함을 취할 수밖에 없었다. 아빠가 개발한 세로토닌 억제제도 그중 하나였다.

약을 실험하던 중 사고가 터졌다. 샘플로 포획한 사막메뚜기가 동시에 무성생식을 한 것이다. 실험 직후의 일이라 제대로 살피지도 못한 상태에서, 아버지는 내가 독감이 걸렸다는 사실을 알게 되었다. 책임자가 어린 딸을 간호하는 24시간 동안 실험실은 감시의 사각지대가 되었다. 습도와 기온, 풍부한 먹이를 확인한 어미는 과잉산란을 했고, 불과 몇 시간 만에 깨어난 유충은 과밀한 환경에서 세로토닌 분비가 활성화, 로커스트로 변이했다. 실험실이 황충으로 가득 찼다.

"안 가면 안 돼?"

"금방 올 거라니까. 백 초 안에 올게. 하지만 혹시 못 오면, 그때 못 오면 말이야. 루시가 모르는 비밀통로로 들어오면 되니까."

"비밀통로?"

그런 게 있을 리가 없다. 하지만 그때 나는 아홉 살에 불과했다. 시끄럽게 윙윙거리는 메뚜기 떼가 무서웠고, 아빠가 그런 나를 두고 갈까 무서웠다. 그래서 착한 아이가 되기로 했다. 믿기로 했다.

"그래. 그러니까, 절대 문을 열어주면 안 돼. 알았지?"

"빨리 와야 해."

"그래, 약속."

"약속!"

새끼손가락을 걸고 약속했다. 아빠는 나를 꼭 끌어안고는 돌아섰다. 실험실을 폐쇄하고, 본사에 도움을 요청하려는 것이다. 빠르게 문을 여닫고 달렸다. 쾅. 나는 무릎을 끌어안고 귀를 막았다.

"하나. 둘. 셋."

일부러 느리게 세었다. 혹시나 아빠가 늦을 수도 있으니까. 천천히, 천천히 세었다. 그렇게 하기로 했다. 그랬으나, 잠깐 다시 고개를 들었을 때, 창문에 빼곡하게 달라붙은 로커스트를 보니, 머리가 하얗게 변했다.

"서른아홉. 서른아홉. 어, 서른."

창문이 흔들렸다. 눈을 뗄 수가 없었다. 외면하는 순간 확 달려들 거 같아서, 조금씩 뒤로 물러날 뿐 눈을 돌릴 수가 없었다.

"예순셋. 예순넷, 다섯."

조급해졌다. 아빠는 왜 안 오는 걸까? 비밀통로. 비밀통로가 있다고 했어. 그 전에 왔으면 좋겠다. 메뚜기는 싫어. 징그러워. 맛도 없어.

"여든다섯. 여든여섯. 여든일곱."

자리에서 일어났다. 문을 잠그라고 했다. 말을 잘 들어야 해. 아빠한테 짐이 되면 안 돼. 그러면, 버려질 거야. 엄마처럼. 떨리는 걸음으로 문을 향해 걸어갔다.

"아흔넷. 아흔다섯. 아흔여섯."

잠금쇠에 손을 댔다. 이제 곧이야. 잠그면 돼. 그때 문이 흔들렸다. 딸꾹질이 나왔다. 손이 저절로 움직였다. 아흔일곱. 철컥. 아흔여덟. 직후 문이 미친 듯이 덜컹거렸다.

"루시!"

문이 비명을 질렀다. 놀라서 뒤로 물러서다가 엉덩방아를 찧었다. 엉덩이가 아프다. 핑 눈물이 돌았다. 그때, 그때 끔찍한 비명이 들렸다. 문틈 아래로 피가 흘러나왔다.

"루시, 도망쳐! 루시! 방으로 가! 빌어먹을! 내 말 들……! 으아악!"

쪼그려 앉고서 귀를 막았다. 눈을 질끈 감았다. 무슨 일이 일어났는지 정확하게 이해해 버렸다. 그렇기에 외면해야 한다. 현기증이 났다. 나야 한다. 아무것도 모르겠지만, 내가 이전 같을 수 없을 거란 건, 그래서는 안 된다는 것만큼은 가슴에 남았다.

이튿날, 구조대가 찾아왔다. 실험실 내 로커스트는 소탕했지만, 일부는 밖으로 도주했다고 한다. 나는 아버지의 연구자료를 이어받았다. 삶의 방향이 결정되는 순간이었다.

지평선 너머로 누런 물결이 일었다.

"건투를 빌지."

마지막까지 곁을 지키던 모이즈가 벙커를 떠났다. 배웅하지 않았다. 신경 써야 할 게 너무나 많았다. 망원경과 시계를 번갈아 가며 확인한다. 도착까지 10여 분.

유도는 성공적이다. 로커스트 무리에는 리더가 없다. 굳이 따지자면 집단으로 사고하는 군체에 가깝다. 변이하면서 오른 지능은 서로의 호흡을 맞추는 데 쓰인다. 경로를 선정하는 것은 철저히 본능에 따른다. 그들을 원하는 장소로 부르는 것 자체는 어렵지 않다.

벙커를 중심으로 2.4 헥타르 정도의 대지. 대략 14억 정도로 예측되는 저 군체를 이 좁은 땅에 집결시키면, 1제곱미터당 6만 마리가 뭉쳐야 한다. 당연히 불가능한 수치다. 그렇기에 이번에는 반구형 벙커를 지상에 노출시켰다. 표면적을 늘려서 조금이라도 더 많은 로커스터를 끌어들이는 것이다. 전부가 아니라도 좋다. 절반의 절반에게라도 약이 닿는다면, 진균류가 무리 전체로 퍼져나갈 테니.

문제는 저들이 콘크리트까지 먹으려 든다는 것. 소화할 수 있는 건 아니지만, 저 많은 개체가 달려든다면 벙커도 안전할 수 없다.

"후."

숨을 고른다. 대비는 완료했다. 조우까지 남은 시간은 1분. 60초를 헤아릴 때 발생하는 오차는 보통 0.5초 이내다. 피나는 연습의 결과였다. 심호흡했다. 다시 눈을 뜨니, 어두컴컴한 공간에서 파란 별 한 쌍이 빛난다.

"지켜봐. 할 수 있어."

목소리가 공동을 울렸다. 그것을 신호로 바깥에서부터 진동이 느껴졌다. 여기서부터 다시 30초. 더 끌어들여야 한다.

미세한 진동의 양상. 아까와는 다르다. 안착하여 갉아먹기 시작한 것이다. 레버를 당겼다. 스프링클러가 올라간다. 50센티미터 두께의 벽 너머로 피어오른 안개를 떠올리며 이번엔 청진기를 꺼냈다.

"이쪽."

변종의 턱은 강하다. 그러나 키틴질의 성분 구조가 가진 한계를 벗어날 정도는 아니다. 콘크리트를 깎아내고도 광택이 남아있을 수는 없다. 즉, 저들은 콘크리트의 강도를 약화할 수 있는 소화액을 가지고 있다는 뜻이다. 아직 영양소로 바꿀 수는 없겠지만.

연구할 시간이 있다면 좋겠다는 생각이 들었다. 내가 가진 상식선에서 콘크리트 자체를 부식시킬 수 있는 물질은 없으니까. 농도가 짙은 산성비를 맞거나, 공기 중 이산화탄소를 흡수한 콘크리트는 내부의 수산화칼슘이 탄산칼슘으로 변하게 된다. 이 경우 철근에 녹이 슬면서 부풀어 오르고, 인장력이 약한 콘크리트가 깨지면서 균열이 생기는데, 정작 콘크리트의 화학적 구조 자체는 더 치밀해지므로 변종의 상태를 설명할 수는 없다.

생각을 곱씹는 동안 패널 설치가 완료되었다. 콘크리트와 달리 표면이 매끈한 강화 플라스틱이다. 턱을 꽂아 넣으려고 해도 하염없이 미끄러질 뿐. 이렇게 시간을 버는 동안에도 스프링클러는 쉴 틈 없이 방충제를 뿌릴 것이다.

"여기."

기계적으로 다음 패널을 설치한다. 시간은 부족했지만, 그만큼 열심히 준비했다. 최선을 다했다. 다하고 있다. 패널을 설치한다. 그르륵. 어느덧 콘크리트 한 곳이 뚫렸다. 괜찮다. 놈들은 아무것도 할 수 없다. 패널을 설치한다. 좁다란 환풍구가 막혔다. 괜찮다. 산소통을 준비했다. 패널을 설치한다. 더 설치한 패널이 없다.

숨이 가쁘다. 온전한 어둠이다. 사방에서 소음이 들린다. 그르륵. 끼익끼익. 삐직삐직삐직. 아, 마지막은 환청이다. 산소. 산소가 필요하다.

랜턴을 켜 산소통을 찾았다. 이브가 나를 보고 있다. 이 아이라면, 어떻게 해줄 수 있지 않을까? 동시에 자기혐오가 밀려온다. 지켜보라고 해놓고서 벌써 약한 모습이야?

이건 나의 싸움이다.

"숨 막히지 않아?"

이브는 저의 몫으로 준비한 산소통을 외면한다. 이브의 행동 패턴은 단 두 가지다. 잠을 자거나 나를 바라보거나. 무언가를 먹는 것도, 혼자 떨어져서 활동하는 경우도 본 적이 없다. 정말 나를 관찰하는 게 존재의 이유라도 되는 것처럼. 우스운 건, 이제는 그런 게 불편하지 않았다.

나의 투쟁을 지켜봐 주는 사람이 있다는 게, 내가 누군가의 기억 속에 남는다는 게, 마냥 싫지만은 않았다.

얼마나 시간이 지났을까? 의식이 몽롱하다. 주변에 들리는 소리가 통일되었다. 그르륵. 그르륵. 콘크리트가 거의 벗겨진 것이다. 그런데도 놈들이 플라스틱을 긁고 있다. 이 안에 내가 있다는 걸 아는 걸까? 어떻게 아직도 방충제를 버티는 거지? 그렇게 패배를 직감했다.

틱 소리와 함께 패널이 흔들렸다. 빛이 새어 들어왔다. 숨통이 트인다. 작은 틈새가 넓어지며 익숙한 실루엣이 보였다. 나의 원수. 이 지옥 같은 삶을 영속하게 하는 단 하나의 이유. 화염방사기를 들었다. 불꽃을 뿜었다. 패널이 튕기고 합성유의 악취와 단백질이 타는 냄새가 피어오르고, 불꽃은 아름다웠으며, 밀려오는 죽음이 마치 유성우와 같아서.

온몸이 날아갈 듯 가벼웠다. 세상은 온통 흰빛에 물들어 있다. 여기가 사후 세계인 걸까? 막상 마주하니 호기심보다 안도감이 들었다. 이제 끝이구나. 그런 생각의 끝에서 시선을 느꼈다.

"이브?"

돌아보니 이브가 있었다. 마지막의 그 순간처럼, 이브는 나를 바라보고 있었다. 조금 다른 것이 있다면, 그 눈에서 감정이 엿보였다는 것이다. 슬픔, 혹은 동정. 어색한 기분이 들었다.

"여긴 어디야?"

"S-193776의 종착점."

"그게 뭔데?"

이브는 고개를 돌렸다. 그리고 느릿하게 걸음을 떼었다. 뒤를 따랐다. 원래도 무슨 생각을 알 수 없는 아이였지만, 지금은 약간 달랐다. 이브는 깊은 고뇌에 빠져있었다. 이번에는 내가 이브를 지켜본다.

"시뮬레이션 이론에 대해 알아?"

시뮬레이션 우주론. 이 세계는 사실 고도로 발전된 미래, 혹은 외계문명의 시뮬레이션에 불과하다는 가설이다.

아이디어 자체는 20세기부터 제기되었지만, 본격적으로 불이 붙은 것은 21세기 초 스웨덴 출신의 철학자가 제시한 모의실험 논증에서였다. 그는 인류가 세 가지 길 중 하나를 걷게 될 거라 했다.

첫째, 우리의 후손은 과거 인류의 의식 수준을 시뮬레이션으로 구현할 수준의 기술 발전을 이루지 못하고 멸종할 것이다.

둘째, 만약 그들이 시뮬레이션을 구현할 정도의 발전을 이룩하더라도, 모종의 이유로 시행하지 않을 것이다.

셋째, 이미 무수히 많은 시뮬레이션이 시행 중이며, 우리 또한 그 세계에 살고 있다.

머릿속에서 빛이 번뜩였다. 지금껏 상식으로 설명할 수 없었던 이브의 마법. 그것은 그녀가 시뮬레이션 바깥의 존재였기에 가능했던 것이 아닐까?

"설마?"

"193,776번째 죽음이야, 루시."

현기증이 밀려왔다. 나는 진짜가 아니었다. 나의 삶과 나의 상처, 모두 아무런 의미도 없는 것이었다. 이브가 다가왔다. 그리고 똑바로 눈을 맞추고서 말했다.

"네가 원한다면……. 마지막이 될 수도 있어."

포스트 아포칼립스는 포스트 아포칼립스가 아니었다. 기후 변화로 인한 아포칼립스는 수백 년 동안 이어졌고, 내가 살아가던 시기는 멸망 사이의 짧은 휴식기에 불과했다. 거듭되는 재앙 속에서도 인류는 끈질기게 생존했다.

게놈 기술의 발달, 식량 혁명, 핵융합 발전, 강인공지능 기반 통치 체제의 정립 등 다양한 분야에서 기술적 특이점에 도달한 덕분이었다. 그리고 그 근간에는 양자컴퓨터가 있었다.

기나긴 아포칼립스로 인해 가용 자원은 대부분 소진되었다. 전처럼 마음껏 연구개발에 집중할 수 없는 환경이었다. 때맞춰 등장한 양자컴퓨터는 연구 과정에서 필연적으로 발생할 수밖에 없는 시행착오의 가능성을 99.8퍼센트까지 지워버렸다. 무한정한 시뮬레이션을 통해서 말이다.

지구 유일의 도시 에덴은 이 양자컴퓨터 기술을 기반으로 성전을 선포했다. 지구를 다시 인간의 발밑에 두겠다는 계획이었다. 자존심의 문제가 아니었다. 오랜 아포칼립스를 견디면서 인류는 공통의 목표를 가지게 되었다. 우주로 나아가 이 변덕스러운 어머니로부터 독립하는 것이다.

우주로 진출하려면 자원이 필요했다. 자원을 확보하려면 노동력이 필요했다. 노동력을 확보하려면 인구를 늘려야 한다. 인구를 부양하려면 식량이 필요했다. 식량을 생산하려면 점유지를 늘려야 한다. 바로 이 대목에서 또다시 헤게모니가 충돌했다.

“인류가 에덴에 숨어 재기를 꿈꾸는 동안, 로커스트는 지구를 착실하게 점령했어. 피지컬은 지금과 비교할 수도 없을 정도야. 사실 그 정도라면, 넘지 못할 산은 아니지만.”

“[illegible]요. 아니, [illegible]제 의식.”

“맞아.”

로커스트는 아주 오랜 세월 인류와 함께였다. 19세기 후반 미국 중부에서 로키산메뚜기가 로커스트로 변이했을 때 추정 개체 수는 무려 12조 5천억에 달했다. 그런 놈들도 골드러시의 물결에 밀려 멸종하기에 이르렀다. 단순 숫자가 중요한 것은 아니라는 말이다.

"페로몬을 통한 커뮤니케이션 능력이 진화를 거듭하면서, 5.1초 만에 천 킬로미터 밖까지 고해상도의 정보를 전달할 수 있게 되었어. 백조 단위의 로커스트가 목표를 공유한다고 상상해 봐."

"진균류는……."

"효과가 좋을 때는 수십조까지는 죽일 수 있었지. 살아남은 놈들에겐 내성이 생겼고."

지금 관점에서는 신의 영역에 도달한 기술이었지만, 시간은 미카엘과 사탄 모두에게 공평히 흘렀다. 실로 암울한 미래였다.

"그래서 우리는 당신을 통해 해법을 찾으려 했어."

"나?"

"우리 인류의 대 로커스트 전략의 교리는 당신이 정립했으니까."

원 역사에서도 나는 파라디 구원에 실패한다. 이번 시뮬레이션과 차이가 있다면, 전력의 차이를 인정하고 스스로 물러났다는 것이다. 이후에도 여러 마을을 구원하면서 그들의 구심점이 되었고, 내 지휘를 따르는 연합이 훗날 에덴을 이루는 주요한 원천 중 하나로 성장했다고.

"통 속의 뇌라고 하지. 생각하는 모습과는 다르겠지만 그것과 비슷해. DNA 분석을 통해 뇌세포의 일부를 부활시키고 그 신경망을 최고 해상도로 구현했어. 너는 너지만, 진짜 루시 웨일즈는 아니야."

미래에도 적용할 수 있는 아이디어를 도출하지는 못했지만, 무려 20만 회에 가까운 실행이었다. 사명감으로 프로젝트를 시작한 관리자가 권태에 빠지고, 디지털화된 정보 덩어리를 한 명의 인간으로 바라볼 정도의 시간이었다.

"그렇게 사는 게 맞는 걸까?"

루시 웨일즈의 상처를 모르는 인간들이, 루시 웨일즈가 남긴 흔적에만 천착하는 이들이, 루시 웨일즈를 다시금 다시금 고통에 밀어넣으면서도, 루시 웨일즈에게 희망을 걸고 있다는 것이.

"나는 잘 모르겠어."

위선일지도 모른다. 이브의 얼굴에 드리운 죄책감 속에서는 그런 걸 또한 읽혔다. 나는 한숨을 쉬었다. 너무 많은 정보가 한 번에 들어왔다.

나는 내가 아니다. 내 잘못 또한 내가 저지른 것이 아니며, 내 목표 또한 내가 선택한 것이 아니다. 나는 루시 웨일즈가 아니다.

고개를 들었다. 순백의 천장을 바라보았다. 지금, 나에 대해 생각했다. 내가 느끼는 감정들을 하나하나 곱씹었다. 목이 뻐근할 때쯤, 결론이 나왔다.

"좋네. 주인공이 된 것 같아."

나쁘지 않다. 나는 내가 아니다. 최악은 최악이 아니다. 스스로 사랑할 수 없었기에, 타인에게 자아를 의탁했다. 충족시킬 수 없는 욕구라고 생각했다. 내 추악한 과거가 드러나는 순간, 끝내 허수가 되어버릴 테니까. 용서와 이해를 받아들일 자신이 없었으니까. 그래서 보여주지 않았고, 그렇기에 만족할 수 없었다.

그런데, 처음부터 나란 존재는 필요에 의해 만들어진 거란다.

"이브. 나 다시 시작하고 싶어."

후련해졌다. 나를 얽어매던 것들 모두가 한 점 먼지에 불과하다는 사실을 깨달았다. 나는 미시적 존재다.

"이 기억을 가지고."

그렇기에 언제고 내 삶을 선택할 수 있다.

이브는 새로운 코드 넘버를 부여했다.

S-193776-2.

일련의 전기적 신호가 제로베이스의 공간좌표를 구현했다. 1차원 코드가 씨줄과 날줄이 되어 얽혀들고, 임계점에 이르러 공간 자체가 부풀어 오른다. 아직은 축구공 정도의 크기다. 아직은 정보에 불과한 에너지가 입자 형태로 번뜩였다. 글루온과 쿼크 사이의 상호작용이 발생, 물질과 반물질 간의 존재론적 회전에서, 기록으로서의 역사는 물질의 승리를 선포했다. 중력, 전자기력, 약력, 강력의 4대 힘은 기본 상호작용(Fundamental Interaction)이라는 이름으로 최초의 코스모스를 구현, 우주의 직경은 10억 킬로미터까지 급속도로 팽창했다. 공간이 넉넉해지자 입자의 충돌이 감소한다. 에너지의 불안정한 점멸 현상이 줄어들면서, 쿼크가 등장, 그들의 상호 결합으로 양성자와 중성자가 탄생한다. 빅뱅의 시작된 지 1초 만에 우주의 양 끝은 1000억 킬로미터만큼 멀어졌다.

원시 핵합성이 이루어진다. 양성자 하나는 수소 이온 1개를 의미하여, 여기에 디커플링된 중성미자 중 전자가 얽혔다. 최초의 원소가 등장했다. 광자는 제우스의 머리를 쪼개고 튀어나온 아테나처럼 물질로부터 탈출했고, 이는 우주배경복사라는 이름으로 먼 훗날 등장할 지성체에게 이 모든 것의 시작에 대한 경외를 불러일으킬 것이다.

중력은 수소가스를 뭉쳐 은하를 빚는다. 그로써, 이 까마득한 칠흑 속에, 빛이 있으라.

애증의 행성이 태어났다. 태초가 원시로, 원시는 시초로, 시초에서 역사로, 역사는 문명을 잉태한 채로 인간의 자의식으로 재단한 시간 위를 질주한다.

'루시. 잘 들어.'

그곳에는 아빠가 있었다. 어린 나를 끌어안고서. 이곳에서는 얼굴이 보였다. 털북숭이였네. 토니와 닮았다.

'그래. 그러니까, 절대 문을 열어주면 안 돼. 알았지?'

'빨리 와야 해.'

'그래, 약속.'

'약속!'

여기서 멈출 수도 있었다. 과거를 돌이킬 수도 있었다. 하지만 그것은 내가 아니다. 사실 나는 존재하지 않는다. 그렇기에 나를 증명할 수 있는 것은 나 자신뿐이다. 직시했다. 나의 실수를. 루시 웨일즈의 빅뱅을.

어딘가에는 돌이킬 수 없는 잘못도 존재한다. 사실 돌이킬 수 있는 것은 어디에도 없다. 돌이켜서도 안 된다. 중요한 것 모두 가슴에 묻고 나아가야만 한다. 상처든, 추억이든.

흙먼지가 피어올랐다.

"루시. 당신을 믿지 못한다는 말은 아니야. 그저 마음의 준비를 할 필요가……."

쌍안경을 내린다. 식은땀을 줄줄 흘리는 토니가 보였다. 제대로 도착했다. 다시 앞을 돌아본다. 로커스트 스웜. 이브는 보이지 않았다.

"루시?"

"토니."

느릿하게 걸어가 문을 잠근다. 할 일을 되새기는 동안에도 생체 시계는 착실하게 흐른다.

"모이즈와 연결해 줘. 할 말이 있어."

레버 손잡이를 힘껏 잡아당겼다.

창고를 둘러보았다. 모이즈를 위시한 파라디의 지도부. 토니를 따라온 게스트힐의 장정들. 그리고 침을 뚝뚝 흘리는 스캐빈저까지. 출발을 확인한 다른 마을의 사람들까지 생각하면 천명에 가까운 인원이 모일 것이다.

"로커스트는 군체야. 한 마을의 힘으로는 소탕할 수 없어."

많은 사람 앞에 서니 목소리가 떨렸다. 하지만 믿기로 했다. 내가 아닌 나는 여러 마을을 규합하여 대 로커스트 전선을 꾸렸다고 한다. 이 자리의 나는 그녀의 그림자에 불과하지만, 이브를 통해 그녀의 삶에 대해 배웠다.

"살아남으려면, 인류가 나서야 해."

중요한 것은 의지다.

"지금까지 썼던 방충제의 효과는 크게 두 가지야. 로커스트에게만 통하는 독소를 살포하는 진균류. 그리고 세로토닌 전달을 차단해서 추가 변이를 막는 신경 교란 물질. 이번에는 후자의 약효를 반전시킬 거야."

"변이를 가속한다고?"

모이즈는 송충이 같은 눈썹을 꿈틀거렸다. 지도부 또한 마찬가지. 죽기 전 기억을 토대로 파라디의 이주 계획을 꼬집음으로써 주목을 끄는 데는 성공했지만, 상호 간에 신뢰를 쌓을 시간이 없었다.

"하하. 똑똑하신 양반들은 이게 문제야. 일부러 사람을 쿡쿡 찔러 본다니까. 해결할 방법이 있으니까 던진 거지? 믿고 있으니까 안심하고 말해, 로커스트 히어로."

토니가 나서자, 분위기가 조금 누그러졌다. 모이즈는 팔짱을 낀 채로 고개를 까닥거렸다. 발언권이 돌아왔다.

"이미 변이가 일어난 녀석들에게도 먹힐 정도로 독한 약을 만들 거야. 지능과 공격성, 식욕이 더 강해지겠지. 그러면 무슨 일이 일어날까?"

"TNT라도 개발해서 포격을 날리지 않을까?"

스캐빈저 사이에서 헛소리가 튀어나왔다. 녀석들의 웃음이 커질수록 마을 사람들의 표정이 굳었다. 이때다.

"콘크리트 따위보다 더 확실한 영양소를 노리게 돼."

로커스트로 변이하기 이전의 메뚜기는 동료를 먹지 않는다. 동족 포식은 순수하게 변이의 결과다. 콘크리트를 파먹는 것은 인간 입장에서야 공포지만, 기실 저들에게도 썩 유리한 생존 전략이 아니다. 변이 이전의 생태가 남아있는 개체가 동족 대신 더 사냥하기 쉬운 대상을 노리는 것이다.

하지만 변이를 극단으로 이끌 경우? 놈들의 포식성을 강화한다면? 사냥의 인자를 깨운다면?

"그래서, 식량이 필요한 건가?"

모이즈의 표정에서 적대감이 가시기 시작했다. 한층 낮아진 중저음에서 학구적 호기심, 그리고 미처 다 억누르지 못한 희망이 엿보였다.

"그래. 포틀랜드 시멘트와 옥수수 분말을 섞는 거야. 덩치가 크면서 턱도 커졌지. 걸러내지 못하고 한 번에 삼킬 수밖에 없어."

"오? 그러면 내장을 콘크리트로 채우는 거야?"

"그건 부수적인 목표야, 토니. 곤충의 위장에 있는 수분 정도로 결합 반응을 기대하긴 힘드니까. 내가 노리는 건 바깥이야."

외골격에 묻은 시멘트에 물을 뿌리는 거다. 스프링클러로 말이다.

"정리할게. 우린 35헥타르의 대지에 스프링클러를 설치하고 미끼를 뿌릴 거야. 그곳으로 놈들을 유인해서 방충제를 섞은 물을 살포하는 거지. 선두가 우수수 떨어지면, 뒤따르는 놈들이 먹어 치우겠지? 그걸 보고 다가온 후열도 방충제를 맞고 동족 포식의 연쇄에 빠져들 테고. 이게 내 계획이야. 물리적으로 놈들을 구축하겠어."

열기가 느껴졌다. 각양각색의 표정이었지만, 시선만큼은 뜨거웠다. 피하지 않고 마주한다. 가슴을 펴고 심장을 공명한다. 군체 의식을 흉내 내본다.

모이즈의 입이 열렸다.

"가능할까?"

"몰라."

처음으로 손발을 맞춰보는 연합이 무사히 공사를 끝낼 수 있을지. 저 넓은 지역에 로커스트를 제대로 끌어들일 수 있을지. 제때 새 방충제를 개발할 수 있을지.

미래는 예단할 수 없다. 이미 193,776회의 실패가 있었다. 그러나 부끄럽게 굴고 싶지는 않았다.

"그래도 최선을 다해보자. 우리 일이잖아."

시계를 한 바퀴 거꾸로 돌아서 에덴의 서쪽에 도달한 미래가 숨을 헐떡이며 여길 지켜보고 있으니까.

지금까지 로커스트 구제 작전의 피날레는 벙커 안에서 이루어졌다. 스프링클러를 가동하기 위한 배선이 길어지면 길어질수록 로커스트가 살아남을 가능성이 커진다는 명분을 내세웠지만, 한편으로는 그들의 죽음을 최대한 가까이서 느끼고 싶어서였다.

이번에는 그 비틀린 기호를 고집할 수 없었다. 사감을 내세울 여유가 없을 만큼 중요한 작전이기도 했고, 현실적으로 스케일이 너무 컸다. 35헥타르에 달하는 구역에서 90분 이상 놈들을 잡아놓아야 해야 한다. 어떤 변수가 터질지도 모르니 실시간으로 전황을 파악하며 지휘해야 했다.

작전 구역에서 서쪽으로 2.1킬로미터 떨어진 언덕에 지휘소를 차렸다. 무리에서 이탈한 로커스트에게 공격당할 거라고 해도 백여 명에 달하는 인원이 남았다. 우리의 일이라는 말이 감명 깊었던 모양이다.

"온다."

흙먼지가 피어오른다. 인간의 욕망에서 연쇄된 또 다른 욕망의 철퇴. 언덕 위에서 내려다봐서 그런지 전보다 더 많게 느껴진다. 손에 땀이 차기 시작한다.

"아직 아니야, 토니."

"아, 알고 있다고!"

"알았으면 손 떼."

레버를 만지작거리는 토니에게 경고했다. 그의 얼굴은 땀범벅이다. 저렇게 겁이 많으면서 왜 따라왔을까. 가볍게 눈을 흘기자, 토니의 얼굴이 붉어졌다. 스캐빈저가 휘파람을 불었다.

불쌍한 오누이가 뿌린 빵부스러기를 주워 먹는 까마귀 떼처럼, 로커스트는 길을 따라 길게 늘어졌다. 그리고 먹음직스러운 과자집을 발견한다. 먼지구름과 같던 무리가 진액을 뻘뻘 흘리는 먹장어처럼 화하여 작전 구역을 덮친다.

"미친……."

모이즈의 탄식에서 역겨움이 배어 나왔다. 같은 로커스트를 보고도 어떤 이는 공포를, 어떤 이는 분노를 느낀다. 시대를 대하는 인간의 태도가 이렇듯 제각각이다. 미래 또한 다르지 않을 것이다. 우리는 군체가 아니니까. 그럼에도 불구하고, 모두 하나같을 수 없는 마음으로도 이 자리에 섰다는 것이 중요하다.

스캐빈저가 또 휘파람을 불었다. 동족에게 자리를 빼앗겼지만, 아직 변이 전의 습성이 남아있는 놈들이 다른 먹이를 찾다가 지휘소를 발견했다. 숫자는 많지 않다. 하지만 한번 이어진 루트는 끝까지 이어질 것이다.

"루시. 이러다 우리 다 죽어!"

"지금 당기면 바이크에 꽁꽁 묶어서 저기로 보내버릴 줄 알아."

"오, 제발!"

스캐빈저의 샷건을 뺏어 들고 앞으로 나섰다. 행동으로 보여줘야 한다. 뭉쳐서 다가오는 놈들을 향해 총구를 겨누고, 숨을 골랐다. 20미터. 철컥거리는 소리가 뒤에서 들렸다. 자그마한 욕설도. 15미터. 아직이다. 10미터. 놈의 몸체가 구분되기 시작했다. 5미터. 조금만 더. Bang!

예상보다 심한 반동에 몸이 뒤로 밀렸다. 체액을 뒤집어쓴 로커스트 한 마리가 얼굴에 붙었다. 손으로 쳐내려는 순간, 눈앞에서 빛이 번뜩였다. 모이즈가 잭나이프로 놈의 허리를 쪼개버린 것이다. 바닥에 떨어진 곤충의 잔해가 제각각 헐떡였다.

"이 버러지만도 못한 놈들아! 딸기 샌드위치 챙겨서 피크닉이라도 온 줄 알아? 전부 살라미로 만들어 버리기 전에 무기 들어!"

모이즈의 목소리가 쩌렁쩌렁 울렸다. 흩어졌던 이들이 대형을 이루었다. 지휘소를 중심으로 전방에는 화염방사기를 배치하고, 좌우익은 도리깨를 든 장정들이 로커스트를 중앙으로 몰았다. 순식간에 혈전이 펼쳐진다. 불붙은 로커스트 몇 마리가 지휘부까지 진입한다.

"히히! 로키? 얘네 코코넛 쉬림프 맛 난다?"

"오, 블랑키! 캡틴이 개네 독성 있다고 했잖아."

"아하! 난 또 갑각류 알레르기 때문인 줄 알았……!"

"풉킥킥! 이 병신 게거품을 문 것 좀 봐!"

망원경에서 눈을 떼지 않았다. 대열의 꼬리가 보이지 않았다. 최초의 루시 웨일즈가 포기한 이유를 알 것 같다. S-193776의 종착점이 그따위였던 것도. 추정부터 틀렸다. 14억이 아니다. 더 많다. 17억? 18억? 20억? 이 정도면, 21억!

"레버 당겨!"

스무 개의 레버 중 절반을 당겨야 한다. 나도 하나에 달라붙었다. 쑥 넘어오다가 어딘가에 끼였다. 잘 보니 로커스트 한 마리가 반쯤 으깨진 채 바둥거리고 있다. 레버를 놓고 놈을 꺼내려는 순간.

"우와악!"

토니가 달려와 맨손으로 로커스트를 뽑아 던졌다. 턱수염이 누런 체액으로 가득한 걸 보니 한참 싸우다 온 모양이다. 울먹이는 표정을 보니 웃음이 나왔다. 참지 않고 웃으면서 레버를 당겼다.

"잘했어, 토니! 나중에 뽀뽀해 줄게."

"웃기지 마!"

10개의 레버에는 백 개의 스프링클러가 연결되어 있다. 암황색의 끈적한 물결 위로 푸른 안개가 피어오른다. 가열찬 식탐. 꿀렁이는 용암 여기저기서 기포가 터진다. 식은땀이 흐른다. 작전 지역에서 꼬리까지 거리가 멀었다. 더 끌어들여야 하는데. 뒷목이 서늘하다.

"아."

서풍이었다.

언덕에서부터 작전 구역을 향해 서늘한 바람이 불었다. 주위를 둘러보았다. 지휘소를 덮친 로커스트는 대부분 쓰러트렸다. 부상자가 속출했지만, 죽은 사람은 없다. 가슴이 벅차올랐다.

"전부!"

목소리가 갈라졌다. 아드레날린이 왈칵왈칵 쏟아져 나왔다. 어지럽다. 이를 악문다. 억지로 호흡을 다잡은 후, 현상을 직시한다. 진정해야 할 이유가 없다.

"레버 당겨!"

남은 레버를 모두 당겼다. 작전 지역이 파랗게 물든다. 서풍을 탄 방충제가 꼬리까지 집어삼킨다. 로커스트의 무리는 더 압축되어서 이젠 바짝 말라 죽은 지네 같다. 그 선은 눈에 보일 정도로 짧아졌다. 이윽고 바람이 멈춘 다음에는, 전부 푸른 안개 속에 덮혀버렸다.

둥그런 분지에 갇혀버린 안개가 마치 눈동자처럼 보였다. 청색은 자연계에서 출현 빈도가 매우 낮은 색소다. 파랗게 보이는 생물 대부분은 실제로 여러 가지 색을 동시에 가지고 있지만, 레일리 산란에 의해 가장 파장이 긴 푸른색만 반사하기 때문이라고. 정확히는 인간의 눈이 그렇게 받아들일 뿐이라고.

"캡틴."

모이즈가 다가왔다. 무언가를 기대하는 표정이다. 다른 이들도 같은 눈빛이다. 눈을 감았다. 이브, 보고 있니? 두려움과 노여움과 자괴감 따위로 가득한 세상에서 모두를 하나로 모아 미래로 이끌 수 있는 유일한 힘은 이토록이나 시리고 푸르른 희망이야.

"우리가 이겼어."

예나 지금이나 파란색은 지구인이 가장 좋아하는 색깔이다.

언젠가 보았던 백색 공간이다. 거의 삼십 년만이다. 지치고 힘들 때면 이곳을 떠올렸다. 이 종착점에서 재회하게 될 누군가를 떠올리면서, 부끄럽지 않은 삶을 살고자 노력해 왔다.

"알아, 이브."

느릿하게 다가오던 이브가 그 자리에서 멈췄다. 천장을 바라보았다. 하얗고, 하얘서 눈이 멀어버릴 것만 같은 그 백지 위로 지난 생을 반추했다. 절반은 후회였고, 절반은 희망이었다.

"모두 내 머릿속에서 일어난 일이지. 이 시뮬레이션의 본질은 미래의 재앙에 대항할 아이디어를 찾기 위한 거야. 나도, 우리도 너희에겐 데이터 쪼가리에 불과하겠지."

"루시, 난……."

"그래도 난 내가, 나의 삶이 존재한다고 믿어."

인간의 실존은 반드시 본질에 앞선다. 나는 사고함으로써 그 존재를 증명한 인간이다. 이 존재의 의미를 규정할 자격이 있는 자는 오직 나 자신뿐. 최선을 다하지 않을 이유가 없다.

이브는 고개를 숙였다.

"시뮬레이션은 아직 끝나지 않았어."

예상했다. 현재의 로커스트와 미래의 로커스트는 다르다. 세로토닌 활성제를 이용한다는 아이디어도 충분히 검토되었을 것이다. 무려 시뮬레이션이 가능한 양자컴퓨터를 보유한 문명을 상대로 기술적 영감을 주는 사실상 불가능한 과제였다.

그러나 여전히 후회는 없다. 내가 남기고 싶었던 것과 당신들이 바라왔던 것이 완전히 합치할 수는 없다. 우리는 각자의 삶을 살고 있으니까.

"루시. 밖으로 나가자. 말처럼 낙원은 아니지만, 이건 아닌 거 같아. 이래서는 안 돼."

이브는 눈물을 흘렸다. 그녀는 무수히 반복되는 나의 삶을 지켜보았다. 짧은 시간이었지만 곁에 있기도 했다. 나의 어떤 점이 이브를 그렇게 매료시켰는지 모르겠다. 이브의 눈에 나의 어떤 점이 푸르게 빛났는지도.

루시 웨일즈는 이브가 아니다. 인간은 인간을 이해할 수 없다. 그저 연대할 뿐.

"괜찮아. 네가 날 기억해 준다면, 그걸로 충분해."

"나는 충분하지 않아, 루시."

"네가 아니었으면 큰일 날 뻔 했어. 그거 알아, 이브?"

무릎 꿇고서 두 손으로 이브의 작고 하얀 손을 붙들었다. 세파에 찌들어 주름진 손이었지만, 부끄럽지 않았다. 그것은 훈장이었다.

"난 내가 좋아. 왜냐면, 네가 좋아하는 사람이니까."

아무리 울어도, 아무리 애써도, 도저히 나를 사랑할 수 없었던 내가, 그래서 남을 사랑하는 나를 사랑하기로 정했던 내가, 그 모순에 앓았던 내가, 이브를 만나서 더 단순해졌다. 이브가 좋아하는 내가 좋아졌다. 네가 언제까지고 뒤에서 지켜봐 줄 거라 믿었기에 앞으로 나아갈 수 있었다.

조금 비겁한 계산이지만, 앞으로도 이브의 기억 속에 남을 수 있다는 게 기뻤다. 시뮬레이션은 반복되지만, 기억은 죽 이어질 테니까. 진정한 역사가 되는 셈이니까.

"나 졸려, 이브."

이브는 새초롬한 표정을 짓다가 울면서 웃었다. 조막만 한 손바닥을 내민다. 스캐빈저의 습격으로 다친 나를 치유했을 때처럼. 잠이 밀려왔다.

눈을 떴다. 강아지 애덤이 뺨을 핥고 있다. 창가에서는 햇살이 쏟아진다. 잎사귀가 살랑거리고, 풀 내음이 흘러들어온다. 풀벌레 소리가 유독 듣기 좋다. 따뜻하다. 내 체온을 머금은 이불의 촉감도 그러했지만, 등에서 전해지는 기분 좋은 떨림이, 정수리를 따끔하게 찌르는 수염이 그렇다.

"좋은 아침, 루시."

Fin.

무익無翼한 원

나 있지, 마흔 먹기 전에는 죽고 싶었거든.

시원은 경박한 남자다. 그에게 대화란 휘발하는 상념을 붙들 그물에 불과했다. 혜원은 그런 남자를 혐오하면서도, 그와의 대화를 즐겼다. 가볍고 덧없는 말씀은 차마 심부에 닿지 못하고, 비로소 안전하다 느꼈기에.

돌이켜보니까, 더 옛날에는 서른 살이 되는 게 싫었던 거 같아. 아마 일기에도 썼을걸?

혜원은 하늘을 보았다. 쌉쌀한 바람이 셔츠 깃을 파고든다. 휠체어가 덜컹거려 손목이 시큰하다. 시원은 개의치 않는 듯 보였는데, 가끔은 따져줬으면 좋겠다고 생각했다. 왜인지는 모르겠고, 그냥 그가 자신을 미워한다는 걸 확인하고 싶었다. 그쪽이 공평하잖아.

교생 선생님이 예뻤지. 치근덕거리면 정색하는 것도, 우울한 척

상담하면 걱정하는 눈망울도 전부. 사실 그렇게 예쁘진 않았어. 그냥, 예쁜 건 예쁜 거니까. 여하간에……. 인생 계획을 들었는데 서른 먹기 전에 결혼하고 싶다더라고. 신기하게도 그때부터는 별로 안 예쁘더라.

휠체어가 휘청거린다. 시원이 몸을 돌려 혜원을 바라본 것이다. 혜원은 애써 무료함을 연기한다.

맞춰봐.

뭘?

내가 그 누나랑 잤을까?

낄낄거리는 남자 앞에서 혜원은 한숨을 쉬었다. 그런 모습이 그를 더 즐겁게 한다는 것을 알고 있다. 그게 좋았다. 그러나 그걸 좋아한다는 걸 그가 알게 하고 싶지는 않아서, 화제를 돌이킨다.

그래서 나이를 먹기 싫다는 거야? 결혼 생활이 무서워서?

무서운 게 아니야. 싫은 거지.

어쨌든.

결혼도 싫고, 일하는 것도 싫고, 똑같아 보이는 게 싫어.

철이 없네.

열여덟 살이었으니까.

지금은 안 그래?

시원은 가끔 마약중독자처럼 보인다. 도저히 알 수 없는 포인트에서 웃음을 터트리고는 갑자기 틱이라도 온 것처럼 턱을 떠는 것이다. 아직은 손댄 적이 없다는 대답을 들어낸 기억이 있지만, 혜원은 믿지 않았다. 그가 자신에게 거짓말을 할 이유가 없다는 걸 알면서도.

미안.

뭐가?

웃어서.

별로.

스무 살이 되니까, 서른 정도는 괜찮겠다 싶었지. 세상에 놀 게 이렇게 많을 줄 어떻게 알았겠어? 돈 쓰는 법을 배우니까 십 년은 조금 짧게 느껴지더라고. 그래서 생각했지. 마흔은 넘기지 말자.

십 년 남았네.

그러게.

조금 잠잠해졌다. 다시 휠체어를 밀었다. 재활 훈련을 돕느라 달아오른 몸이 잠깐의 대화 동안 다 식어버렸다. 시원은 깃털처럼 가볍다. 그렇게 다부진 몸이었는데. 의족의 무게에 대해 생각한다. 살덩이와 거죽과 뼈와 발톱으로 된 그것이 강화 플라스틱으로 만든 모조품보다 무거울지. 무거웠으면 좋겠다고, 생각한다.

서른이 되면 기분이 어때?

피부과를 알아보게 돼.

보너스 넣어줄까?

됐어. 시간 없어.

요 앞인데, 뭐.

됐다고.

웃긴 게…….

요즘은 쉰 살도 궁금해지는 거 있지? 시원은 휘발된다. 육십삼

킬로그램의 살덩이와 거죽과 뼈와 손발톱이 공기 중으로 흩어지는 상상을 한다. 상상은 상상일 뿐이다. 언제고 혜원은 간절하지 않았다. 그녀는 그럴 수 없는 사람이었다. 그랬기에 어렵사리 잡은 교편을 버리고, 한 남자의 간병인으로 거듭날 수 있었던 것이다.

최근 혜원은 어떤 꿈을 반복해서 꾸고 있다. 혐오스럽게도, 그것은 그녀 자신의 의지였다. SUV의 뒷바퀴로 전도유망한 청년의 발목을 짓이겨 버린 날이었다. 그렇게 시작된 나날이 퍽 기껍다고. 이루 말로 다 할 수는 없지만, 혜원은 그런 것들로 이루어져 있다.

모더니즘은 투박해. 포스트모더니즘은 유치하고.

바닥에 떨어진 책을 주워 들었다. 다시 시원의 무릎 위에 올려줄지 아니면 탁상에 둘지 고민하다가, 그냥 제 무릎 위에 올렸다. 그림자 자국. 이영도 판타지 장편소설. 도대체 어떤 과정을 거쳐서 사조 비판이 튀어나온 걸까? 질문이 입 속을 맴돈다. 다만 시원이 필요로 하지 않았기에 내밀지 않는다.

해체 자체에 의미를 두는 거 치사하지 않아? 비판을 위한 비판이잖아. 거기서 무얼 창조할 수 있을까?

누군가는 그 과정에서 의미를 찾겠지.

당신도 그래?

글쎄.

한때 리오타르에 푹 빠졌었다. 다원주의가 자신의 존재를 정당화시킨다고 믿었다. 타인보다 낮은 체온으로도 소속감을 갈구함이 마냥 헛물켜는 짓은 아니라고. 비록 저가 불량품일지언정 아직 고장 난 것은 아니라는데 지적 근거를 만들고 싶었다. 좆 같은 시절이다.

사상은 무언가를 만들어 내야만 해.

헤겔과 니체가 기증한 정자에서 나치즘이 잉태되었지.

그래, 그 정도는 되어야지.

아무 말도 할로윈이네.

아, 웃기지 좀 마.

툭툭 꺾이는 턱을 가만 바라보았다. 시원은 그걸로 만족한 듯 보였다. 그가 손을 내밀기에 책을 돌려주었다. 무릎 위에 책을 올린 시원이 다시 손을 내밀었다. 중지 손톱처럼 흰 눈매를 탐색한다. 뽀얗네. 피부과. 써마지 받을 시간 정도는 있지 않을까?

손 줘.

싫어.

월급 깎는다?

지금도 많아.

그럼 올릴까?

많으면 많을수록 좋지.

그냥 줘.

시원은 억지로 손을 잡아당긴다. 힘은 좋아서 그대로 침대까지 딸려 갔다. 혜원은 인상을 찌푸리며 그의 옆에 걸터앉는다. 시원은 실실거리며 그녀의 손금을 헤아린다.

읽을 줄은 알아?

아니.

그럼 왜?

그냥 만지고 싶어서. 그런데 보다 보니 재미있네.

뭐가?

가끔 구름 흘러가는 거 보게 되지 않아? 화장실 타일 얼룩이라던가. 뭘 닮았는지, 빤히.

대놓고 혜원의 얼굴을 살핀다. 혜원은 이것이 그 나름의 유혹이라는 것을 알고 있다. 왜냐하면 그녀 또한 입을 맞추고 싶었기 때문이다. 시원은 미남이었고, 간병인에게 주급으로 백만 원씩 꽂아댈 정도로 부자인 데다, 조실부모하여 막장 드라마를 찍을 일도 없었다. 곱게 미친 새끼라는 점이 가장 마음에 들었다.

그런데 그걸 모두 합치면 어째선지 혐오만이 남는다. 왜 그런 감정이 드는지 그녀도 몰랐다. 혜원은 자신의 무지에 대해 그다지 불안을 느끼지 않는 타입이었으므로.

화장실 타일을 왜 봐?

아니, 오줌 쌀 때……. 아, 여자는 볼 일이 없네? 문을 보겠네? 오, 이거 좀 신박한 발견인 듯.

더러워.

혜원은 시원을 사랑하고 싶지 않았다. 치미는 마음을 사랑으로 정의하지 않더라도, 그가 자신을 떠나지 못할 것을 알고 있었기에. 진퇴를 결정하는 건 혜원이다. 이 절름발이는 저의 뜀박질을 따라올 수 없으리라.

그러한 확신을 담아 혜원은 시원의 뺨에 입을 맞췄다. 모기가 입술을 문 것 같다. 기분이 더러웠다. 만족스러울 정도로.

침대 방향을 바꾸고 싶어요.

검사 결과에 대해 말할 때는 듣는 둥 마는 둥 해놓고서, 막상 떠나려고 하니 시원은 의사를 붙들었다. 의사는 떨떠름한 표정으로 되묻는다. 어디가 불편합니까? 간병인이 이쪽에 있으니까요. 시원은 턱을 떨었다.

왼쪽 귀만 쓰니까 그쪽만 청신경이 닳은 것 같아서요.

의사는 입으로 웃었다. 순간 일그러진 미간이 잔상으로 남는다. 홀로 남은 간호사가 말했다. 지금 바로 바꿔드려요? 농담이었는데요. 다행이네요. 대충 이어서 굿 이브닝 같은 지껄임. 혜원은 청각에 의식을 거두고서 창문의 얼룩을 더듬는다. 겨우 찾았다 싶었더니 거기 비친 제 얼굴이었다. 얼룩이나 얼굴이나. 자음 하나 차이니 얼추 비슷한 게 아닌가.

만약에 돈을 주지 않아도 내 옆에 있어 주려나?

응.

왜?

미안하니까.

그게 전부야?

시원은 웃지 않았다. 혜원은 성가시다고 생각했다. 오늘은 또 무슨 변덕에 저러는 건지. 제 마음을 헤아리는 데는 품이 많이 든다.

그걸 오해 없이 전하는 건 더더욱. 혜원은 그런 화제를 좋아하지 않았다. 시원과의 대화가 좋은 이유는 그녀의 역할이 중요하지 않기 때문이었다.

돈도 이미 벌었고. 아직 일하고 싶지도 않고.

또?

말하기 싫어.

왜?

싫으니까.

집착은 기껍다. 도망쳐도 쫓아와 줬으면 좋겠다. 하지만 따라잡히지는 않았으면. 니가 발 병신이라서 참 다행이야. 내가 그렇게 만들었지. 혜원은 자신이 정상이 아니란 것을 잘 알고 있다. 오랜 시간 그녀는 자신이 정상적인 남자를 만날 수 없을 거라고 여겨왔다. 혹 만나더라도 제대로 된 사랑을 하지 못할 거라고.

날 좋아한다고 말해줄 수는 없을까?

응.

사실이 아니라서?

가슴이 답답했다. 혜원은 자리에서 일어났다. 화장실에 다녀올 작정이었다. 다녀오는 김에 간호사에게 말해 침대를 돌려달라고 할 것이다. 아예 없애버리는 것도 나쁘지 않다. 말을 고르고 문 앞에 서자, 의사의 표정이 떠올랐다. 잔상을 재현한다. 눈살 찌푸려 놓고도 목소리는 쾌활하게.

아니.

그래, 이렇게.

시원에게는 가족이 없다. 애미도 없고, 애비도 없었으며, 할애미, 할애비도 없다. 그는 하나 있는 고모를 가족의 범주에 포함하지 않았지만, 그것을 당사자에게 전할 뻔뻔함이 없었다. 혜원은 가끔 그가 우스웠다. 가벼워져야 할 때 가볍지 못했으므로.

혜원은 병실 밖에서 기다렸다. 닫힌 문 너머에서, VVIP를 위한 프라이빗한 공간으로부터 그녀의 험담이 들려왔다. 들리지 않는 것을, 말하지 않는 것을 읽는다. 한껏, 혜원은 자기혐오의 만찬을 누린다.

그녀는 자신이 시원을 사랑한다고 생각했다. 혹은 미워하거나. 일회용 면도기로 그를 갈아내고 싶었다. 햇볕에 잘 말려뒀다가 필요한 순간에 원하는 형태로 조립하고 싶다. 마른 바람에 흩날리는 것들을 생각한다. 문이 열렸다.

정중한 인사. 그것이 끝이다. 고모에게 혜원은 그 정도의 존재였다. 보통의 사람은 혜원에게 사랑도 미움도 주지 않는다. 혜원은 사랑도 미움도 받지 않는다. 그녀는 무익하게 태어났으며, 무해하게 자라났다. 천성과 학습이 그녀를 구조한다. 시원을 봐야겠다.

재활 시간이야.

시원은 휠체어에 눈길도 주지 않았다. 왜? 무슨 이야길 했는데 그래? 혜원은 묻지 않았다. 당신을 걱정한다는 오해를 사기 싫다. 혜원에겐 오직 혜원만이, 그녀의 영역만이 중요하다. 약간의 답답함만 참아내면 이 거리를 지켜낼 수 있다. 시원의 갈증을 충족시키고 싶지 않았다. 박제된 결핍에서 포르말린 냄새가 났다.

다리를 다친 게 아닌 거 같아.

다쳤어, 너.

그래, 내가 그렇게 만들었지. 속으로 그렇게 빼기며 얼굴근육을 통제했다. 별 의미 없는 노력이다. 시원은 그녀를 바라보고 있지 않다. 그는 언제고 그녀를 바라보지 않는다. 항상 시원은 형상의 너머를 본다. 그는 언제나 혜원으로부터 빗나갔다.

더 심각한 게 있어.

뭔데?

날개.

혜원은 시원이 보는 세계가 궁금하지 않다. 그녀는 현상에 천착한다. 사물과 사상에는 각자의 자리가 있다고 믿는다. 그렇게 믿어야만 저의 영토가 규정된다고, 그녀가 독립적인 개체임을 확신할 수 있기에. 그 무엇도 안전보다 중요하지 않다.

그것도 재활하자.

그럴까?

그래.

그러자.

하냥, 이 한 줌 불온으로 산불 같은 불안을 꺼트릴 수 있기를.

병원 생활은 단조롭다. 하루는 느리고, 한 달은 빠르다. 혜원은 문득 달력을 본다. 지난주가 수능이었네. 그녀는 몇몇 얼굴을 떠올렸다. 아낀다고 생각했던 제자들이다. 서랍을 열었다. 내내 그 안에 있었는데도 액정에 먼지가 쌓였다. 부재중 전화. 밀린 메시지. 숫자가 늘어나고 멀미가 왔다. 때맞춰 전화가 걸려 온다.

누구랑 통화했어?

남친.

나?

뭐래? 헤어지자고 말하는 걸 깜빡 했어.

언제?

사고 때.

봄이잖아?

그러게.

벌써 그렇게 되었다. 시간은 빠른 듯 느리다. 그런 이야기를 나눈 것도 같다. 잠수 이별은 끔찍한 짓이다. 그러나 혜원은 현상에 살았다. 시공간이 이격 된 현상을 허상으로 정의할 수 있었다. 그 시절에 두고 온 내가 쓰레기 같은 년이라고 해서, 지금의 내가 흔들리지는 않는다. 견뎌낼 수 없는 것을 외면하는 데 익숙하다. 이 시간에 몸을 담근다. 미지근하다는 감각은 체온과 가까울 때랬나. 그녀의 체온은 늘 타인보다 낮았다.

어떤 남자였어?

사랑한다는 말을 너무 쉽게 하더라.

그런 게 싫어?

나쁘진 않았어.

대체로 나쁜 것은, 언어의 경계선 밖에 있다. 사랑한다는 고백의 바깥에는 사랑하라는 압력이 존재한다. 상존한다. 누가 그런 걸 시켜서 해. 말이야 할 수 있지. 그런데 마음까지 닮으라잖아. 내가 지노엔가. 혜원은 어떤 고해를 비언어의 숲에 유기했다.

시원은 혜원의 눈을 바라본다. 조금 지쳐 보였다. 그것까지 포함해서 나쁘지 않았다.

이후 시원은 예전으로 돌아갔다. 혜원에게 질문을 퍼붓기보단 자기 생각을 떠드는 데 집중했다는 말이다. 그는 혜원과의 연애를 고려했을 것이다. 그리고 많은 남자가 그러했듯이 스스로 돌아섰다. 혜원의 처신은 언제나 그녀를 안전하게 만든다.

마음을 받는 것은 좋다. 마음은 주는 것이 싫다. 내 것이든, 네 것이든 결국 내 손안에 있어야 안심할 수 있다. 사람은 다 변덕스럽다. 휘둘리고 싶지 않다. 동굴 속에서 나가고 싶지 않다. 바람에 닿지 않을 수 있다면, 햇볕 정도는 쉬이 포기할 수 있다.

시원의 단점에 대해 생각한다. 그는 경박하다. 제멋대로고 배려가 없다. 오만을 드러내는 데 주저가 없는 주제에 자기가 필요할 때는 용기를 내지 못한다. 단점이 많은 게 그의 장점이다. 혐오스러운 부분이 귀엽다. 짐승 같은 그가 자신을 해하지 못함을 확신할 수 있는 이곳이 바로 혜원의 자리였다.

퇴원하려고.

시원은 이제 부축 없이도 제법 잘 걷게 되었다. 그 과정을 지켜보며 혜원은 마음의 준비를 해둔 참이었다. 언제나 충분히, 가 중요하다. 언제나, 라는 건 언제나 충분하지 않았다는 뜻이다. 상실에 익숙한 삶을 상상해 본 적이 있다. 공상의 영역에서나 체험할 수 있는 세계다. 상처를 덜어내기 위해 늘 먼저 상처받는다. 혜원은 가끔 저의 살갗이 흉터로 이루어졌음을 실감한다.

언제?

다음 주에.

빠르네. 축하해.

시원은 열없이 웃는다. 그는 주머니에 손을 넣었다. 아직 위태로워 보였지만, 말려도 듣지 않겠지. 혜원은 시원의 걸음을 주시했다. 어색하고 못난 걸음걸이. 그녀가 만들고, 그가 쌓아 올린 그 모든 것에 대하여.

우리 집 들어올래?

이번엔 가정부야?

비슷해. 그런데 월급은 못 줘.

혜원은 눈을 감았다. 방심했다. 방심한 새 따라잡혔다. 발 병신 새끼가 이렇게까지 몰아칠 줄이야. 투명한 줄 알았는데, 모두 계략이었던 걸까. 자진해서 비약에 자진한다. 숨이 막혔다. 행간의 괴물이 추심서를 내민다. 폐부를 쥐어짜 남김없이 털어낸다. 지금껏 누린 것들의 대가를 치러야 한단다. 숨이, 차갑다.

현물도 괜찮을까?

주머니에서 반지를 꺼냈다. 구토감이 밀려왔다.

그럴 생각이 아니었는데, 술을 마셨다. 사실 언제나 생각은 중요하지 않다. 결국 혜원을 안온케 하는 것은 현상과 태도의 정밀한 결합이다. 휴가를 청했다. 집 정리를 하고 싶다고. 마음을 정리할 시간이 필요한 거라, 당시에는 둘 다 그리 믿었을 것이다. 그날 밤 취기에 대고 물었다. 정리할 마음 따위 애초에 없었다고. 그래서 술을 마셨다.

진동음이 들렸다. 밤낮으로 그러했는데, 문득 지금 시간이 궁금해져서. 그러다 손이 엇나가서, 손을 엇내어서 전화를 받았다. 왜 그런 줄은 모르겠다. 취하지 않았어도 그랬을 거라고, 생각의 하찮음을 생각한다.

왜 안 와?

시원의 목소리는 쾌활했다. 따라 하고 싶은데 목이 잠겼다. 언젠가의 잔상을 더듬었지만, 손에 닿지 않는다. 마른기침을 뱉는다. 건조하게 답한다.

생각할 게 있어서.

언제 와?

조금만 더 있다가.

얼마나?

그것도 생각해 보게.

왔다 가면 안 돼?

안돼.

왜?

가면 못 올 거 같아.

얼굴만 보고 보내줄게.

시원의 장점을 찾아본다. 곱게 미친 새끼. 너나 나나 미친 건 똑같은데 왜 당신만 고운 거야? 넌 나와 다르지. 유익하게 태어나 유해하게 자랐겠지. 날개를 다쳤다고? 무슨 알에서 태어났니? 왜 다른 거야? 니 인생을 망친 사람에게조차 사랑을 지껄일 수 있다고? 왜? 어째서? 어떻게? 나한테 왜 그래? 어떻게 그래?

너 때문이 아니야.

문제는 언제나 내게 있지. 나는 말이야. 흔들리고 싶지 않아. 어지러운 거 싫어. 마흔이 되기 전에 죽고 싶다고? 창조할 수 없는 사상은 무가치하다고? 난 죽기 싫어. 살아내고 싶어. 난, 내 몸 누일 곳만 있으면 되는데. 자꾸 왜, 일으켜 세우냐고.

나 안 볼 생각이야?

그런 거 아냐.

아니면……. 왜 그러는 건데?

모르겠어.

너 이상해. 나보다 더.

입술을 닫고서, 맞아, 라고, 그렇게 답했다.

문을 두드리는 소리에 일어났다. 시원이다. 환자복보다 캐시미어 코트가 잘 어울렸다. 반가웠다. 집이 너무 엉망인데, 얼굴보다는 나은 꼴이다. 문을 열었다. 차가운 표정과 마주한다.

들어올래.

아니.

여기서 이야기해?

걷자.

채비하는 동안, 시원은 밖에서 기다렸다. 겨울이었는데 한점 불평도 없다. 며칠이나 지났지? 시원은 잘 걸었다. 멀쩡한 사람 같다. 저러니, 저러니까 따라잡히지. 너는 나와 다르다. 뭐든 잘해. 귀엽지 않아. 이제 당신은, 감히 날 다치게 만들 수 있는 사람이 되었구나.

걸었다. 말을 걸지 않는다. 답답하다. 나에 대해 물어봐 줬으면 좋겠다. 하지만 그렇게 말하긴 싫다. 물어보더라도 답하지 않을 것이다. 다가갈지 물러갈지, 내가 정할 수 있었던 시절이 그립다. 이건 내가 아니야. 쫓아와 줬으면 좋겠다. 따라잡히긴 싫다.

내가 이상하긴 한 가봐.

시원은 돌아보지 않았다.

이제 날 좋아하지 않는 거지.

그의 걸음걸이는 일정했다.

그럴 줄 알았어. 난 사랑받으면 안 되는 사람이거든.

내 말이 그를 화나게 만들었으면 좋겠다. 그가 나를 미워했으면 좋겠다. 세상은 보다 공평할 필요가 있다고 생각한다. 내가 나로 태어나지 않았다면, 내가 나로 자라나지 않았다면, 너를 이런 식으로 대하지 않았어도 되지 않을까? 그러나 혜원은 혜원이다.

혜원아. 나 이제 서른 살이거든.

아, 생일이지. 축하해.

그런데, 이제 쉰 살이 안 궁금해.

시원은 그제야 혜원을 돌아본다. 혜원은 등골에 소름이 돋았다. 그가 자신을 바라본다는 기분이 들어서였다. 그럴 리가 없다. 그래서는 안 된다. 들키고 싶지 않다. 이해받고 싶지 않다. 제발, 그냥 내버려 둬. 그게 아니라면.

같이 죽어줄래?

동굴 속에 햇볕이 든다. 시원은 혜원을 찾아냈다. 혜원은 희열 속에 잠겼다. 있을 수 없는 일이다. 태도를 정하지 않았는데도, 현상이 그녀를 보듬었다. 도파민에 익사할 것 같다. 목소리가 떨렸다.

그럴까?

몇 번이고 몸을 섞었다. 너의 몸은 여위었으나 탄력이 느껴졌다. 어쩌면 내 몸일지도 모른다. 나는 혜원일까, 시원일까. 시혜를 베푸는 쪽이 어느 쪽이건 중요하지 않다고. 생각 따위는 아무런 의미가 없으니까. 중요한 건 현상이며, 또한 절정이다.

숨이 가쁘다. 우린 녹초가 되어서도 서로를 씻겨 주었다. 물기도 제대로 닦지도 않은 채 침대로 향했다. 디퓨저를 바닥에 쏟아버리며 깔깔거렸다. 샴페인과 위스키와 브랜디를 섞어 마셨다. 문을 잠그고서 에우리피데스의 비극에 대해 지껄였다. 바카이는 언덕에 장작불을 피우고 음탕한 축제를 벌였다지만, 우린 연탄불 몇 개로 충분했다.

찬 바람이 불었다. 머리가 아프다. 연탄불이 꺼졌다. 방문이 열려 있다. 혜원은 살아있다. 시원의 펜트하우스다. 추위가 밀려왔다. 구겨진 가운으로 몸을 감쌌다. 소리가 들렸다. 원목 바닥에 맨살과 플라스틱이 교차로 마찰한다. 어지럽다. 혜원은 그의 뒤를 따랐다.

시원은 낮은 테라스에 걸터앉았다. 얼굴이 창백했다. 눈동자가 떨렸고, 턱이 불규칙하게 따닥거린다. 겁을 먹은 아이 같다. 가여워라. 혜원은 한 걸음 다가갔다. 시원은 시선을 피한다.

같이 죽는 거, 별로야.

그래?

누군 지켜봐 줘야지.

내가 그러면 돼?

응.

그러자.

방조죄잖아.

바로 따라 가면 되지.

그렇게 해줄 거야?

그러기로 했잖아.

입술이 떨렸다. 예쁘고, 따뜻하고, 깊다. 혜원은 충족감은 느낀다. 시원의 말 전부가 달다. 네가 달아. 내가 다 썩어버려도 괜찮을 만큼. 우리가 두엄된 자리에 그 무엇도 피어나지 않기를.

혜원아 난 다시 태어나면, 너도 태어날 거야.

나는 네가 되고 싶은데.

진짜?

응. 돈도 많고, 잘 생겼고, 뭐든 쉽잖아? 나도 한 번 그렇게 살아보고 싶어.

약도 하고?

했어?

아니.

넌 왜 나로 태어나고 싶어?

하나도, 하나도 모르겠는 건 처음이라서.

시원은 눈물을 흘렸다. 혜원은 문득 그것을 마시고 싶어졌다. 그래서 한 걸음을 더 나아갔다. 시원이 또 시선을 피했다. 괜찮다.

나, 너 하나만 해체하면서 사는 것도 나쁘지 않을 거 같았거든. 그런데 아무리 생각해도 그렇게는 못 살겠어. 결국 아무것도 남길 수 없잖아. 역시 포스트모더니즘은 유치해.

그러면, 같이 없어지자. 둘 다 남기지 말자. 아무것도.

혜원의 걸음이 시원에게 닿는다. 그녀는 양손으로 그의 턱을 잡았다. 눈물 자국에 입을 맞추려다가, 입술에 비볐다. 추워 보여서. 오들오들 떠는 게 안 되어 보여서 그랬다. 혀로 무딘 이빨을 열어내고, 그의 안으로 파고든다.

나 살고 싶어졌어.

같이 살까?

늙는 건 싫어. 똑같이 나이 드는 거 싫어.

같이 죽을까?

네가 보는 앞에서 죽고 싶어.

따라간다니까.

못 믿겠어.

그러면, 이렇게 하자.

혜원은 시원을 더 깊이 껴안았다. 당신이 버둥거렸다. 무언가 소리를 질렀는데 들리지 않았다. 욕설이었을지도. 그녀는 체중을 실었다. 시원의 몸이 넘어갔다. 시원의 얼굴이 보고 싶다. 하지만, 체공 시간이 너무 짧았다. 혜원과 시원은 살덩이를 섞었다.

부서진 갈비뼈에 얼굴을 묻은 채로 혜원은 생각한다. 시원아. 내게도 날개가 있었을지도 몰라. 기억도 못 할 정도로 어릴 때, 그러니까 아기집에 있던 시절에는 성했을지도 모르지. 방금도 잠깐은 나는 기분이 들었거든.

시원아, 우리 날았어. 다친 날개 두 쌍을 겹쳐서, 우리가 날았어. 다음 생까지 기다릴 게 뭐 있어. 너와 내가 하나면 됐지. 이제 무서워하지 않아도 돼. 너도, 나도 변하지 않아. 세계를 박리하자. 우리 빼고 전부 벗겨내자. 꼬리를 물고 잠든 뱀처럼, 서로의 마음을 문 채로 끝내자.

시원아. 이런 거 처음인데, 나 너한테 묻고 싶은 게 생겼어. 우리 말이야. 지금 어딜 향해 날아가고 있는 걸까? 대답하지 않아도 돼. 묻고 싶었어, 그냥.

이런 것도 사랑이라고.

[esperanza: 단말마로 완성되는 삶]

별이 땅을 할퀴었다. 손톱에 걸린 매미 한 마리가 단말마와 함께 나가떨어졌다. 매해 그렇듯, 올해 여름은 작년의 이맘때보다 더웠다.

푸에고는 덜덜거리는 에어컨을 손바닥으로 후려쳤다. 노쇠한 기계였지만, 덩칫값이라도 하고 싶은지 매미처럼 한 방에 쓰러지지는 않았다. 푸릉 거리며 반항하는 녀석 앞에서 푸에고는 팔뚝을 걷어붙이고 주먹을 움켜쥐었다. 하지만 이내 한숨을 쉬고 자리에 털썩 앉는다. 덥다.

"네가 무슨 잘못이겠냐."

가정용 태양광 발전기는 3년 동안 폭염과 혹한에 시달려 거의 고물이 되었다. 상대적으로 멀쩡한 비상 발전기를 벌써부터 굴리기엔 연료가 빠듯했고. 대대로 물려받은 고향 집을 팔아 장만했다는 구구절절한 사연 따위, 되새겨 봐야 열만 오를 뿐이었다.

푸에고는 다시 창밖을 보았다. 반년 전까지만 해도 꽤 울창한 숲이었건만, 폭염을 맞아 나무 절반이 말라 죽었다. 숲속의 오두막은 이제 그냥 오두막이었다. 그나마 움직일 수 있는 가을이 오면 더 깊은 숲으로 옮겨야 할 것이다. 푸에고는 그리 생각하며 블라인드를 쳤다.

푸에고는 어두운 실내를 가로질러 지하수 펌프가 있는 곳으로 향했다. 더운물이라도 체온보다는 낮을 것이다. 얼굴에 물칠하고 부채라도 부치면 잠깐이나마 버틸만하겠지.

‘끼릭, 끼릭, 끼릭…….’

본가 창고에서 주워온 고물 펌프는 물 대신 다 죽어가는 소리만 토했다. “염병할.”, 푸에고는 펌프 뚜껑을 열어 마중물 한 바가지를 부어놓고 있는 힘껏 손잡이를 내리눌렀다.

‘끼리이이익!’

텅, 소리와 함께 금속이 끊어지는 소리가 덜컥 내려앉았다. 푸에고가 ‘염병할’보다 더 속이 풀릴만한 탄식을 찾는 동안, 주둥이에서 붉은 녹물이 코피처럼 쭈압 흘러내렸다.

“시펄.”

가혹한 여름이었다.

악몽을 꿨다 쨍쨍한 여름날이었고, 사람들의 옷차림을 얇았다. 푸에고는 부동산매매계약서를 앞에 두고 있었다.

“푸에고. 지금이라도 다시 생각해보게. 빙하가 녹는다. 태풍이 온다. 매년 말은 많지만, 다들 잘만 살고 있지 않나? 이 순간만 잘 버텨내면 언제나처럼 대안이 나올 걸세. 속세를 등지기엔 너무 일러.”

화려한 저택은 아니었지만, 수 대째의 손때가 묻은 가정집은 푸에고의 뿌리였다. 가뭄이 든다고, 홍수가 난다고 나무가 저 스스로 뿌리를 뽑아내는 법은 없다. 푸에고 역시 유감을 느꼈다. 하지만 거기까지였다.

“아저씨. 반대에요.”

푸에고는 몇 달 전의 장례식을 생각했다. 아버지는 삼시세끼마다 싱싱한 생선만 올리면, 한 달 삼십일 배를 몰고 나가도 피로 따윈 모르는 강골이었다. 고향에서 알아주는 뱃사람의 사인은 방사능 피폭이었다.

“이미 늦은 걸지도 몰라요.”

우리가 도망칠 수 있는 곳이 아직 남아있을지. 푸에고는 아버지의 유품인 만년필로 서명을 마쳤다. 더웠고, 갑갑했다.

혼자 살기로 했다지만, 외부의 소식과 완전히 담을 쌓을 순 없었다. 외로움의 문제만은 아니었다. 폭우나 태풍 같은 재해는 개인의 임기응변으로 대응하는 데 한계가 있기 때문이다. 푸에고가 오늘 라디오를 통해 확인한 재앙은 바로 기기 고장이었다.

“죽었냐? 진짜로 죽은 거냐?”

완전히 가버린 라디오에서는 노이즈조차 흘러나오지 않았다. 푸에고는 화낼 기력조차 없었다.

에어컨은 이제 사용할 수 없다. 전력 부족이나 기계 노후는 둘째치고 냉매가 다 떨어진 것이다. 펌프는 말할 것도 없다. 납땜이나 겨우 하는 푸에고의 용접 실력으로 부러진 펌프를 고치는 건 어불성설이다. 거기에 이렇게 라디오까지 고장 났다.

여름은 반도 지나지 않았다. 이 환경에서 두 달 동안 버티는 것은 무리였다. 당장 새로운 피난처를 탐색하고, 새로운 활로를 모색해야 했다.

‘툭.’

오두막 밖에서 볕이 또 매미 한 마리를 태워 죽인 모양이었다. 푸에고는 애써 집중을 유지했다. 가장 좋은 지점은 동쪽 산 너머의 완만한 언덕이었다. 이곳보다 숲이 무성한 땅이었고, 근방에 수원지가 두 개나 있었다. 문제는 혼자서 하루 만에 이사를 마치기 힘들다는 점. 이동 중에 트럭이 퍼져버리면 안 되니 밤 시간대를 이용해야 하는데, 그곳에서 다시 거처를 만들다 보면 오래지 않아 해가 뜰 것이다.

‘툭.’

매미가 한 마리 더 죽은 것이리라. 푸에고는 미간을 찌푸리고 엄지로 까슬한 턱을 쓸었다. 그렇다면 역시 북쪽 골짜기다. 볕이 들지 않는 땅이라 아직 수림이 잘 조성되어있다. 본 적은 없지만, 뒤져보면 물이 있을지도 모르고.

'툭.'

세 번째 소리를 듣고 나서야, 푸에고는 자리에서 일어났다. 이번엔 다 죽어가는 사람의 마른 숨소리도 같이 들렸던 것이다. 벌컥, 문을 열자, 기대고 있던 여자가 픽하고 쓰러졌다. 먹지 못해 마른 몸과 푸석한 머리칼. 새카맣게 타버린 피부. 입가에 작은 거품. 푸에고는 여자의 상태가 심상치 않다는 것을 깨달았다.

"살아는 있네, 그래도."

매미와 라디오와는 다르게 말이다.

"에스트렐라(Estrella)."

여자는 깊은 밤이 되어서야 눈을 떴다. 그리고 대뜸 한다는 소리가 저거였다. 푸에고는 블라인드를 걷어 밤하늘을 보여주었다.

"내 이름이야. 누굴 구한 건진 알아야 할 거 아니니?"

얼굴 상태도 참혹했고, 목소리도 죄 갈라져서 나이를 가늠하긴 어려웠다. 하지만 말투로 보아선 절대 자신보다 어린 나이는 아니었다. 푸에고는 순간 자신의 말문이 막힌 건 연륜 때문이지 기가 죽어서가 아니리라고 여기기로 했다.

"푸에고."

"더워 죽겠는데 갑자기 무슨 소리야."

"내 이름이오. 누가 구해준 건진 알아야 할 것 같았소."

"…말투도 특이하구나."

'도'? 푸에고는 반문하는 대신 입을 다물었다. 자신이 생각해도 병신 같은 말투다. 사람 만난 지가 하도 오래되다 보니 대화하는 법을 잊어서 일어난 참사였다. 지금 와서 바꾸면 자신이 실수한 것을 인정하는 셈이고, 그렇다고 계속 쓰자니 오글거렸다.

옮길 거처를 어디로 할지보다 더 큰 딜레마에 당면한 푸에고였다.

"고맙다는 인사를 해야겠지. 진심으로 고마워. 죽기 전에 헛것을 본 거라고 생각했는데, 다행히 아니었구나."

"어디서 온 거요?"

"계속 그 말투 쓸 거니?"

"크흠흠. 이게 편하오. 대답은?"

에스트렐라는 오묘한 표정을 짓더니 이내 싱긋 웃어 보였다.

"갈락시아(Galaxia)."

문명은 인류를 위한 것이다. 인류가 강가에 첫 삽을 뜬 이래, 이 충성스러운 마름은 밤낮을 가리지 않고 자연을 착취했다. 버티다 못한 자연이 횃불을 들고 인류의 집에 불을 놓았을 때도, 문명은 주인댁을 구하기 위해 제 한 몸을 다 바쳤다.

"지금 갈락시아의 연구원들은 둘로 찢어졌어. 우선 그나마 남은 문명을 보존해 해저의 쉘터나 우주정거장으로 옮기자는 부류가 있지. 구할 수 있는 사람이 한정되는 건 아쉽지만, 그들의 선의를 폄하하고 싶진 않아. 먼 훗날 후손들에게 전할 지식의 질을 생각한다면 말이야."

"그쪽은 다른 부류란 말이군."

"그래, 걔들은 여전히 갈락시아에 남아있어. 앞으로도 계속 그곳에 모여 연구를 이어갈 거야. 반면 우리는 뿔뿔이 흩어졌지."

에스트렐라는 목이 탄 듯 더운물을 마셨다. 간단하게 여과는 했다지만, 녹 특유의 떫은맛이 남아있을 텐데도 인상 한번 찌푸리지 않았다. 푸에고는 그녀가 미각을 잃은 것일지도 모르겠다고 생각했다.

"우린 우리가 알아낸 것들을 보다 많은 사람에게 알리기 위해 움직이고 있어. 정부는 대중들에게 거짓말을 하고 있거든. 지금까지처럼 모든 일이 잘 흘러갈 것이다. 다들 질서를 지키고 제자리에 있어라."

"사실이 아니란 말이오?"

"뭘 그런 걸 되묻니? 너도 그런 말이 미덥지 않아서 나와 사는 것 아니야?"

어두운 방 안에서 에스트렐라의 눈빛이 반짝 빛났다. 푸에고는 자신의 역량으론 그녀를 감당하는 것이 역부족이라는 사실을 받아들였다. 그러니까 기 싸움 말고 연륜 측면에서 말이다.

"정부가 왜 그런단 말이오?"

"폭동이라도 일어나면 대응할 여력이 없으니까? 권력이라는 것은 공동체의 모두가 합의한 질서에서 오는 힘이지. 국가라는 약속이 깨져버리면 정부는 밥벌레에 불과하잖아."

정부는 공권력으로 사회의 질서를 유지한다. 하지만 정부가 그 질서를 유지하는 데 실패하면 공권력은 허상처럼 사라져버린다. 사회는 공권력을 잃은 정부를 존중하지 않는다. 그렇기에 정부는 거짓으로라도 사회의 질서를 유지해야 한다.

다 망해가는 세상에서 이토록 더운 나날조차, 욕망은 겁을 먹지도, 지치지도 않고 타오르고 있었다.

"용케 아직도 잡히지 않았구려."

"이미 정부는 공권력 대부분을 잃었어. 전력 수급 문제로 전 세계 통신망이 두절되었거든. 끽해야 이제 전파만 남았는데, 정부의 모든 힘은 그 전파 라디오를 장악하는 데 투입되어 있지. 솔직히 이렇게 더운데 어떻게 다 잡으러 다니겠니?"

라디오 방송을 통해 들어온 정보가 사실 정부의 통제에 따른 거짓말이었다니. 푸에고는 한결 가벼운 마음으로 라디오에 대한 애도를 그만두었다. 안 그래도 잔고장이 많아 귀찮은 놈이었다. 잘 죽었다.

"쫓지 않아도 알아서 말라죽을 거로 생각한 것 아니겠소?"

"…그거, 좀 아프네."

실제로 그런 위기에 처했던 에스트렐라는 쓴웃음을 지었다. 드디어 한 방 먹여줬다는 기쁨도 잠시. 푸에고는 가장 중요한 질문을 하지 않았다는 것을 깨달았다.

"그래서 당신들이 알리고 다닌다는 것은 뭐요?"

마른 입술이 달싹거렸다. 푸에고는 그에서 시선을 떼지 않았다. 라디오와는 달리 에스트렐라는 노이즈도 없고 되물어볼 수도 있다.

"곧 해수면이 엄청난 속도로 상승할 거야. 3년이면 이 오두막은 해변 앞의 별장처럼 보이겠지."

"…피곤하게 되었구려."

푸에고는 벽으로 막혀있는 북쪽을 돌아보았다. 골짜기는 이곳보다 고도가 낮은 땅이라 그 역시 물에 잠기게 될 것이다. 어쩔 수 없이 동쪽 산을 넘게 생겼다.

"그런데 진짜 그 말투가 편하니? 아직 한창때인데 내가 안타까워서 그래."

저 짐 덩이 하나를 데리고 말이다.

짐 덩이라는 평이 무색할 정도로, 에스트렐라는 다재다능한 사람이었다.

"발전기가 너무 낡아서 회로 정리하고 계량 좀 해봤어. 이제 100와트 정도는 더 쓸 수 있을 거야. 실외기 부품 빼다 썼는데 괜찮지? 아, 에어컨 냉매 다 떨어졌더라. 일단 쓸 수 있는 부품 고르고 있는데, 재료 몇 가지만 잘 모이면 펠티에 쿨러를 만들 수 있을 것 같아. 응? 아, 가스 없이 전기로만 냉각시키는 거."

"……."

"이 버섯 먹을 수 있는 건데 왜 이렇게 내버려 뒀어? 버섯인 줄 몰랐다고? 하긴, 젖은 휴지 뭉치 땡볕에 말린 것처럼 생겼지. 그래도 이거 물에 불려서 먹으면 양이 좀 돼. 물이 없다고? 그럴 줄 알고 어젯밤에 요 아래 비닐 쳐놨지. 하여간, 넌 아는 것도 없는 주제에 어떻게 3년이나 버틴 거니?"

"……."

"응? 너 잠시만. 눈병 아니야?"

에스트렐라가 얼굴을 쑥 들이미는 데 놀란 푸에고가 뒤로 껑충 뛰었다. 그는 당황한 에스트렐라에게 큰소리로 외쳤다.

"더, 덥소!"

에스트렐라는 일주일간 요양으로 살도 오르고 얼굴빛도 돌아와 있었다. 그러니까 수년간 독수공방한 스물다섯의 청년이 한 뼘 거리에서 대화를 나누기엔 부담스러운 대상이었다.

특별히 외모가 출중하다거나 해서 그런 건 아니었다. 젊은 엘리트 특유의 자신감 넘치는 아우라와 활동반경이 제한된 장소 안에서 단둘이 온종일 붙어있는 구도. 그런 것들이 푸에고의 머릿속을 뒤죽박죽으로 만드는 것이었다.

"흐으응. 그래? 그래서 우리 언제 출발할 거야?"

동쪽 산 너머의 언덕. 푸에고와 에스트렐라가 이동할 곳.

이사 일정은 해가 지자마자부터 해가 뜰 때까지 8시간 정도의 강행군. 곧장 트럭에 짐을 싣고 3시간을 내리닫고서 도착하자마자 오두막을 만들어야 한다. 첫날에는 기둥을 세우고 지붕을 얹는 정도로 충분하지만, 나무를 베고 규격에 맞춰 다듬는 시간까지 생각하면 빠듯한 시간이었다.

"몸은 이제 괜찮소?"

"나쁘진 않아. 여기선 이 정도가 한계인 것 같고."

그렇기에 에스트렐라의 몸 상태가 거처를 짓는 데 도움이 될 정도로 회복된 이후에 출발하기로 한 것이었다.

"그렇다면 오늘 밤 바로 출발하지."

"좋아."

에스트렐라는 흔쾌히 고개를 끄덕였다.

길이 고르지 않아 트럭의 요동이 심했다. 짐은 꽁꽁 묶어서 고정했으니 큰 걱정이 없었지만.

"꺅!"

조수석의 에스트렐라가 천장에 머리를 박았다.

"아니, 왜 안전벨트가 없는 건데?"

"짐 묶는데 쓸 끈이 부족했으니까?"

"그렇다고 조수석 걸 잘라 가면 어떡해?"

"누굴 태울 일 없을 줄 알았소."

푸에고의 무심한 답에 에스트렐라는 인상을 찌푸리며 창밖을 보았다. 이번엔 창문 위의 손잡이를 양손으로 꼭 쥔 채.

"운전대 잡은 지 얼마나 됐어?"

"3년이오."

"자리 잡은 이후로 한 번도 안 한 거네?"

"연료가 넉넉하지 않았소."

트럭뿐만 아니라, 비상용 발전기도 연료를 필요로 했다. 실내에 서리가 내릴 정도로 추운 겨울 화로에 불을 붙일 때도 마찬가지였다.

“애초에 많이 사두질 않았지. 연료안정제를 넣는다고 해도 10년, 20년씩 쓸 수 있는 게 아니잖소? 차라리 그동안 기름 없이 사는 데 익숙해져야지.”

“오. 의외로 공부는 하고 들어왔구나?”

“세상이 멸망하는 소리는 절대 작지 않았소. 원전이 터져나가고 섬이 가라앉았지. 빙하가 녹고 태풍이 건물을 무너뜨렸고. 기실 많은 사람이 걱정했을 거요. 다만, 팝가수의 불륜 소식, 지역 축구팀의 동점 골, 내 딸의 첫 연애보다는 중요성이 덜했던 것뿐.”

푸에고는 좋아하는 가수나 축구팀이 없었다. 가족이라 부를 만한 이들도 남아있지 않았다. 어쩌면 그래서 멸망의 소리에 귀 기울일 수 있었을지도 모른다.

그라고 이웃을 구하고 싶지 않은 것은 아니었다. 하지만 그들은 이미 너무 많은 소리를 듣고 있었다. 푸에고가 아무리 간절히 설득한들, 그들에겐 겨우 소리 하나를 더 듣는 것에 불과했을 것이다.

“원망하니?”

“그럴 리가.”

“외롭진 않고?”

“감수해야지.”

에스트렐라는 푸에고를 돌아보았다. 고집스럽게 닫힌 입술. 긴장한 턱 근육. 부릅뜬 눈. 조수석 안전벨트에 가위를 댈 때, 묵묵히 홀로 삶을 이어가기로 결심했을 때, 그는 어떤 심정이었을까?

“목적지에 도착하면 멀리서도 잘 보이게 깃대를 올리자. 마른 풀들을 모아 매일 봉화도 피우고. 거처도 확장성을 고려해서 세워야 해."

"사람을 불러 모으자는 말이요?"

"혼자서 할 수 있는 건 많지 않으니까. 지금은 노동력과 자원을 모을 때야. 이런 세상에서 살아남아 언덕에 오를 정도면 적어도 뭔가는 써먹을 만한 게 있을 거야."

연예인도 축구팀도 없는 세상. 많은 아버지와 딸이 목숨을 잃은 세상. 그리고 한층 더 가까워진 종말. 지금 세상에는 푸에고가 익히 들었던 소리를 듣고 있는 이가 많을 것이다.

"혼자서는 힘들잖아."

에스트렐라는 운전대를 쥐고 있는 단단한 손 위에 자신의 손을 올렸다.

'덜커덩!'

"꺅!"

언덕에 둥지를 튼 지 벌써 1년이 흘렀다. 에스트렐라의 말대로 해수면은 빠른 속도로 상승했고, 에스트렐라의 뜻대로 꽤 많은 재주꾼이 이 언덕을 찾았다.

"해수면 상승은 이제 시작이야. 여기서도 버틸 수 있는 시간도 앞으로 3년 정도야. 그동안 얻을 수 있는 건 최대한 얻어야지."

에스트렐라는 푸에고와 함께 지나쳐온 동쪽 산을 바라보았다. 주먹도끼처럼 뾰족한 산마루. 그리고 그 주변을 둘러싸고 있는 침엽

수림. 다음은 이동할 곳은 저곳이었다.

“여기까지 물이 차오를 거란 말이오?”

“그럴 리가? 식생 때문에 그래. 오존층은 지금, 이 순간에도 얇아지고 있거든. 자외선이 강해질 테고, 살아남을 수 있는 식물군이 줄어들겠지. 기후도 예측하기 더 어려워질 거야. 게다가 여긴 흙이 너무 푸석푸석해서 굴을 파기엔 무리야.”

마지막 말은 꽤 예전부터 에스트렐라가 한 이야기였다. 인류는 결국 동굴 속으로 회귀해야 한다. 큰 동굴 안에서 집단을 이루고 생활한다면, 현생 인류의 활동에 적합한 환경을 조성하기 쉽다고 말이다. 유지보수가 필요한 데다 품도 많이 드는 오두막 생활은 잠시 거쳐 가는 단계일 뿐이라고.

“어차피 동굴로 들어갈 거면 그런 생활에 하루라도 빨리 적응하는 게 나아. 지금 우리 생활은 너무 현대적이라고. 이걸로 오래 버티긴 힘들어.”

에스트렐라는 팔짱을 낀 채로 아래를 내려다보았다.

우물을 중심으로 옹기종기 모여 있는 스물한 채의 오두막과 그 위를 덮고 있는 거대한 차양. 독특한 양식의 마을 양측으로, 잔뜩 달궈진 태양광 패널과 연기를 올리고 있는 봉수대가 자리하고 있었다.

작지만 아름다운 마을. 아이들의 자지러지는 웃음소리가 들리는 최후의 낙원.

“사람들이 좋아하지 않고.”

마을 사람들은 에스트렐라의 능력이나 인품은 인정했지만, 그녀가 그리는 그림에는 동의하지 않았다. 오랜 절망 속에서 겨우 발견한 희망이 이 마을이었다. 하지만 이 마을을 기획했다는 이가 자신의 입으로 이곳이 낙원이 아님을 떠들고 있었다. 불편하기 짝이 없는 상대였다.

"좋아하는 일만 하고 살 순 없어. 책임지고 수습하는 일 없이 말초적인 즐거움만을 쫓은 결과가 이거라고."

푸에고는 에스트렐라의 시선이 좀 더 먼 곳을 향해있다는 것을 깨달았다. 새 마을을 저 뒤로, 언덕의 비탈이 내달리고 또 내달린 끝에서 펼쳐진 바다. 1년 새 한 뼘이나 다가온 바다였다.

푸에고는 지난해 에스트렐라와 트럭에서 나누었던 이야기를 떠올렸다.

광장에 나선 누군가가 아무리 절박하게 경고해도, 다른 웃음소리에 묻혀 사라졌던 이야기. 재앙은 본디 그렇게 한 뼘씩 다가오는 것일지도 모른다. 느리지만, 결코 되돌아가는 일 없는 저 바다처럼.

"돕겠소."

푸에고는 생각했다. 실패를 되풀이하기엔, 재앙이 너무 가까이 다가왔다고. 그는 자신의 길을 고수하기로 했다. 자신이 선택한 항성이 반짝이는 그곳을 향해 꿋꿋하게 걸어가기로.

이후 다시 3년 동안, 각양각색의 사람들이 더 모여들었다. 이미 예견된 일이었다. 마을이 커지면 커질수록 더 멀리서도 발견하기

쉬워지니까. 숲속으로, 지하로 숨어들었던 사람들은 밤을 틈타 새 마을로 합류했다. 마을은 더 이상 마을이라고 부를 수 없었다.

민주적인 선거를 통해 대표를 선출하고, 대표는 각 분야의 전문가들과 함께 마을의 대소사를 논했다. 생산력이 늘었고, 자원은 효율적으로 배분되었다. 욕망은 문명이라는 이름으로 정제되어 모두를 만족시키는 방향으로 생장했다.

사람들은 이제 하늘을 바라보지 않는다. 수렵과 채집에 의존하던 원시의 인류가 정주를 선택했을 때처럼, 그들이 끝내 선택한 것은 땅이었다. 씨를 뿌리면, 열매를 내어놓은 땅.

"웃기지도 않은 소리야. 씨앗에게 인간의 의식이 있다면 과연 동의했을까? 자신의 열매를 착취하고, 태마저 인간들의 취향으로 바꾸는 걸 말이야."

"인간으로 난 이상, 인간의 눈으로 세상을 바라볼 수밖에 없지 않소?"

에스트렐라와 푸에고는 여전히 그 땅에 내팽개쳐져 있었다. 처음 만들었던 아담한 오두막집에서 여전히. 술기운으로 불콰하게 얼굴이 달아오른 에스트렐라는 탁자를 내려쳤다.

"그럼 난 씨앗의 눈으로 보고 있니? 인간이 인간이라는 종을 위해 사는 것이 잘못되었단 게 아니야. 그 근시안적인 관점이 모든 걸 망쳤음에도 이 모든 걸 또다시 되풀이한다는 게 문제라는 거라고!"

에스트렐라는 머리를 쥐어뜯었다. 푸에고는 그녀가 지금 이럴 수 있던 것도 그 인간의 욕망이 빚어낸 과실주의 마법임을 지적하는 우를 범하지는 않았다. 지금 대화로도 충분히 머리가 아팠기 때문이다.

“우리 세대는 반성하고 자중해야 해. 겸손하게 구석기로 돌아가 처음부터 다시 시작해야 한다고…….”

“벽화부터 그려야겠군.”

푸에고는 시선을 돌리며 과실주를 홀짝였다. 사람들을 설득해 동굴로 가자는 제안은 씨알도 먹히지 않았다. 푸에고로서는 에스트렐라가 둘이서만 떠나자고 했어도 따를 작정이었지만, 에스트렐라가 일찍이 갈락시아를 나온 것은 고작 자신 한 명만을 구하기 위해서가 아님을 알았기에, 그녀의 곁을 지킬 뿐 쓸데없는 말을 꺼내진 않았다.

마을이라기엔 크고, 도시라기엔 거창한 이 공동체 안에서 둘의 입지는 노망난 원로에 가까웠다. 공동체를 만드는 데 지대한 역할을 했으니 그만큼 대우를 해주고 싶지만, 주장하는 바가 너무 급진적이라 대화하기는 불편한 상대.

“빈정대지 마. 진짜 거기서부터 시작해야 할 수도 있어. 꼭 벽화일 필요는 없지만.”

“에어컨을 버리란 말이오?”

“에라이!”

에스트렐라는 참지 못하고 나무잔을 던져버렸다. 푸에고는 잔에서 흘러나오는 액체가 한 방울도 없다는 것을 확인하고, 저것을 주워 새 술을 따라야 하는 건지 고민하기 시작했다.

“인류는 일만 년 동안 지구란 환경에 적응해왔고, 그 결과 지금의 문명을 이루었어. 하지만 결국, 지구의 환경을 변화시키기 시작했지. 그럼 뭐가 문제겠어? 우리 문명의 존립 기반 자체가 변하는 거잖아? 문명은 저 아래서부터 붕괴할 거라고!"

에스트렐라는 자리에서 일어나 멀쩡하게 잘만 나오고 있는 에어컨을 향해 삿대질하기 시작했다.

"에어컨은 뭐로 돌아가? 전기로 돌아가지? 전기는 어디서 왔어? 저기 태양광 발전기지? 태양은 그대로니까 그럼 이제 아무 문제 없는 거야?"

"있소?"

"태풍이 불어서 망가지면 어떻게 할 건데? 저거 다 소모품이야. 패널이 깨지면 수리 못 해. 최첨단 기술로 만드는 거니까. 패널만 두고 이야기하는 거 같아? 온갖 전기제품에 드는 전선은? 구리는 둘째치고, 피복은 어떻게 만들 건데! 누가 석유를 시추하고, 어떻게 공장을 돌릴 거냐고!"

"……."

"우린 문명을 처음부터 다시 쌓아 올려야 해. 원시 인류보다 더 작은 뇌 용적과 더 약한 근골로."

지친 에스트렐라가 다시 자리에 앉았다. 푸에고는 그녀의 말을 곱씹었다. 에스트렐라는 푸에고의 나침반이었다. 저 하늘에 반짝이는 별. 그 모습이 가끔은 너무 처량해서, 잠시라도 눈을 떼면 저 차가운 밤하늘이 그녀를 집어삼킬 것만 같아서, 떨어지지 않고 묵묵히 그 곁을 지켜온 그였다.

푸에고는 에스트렐라의 고독을 조금 더 이해하고 싶었다. 그래서 그녀의 공포를 함께 짊어지기로 했다. 작은 불이라도 작은 어둠 정도는 물리칠 수 있으니까.

“어디서부터 시작하는 것이 좋겠소?”

에스트렐라는 기다렸다는 듯이 품속에서 무언가를 꺼내 들었다.

“시간.”

긴 이야기가 이어진 그날 밤에는 비가 내렸다. 에스트렐라조차 예상하지 못한 허리케인이었다.

“미친! 이러고 있을 틈이 없소!”

“잠깐만! 하나만! 하나만 있으면 어떻게든!”

쏟아지는 폭우 속에서 에스트렐라는 태양광 패널에 붙어있었다. 푸에고가 어떻게든 그녀를 잡아떼려 했지만, 어디서 그런 힘이 나왔는지 끝까지 버텨내는 에스트렐라였다.

‘꽈르릉!’

번개가 지척의 나무 위로 내려쳤다. 꽤 덩치가 있는 나무였지만 밑동까지 새카맣게 타버렸다. 어둠 속의 한 장면이 되었던 나무에서 시뻘건 불길이 비를 거스르며 뱀처럼 피어올랐다.

푸에고는 망연히 그 모습을 보다가 버럭 소리를 지르며 에스트렐라를 끌어당겼다. 에스트렐라가 흙탕물에 나뒹굴었다.

“이 미친 여자야, 정신 차려!”

처음부터 다시 시작해야 한다느니, 동굴로 돌아가야 한다느니 온갖 설교는 다 해놓고, 그깟 유리판이 뭐라고 이러고 있단 말인가? 존경하는 그녀가 이성을 잃은 모습을 지켜보는 것은 푸에고에게 무척이나 힘든 일이었다.

“아, 안 돼!”

에스트렐라의 눈이 튀어나올 듯 커졌다. 푸에고는 그 모습에 더 열불이 났다.

“버려야 한다며! 가져간다고 얼마나 쓸 수 있을 것 같아!”

“안 돼애애!”

에스트렐라가 미친 듯 소리를 지르며 달려들었다. 패널이 아니라 푸에고를 향해. 둘은 진창이 된 비탈 위로 데굴데굴 굴렀다. 한참을 구른 다음에야 푸에고는 허리를 세웠다. 폭우와 어둠 속에서도 선명한 불길, 그리고 그에 비친 광경을 확인한다.

바람을 이기지 못해 깨져버린 태양광 패널. 그는 침을 꿀꺽 삼키고 자신의 허리춤을 붙들고 엎어진 에스트렐라를 바라보았다. 그녀는 마치 상어처럼, 등에 지느러미 같은 것을 달고 있었다. 부러진 패널 조각이었다.

“에스트렐라!”

푸에고는 어찌할 바를 모르고 그녀의 이름을 불렀다. 뽑아야 하나? 아니! 출혈을 잡을 수 없다. 그럼 일단 안전한 곳으로? 안 돼! 상처가 헤집어질 거야. 여기서 어떻게든 해? 미친! 누가? 어떻게?

그때 푸에고의 가슴에서 뜨거운 불길이 일었다. 분노나 안타까움 같은 내재적인 것이 아니었다. 그것은 타인의 입김에서 비롯된 것이었고, 그 감정의 색은 염려요, 향기는 다독임이었으나, 어쩐지 푸에고의 격정보다도 뜨거웠다.

"푸에고."

"에스트렐라! 어, 어떻게? 아니, 나만 믿어. 내가 어떻게든!"

"…이제야, 제대로 말해주는구나. 킥."

에스트렐라는 여전히 푸에고의 가슴팍에 얼굴을 묻고 있었다. 에스트렐라의 체온이 이렇게 높았던가? 이렇게 뜨거운 사람이었나? 밤하늘의 별 같은 그녀였다. 차가운 어둠 속에서 처량히 식어가는 별이었다. 그래서 그녀도 자연스레 서늘하고 고고한 사람이었을 것이라 여겼다.

아니었다. 그런 게 아니었다. 차갑고 거대한 우주에서 별이 빛난다는 것은, 그 빛이 시공을 뛰어넘어, 각자의 삶을 뛰어넘어, 그 두꺼운 마음의 벽을 넘어 누군가에게 닿는다는 것은, 그것이 그만큼 뜨거운 열기를 가지고 있다는 의미였다.

"오, 제발! 에스트렐라! 제발, 제발!"

푸에고는 흐느끼고 또 흐느꼈다. 자신이 무엇을 바라는지 알지도 못하고 그 한 마디를 반복했다. 제발. 제발. 제발. 제발. 제발, 에스트렐라. 나의 별님.

별빛이 뺨에 닿았다.

"푸에고. 나의 온기. 내 말을 들어줄래? 시간이 많지 않아."

품 안의 에스트렐라가 고개를 들어 자신을 올려다보고 있었다. 푸에고는 제 뺨에 닿은 그녀의 손을 꽉 쥐었다. 그는 이를 악물고 눈을 부릅떴다. 처음 만났을 때, 새카맣게 타버린 모습과 지금 창백하게 질린 모습이 놀랍도록 닮았다는 생각이 들었다.

"푸에고. 너는 내가 '우리'에게 전하는 불이야. 당장의 불은 너무 커서, 약해진 우리가 다루기엔 너무 위험해. 그러니 나는 '우리'에게 널 보내고 싶어. 지금의 '우리'에겐 따뜻한 너로도 충분할 거야."

에스트렐라는 피로한 듯 눈을 감으면서도 입가의 미소를 잃지 않았다. 그 모습은 놀랍도록 뜨거워서 지켜보는 푸에고의 시야가 녹아내릴 정도였다. 푸에고는 눈을 끔벅여 눈물을 털어내고 그녀의 마지막 말을 끝까지 귀에 담았다.

"누구나 조금씩은 틀려. 누구나, 누구나, 잘못은 해. 나도 더 잘할 수 있지 않았었을까 생각해. 그래도 후회하진 않아. 내 모든 실수를 다 잊을 만큼, 너를 믿으니까."

그렇게 한 문명의 가장 빛나던 편린은 제 생에 만나는 마지막 인류에게 자신의 마음을 전했다.

에스트렐라가 푸에고에게.

"너를 만나기 전까지 나는 그저 준비를 해왔던 것이고, 너를 만나고 나서야 살았던 것이고, 이렇게 너를 남기고 떠나는 순간에서야 내 생의 의미를 느껴. 오, 나의 불꽃, 푸에고야. 나를 감히 프로메테우스라 불러주겠니?"

그리하여, 젖은 불꽃은 지는 별을 향해.

"물론이야, 에스트렐라! 나의 별! 나의 프로메테우스! 나의 선구자! 나의! 나의! 에스트렐라!"

그날, 별이 떨어졌다. 그러나, 비구름이 가득한 터라 사람들은 보지 못했다. 그저, 벼락과 노목이 잉태한 어린 불꽃이 그 마지막을 스치듯 기억했고 또 사라졌을 뿐이다.

"야마."

여자는 허리케인이 잠잠해질 때쯤에야 눈을 떴다. 그리고 대뜸 한다는 소리가 그거였다. 푸에고는 겨우 말린 부싯돌을 튀겼다. 몽글거리는 형태감의 종유석과 석순이 잠깐 드러났다.

"내 이름이에요. 누굴 구한 건진 알아야 할 거 아니에요?"

말간 얼굴의 여자는 어린 외모임에도 당찬 구석이 있었다. 작년에 온 전기기술자의 딸이었던가? 푸에고보다는 다섯 살 연하로, 백 명 남짓한 무리 사이에선 그나마 또래였지만 대화한 기억은 없다. 푸에고는 에스트렐라 곁에만 붙어있었으니까.

"푸에고."

"알고 있어요. 에스트렐라 껌딱지. 웬일로 혼자래요?"

"에스트렐라가 죽었거든."

"…미안해요."

푸에고는 사과를 받는 대신 밖을 바라보았다. 죽은 이는 에스트렐라만이 아니었다. 마냥 슬픔에 잠겨있기에는 할 일이 많았다. 산 사람을 찾고, 쓸만한 잔해를 고르고, 지금보다 더 큰 동굴을 찾아야 했다.

"움직일 수 있겠어?"

"음. 네, 괜찮아요. 고장 난 데는 없어 보이네요."

폭우를 뚫고, 트럭을 숨겨둔 숲속으로 필사적으로 달리던 중, 무너진 잔해 아래서 신음하는 야마를 발견했다. 사실 살아야 한다는 생각밖에 없었다. 자신은 에스트렐라가 인류에게 전한 불이니까. 살아서 모두에게 그것을 전해야 했다.

외면하려는 순간, 머릿속에 목소리가 울렸다.

'너를 만나기 전까지 나는 그저 준비를 해왔던 것이고.'

푸에고는 에스트렐라가 인류에게 전한 불이다. 모두를 번영시키기 위해서가 아니라, 온기를 나누기 위해. 하늘의 별이 아니라, 방안의 화로가 되라고. 푸에고는 야마를 구했다. 손에 닿는 단 한 사람을.

"그럼, 가자. 구름이 걷히기 전에 다녀와야 해."

그 말에 야마의 얼굴이 어두워졌다. 총명한 그녀는 그 한 마디로 모든 것을 깨달았다. 허리케인이 그들의 낙원을 무너트렸다는 것을. 마치 늑대가 입김으로 아기돼지의 오두막을 부수듯이.

'너를 만나고 나서야 살았던 것이고.'

4년 전까지, 모든 것이 정지된 오두막에서 푸에고는 그저 삶을 소모하고 있었을 뿐이다. 푸에고에게 에스트렐라는 말했다. '혼자서는 힘들잖아.' 산다는 것은 역설적으로 살아가는 것이 아니다. 삶은 나누는 것이다. 오랜 시간에 걸쳐 죽어가던 그를 숨 쉬게 만든 것은 오직 에스트렐라였다.

"얼마나 살아남았을까요?"

푸에고는 자리에서 일어나 야마를 향해 다가갔다. 푸에고가 동굴의 입구 쪽에 너무 가까이 있었기에 야마에게 그 모습은 마치 거대한 짐승이 다가오는 것 같았다. 야마는 눈을 질끈 감았다.

'이렇게 너를 남기고 떠나는 순간에서야 내 생의 의미를 느껴.'

그런 푸에고가 그런 에스트렐라의 의미였다. 푸에고는 사랑하기로 했다. 에스트렐라를 사랑하는 만큼 자신을. 자신을 사랑하는 만큼, 사람이 품은 희망의 빛을.

그는 손을 내밀어 그녀의 손을 잡았다.

"일단 둘 있네."

야마는 푸에고가 내민 손을 마주 잡고 자리에서 일어났다. 더듬은 손은 컸다. 앞장서서 동굴 밖을 나서는 등도 컸다. 야마는 마치 어린아이가 된 양 그의 뒤를 따랐다.

젊은 호모 사피엔스 두 개체가 동굴 밖을 나와 콘띠넨데에 닿는 순간, 청춘 매미 한 마리가 목청이 터지라 울었다.

"시간?"

"그래, 시간. 시간부터 시작해야지."

"좀 알기 쉽게 설명해주시오."

"시간은 본디 흐르는 거야. 그런데 인간은 그것을 마음대로 재단해서 쓰기 시작했지. 하루를 잘라서 사냥의 일정을, 일 년을 뭉쳐서 농사의 주기를, 세기를 분질러서 과학의 진보를. 그것부터 시작해야 하는 거야. 이 모든 것을 처음부터 재단해야 해."

"꼭 24시간, 60분, 60초를 다시 쓰라는 말이 아니라, 모든 사물과 개념에 이름을 새로이 붙여보자는 말이군."

"시간도 다시 쓰면 좋지만……, 아니다. 그럴 필요 없겠네. 이게 있으니까."

"이 시계가 뭔데 그러오?"

"영원히 멈추지 않는 시계. 스위스 장인이 만든 수제품이지. 처음 월급을 탔을 때 36개월 할부로 질렀어. 후후, 잘만 관리하면 인류보다 오래 살아남을걸! …그런데, 왜 그런 눈으로 봐?"

"아니오. 그러니까 이 시계를 기준으로 삼으면 되니, 시간은 새롭게 정할 필요 없다?"

"그래, 그건데. 그 말은 맞는데……. 아까부터 왜 그렇게 보냐고?"

"아니, 뭐. 그냥."

"무슨 말이 하고 싶은 건데?"

"별거 아니오. 그냥, 눈이……."

"눈이 뭐?"

"…반짝인다 싶어서."

맺음말

여느 글쟁이와 마찬가지로 저 역시 종이책에 대한 로망이 있습니다. 2021년 처음 POD 서비스에 대한 개념을 접하고 언젠가는 이렇듯 단편집을 낼 꿈에 부풀었죠. 앞으로 몇 편의 단편을 더 쓸 수 있을까? 몇 권의 단편집을 만들 수 있을까? 막연한 기대감으로 이 순간을 기다려 왔습니다.

아마도 저는 더 이상 단편을 쓰지 않을 것입니다. 대단한 결심이 아니라 그저 예측입니다. 지금껏 제가 쓴 단편 소설은 모두 누군가에게 헌정하는 선물, 혹은 동호회에서 열린 대회의 참가작이었는데, 앞으로는 그럴 기회가 주어지지 않을 것 같아서요. 글에 대한 욕구는 웹소설 연재를 통해 충족시킬 수 있을 테고, 감성적인 부분에 대해서도 시나 에세이를 쓰는 정도로 채울 수 있으리라 봐요. 단편 소설 집필은 은근히 품이 많이 드는 작업이라 심심하다고 끄적이는 일은 없겠지요.

제 작법의 문제일지도 모르겠습니다. 저는 늘 독자를 가정하고 집필에 들어갑니다. 특정한 누군가의 취향에 맞춰 쓸 때도 있고, 때로는 가상의 인물을 만들어 내기도 하지요. 제 단편 소설은 모두 소중한 문우가 있었기에 태어날 수 있었던 것입니다.

그런 의미에서 단편집의 제목을 '무익無翼한 원'으로 정한 것은 아이러니한 일입니다. '무익無翼한 원'은 제가 마지막으로 쓴 단편 소설이자, 유일하게 저라는 독자를 향해 쓴 작품이기 때문입니다. 작품을 써내고 느꼈던 탈력감을 기억합니다. 단편집을 만드는 것과 별개로 더는 단편 소설을 쓰고 싶지 않다는 기분을 느꼈지요. 여기서 무엇을 더 해야 하는지, 무엇을 더 할 수 있는지, 그런 질문이 떠올랐고, 그때의 저는 답하지 않았습니다.

이 단편집을 선물 받으셨다면, 당신은 제게 무척이나 소중한 사람일 것입니다. 그런 사람이 되어주셔서 감사드립니다. 지금껏 단편 소설을 써왔던 것의 의미는 마지막으로 당신을 만나기 위해서였다고 갈음하고자 합니다. 부디 부담으로 여기지 마시고 소중히 간직해 주세요. 물론 더 필요하면 꼭 말씀해 주세요. 언제든지 보내드리겠습니다.

문득 책장에 시선이 닿았을 때, 이 책이 보인다면, 그 순간만큼은 따스함을 느끼길 바라며 이만 줄이겠습니다.